Paul Brunton

Das Überselbst

Paul Brunton

Das Überselbst

Hermann Bauer Verlag
Freiburg im Breisgau

Die englische Originalausgabe erschien unter dem Titel
THE QUEST OF THE OVERSELF
Ins Deutsche übertragen von Rosa zu Solms-Laubach,
neu bearbeitet von Karin Eckhart.

6. Auflage 1980
ISBN 3-7626-0416-9
© für die deutsche Ausgabe 1980 by
Hermann Bauer Verlag KG, Freiburg im Breisgau.
Druck: Hain-Druck KG, Meisenheim/Glan.
Bindung: Walter Verlag GmbH, Heitersheim.
Printed in Germany

Widmung

an

Se. Hoheit
Sri Krishnaraja Wadiyar Bahadur IV, G. C. S. L., G. B. E.
Maharadscha von Mysore

Ew. Hoheit!

Als ich, von tropischer Hitze erschlafft und durch die steigende Temperatur Südindiens geschwächt, der gewaltigen Arbeit, den größten Teil dieses Buches zu schreiben, gegenüberstand, stellten Ew. Hoheit mir in liebenswürdigster Weise diesen einsamen Sommeraufenthalt auf der Spitze des Kemmangandi-Berges in den Baba-Budan-Hügeln zur Verfügung und ermöglichten mir dadurch, meine Aufgabe in kühlerer Luft und mit einem kräftigeren Körper durchzuführen.

Hier, in einer ruhigen und einsamen Umgebung, war es mir vergönnt, mich ungehindert der schwierigen Aufgabe zu widmen, eine Brücke zu bauen zwischen den alten Methoden der Geistesbeherrschung, wie sie in dem Lande Ew. Hoheit geübt werden, und den modernen seelischen Bedürfnissen meines westlichen Volkes. Auch der herrliche Zauber und die üppige Großartigkeit der Natur trugen hier freigebig dazu bei, dieses Werk zu inspirieren. Jene, die ihre Vorstellungen über Indien nach den langweiligen, eintönigen Ebenen gebildet haben, werden, wenn sie so glücklich waren, Mysore zu besuchen, seine grün und braun bewaldeten Hügel, seine dicht durchwachsenen Dschungeln, herabstürzenden Wasserfälle und lieblichen Täler in dauernder Erinnerung behalten. Ebensowenig werden sie seine Sonnenuntergänge mit ihren zart lila und feurig goldenen oder zauberhaft phosphoreszierenden, silbernen Wolken vergessen können.

Ich erinnerte mich gerne daran, daß Kemmangandi geheiligt war durch die Nähe der Höhle von Baba Budan, in der vor Jahrhunderten der gotterfüllte Mystiker Dattatreya seine letzte Meditation hielt und dann für immer von der Erde verschwand, um nur wiederzukehren — wie er vorausgesagt hatte —, wenn Elend und Materialismus in der Welt nach einem göttlichen Avatar riefen, um dann der Menschheit zu helfen. Sicher hatte er in jener einsamen Krypta seinen seraphischen Eindruck zurückgelassen; denn fast sogleich, als ich mich auf ihrem rauhen Steinboden niedergelassen hatte, versank mein Geist in eine Erscheinung und dann in einen unbeschreiblichen Frieden.

Wer mir ein Obdach bietet, schützt meinen Körper vor den Naturgewalten, doch er tut nichts für meine Seele. Ew. Hoheit aber haben beides getan. Denn es geschah durch Ihre indirekte Vermittlung, daß ich in das Studium des höheren Wissens Indiens eingeweiht wurde.

Währenddessen stellen Ew. Hoheit in Ihrer eigenen Person den hohen Charakter, die umfassende Weisheit und den praktischen Unternehmungsgeist dar, die den Staat von Mysore zu einem der bestregierten und fortgeschrittensten in ganz Indien gemacht haben. Ew. Hoheit Geist ist nicht nur der Philosophie, sondern auch den andern Wissenschaften zugewandt, und Sie haben versucht, jene technischen Anwendungen der Wissenschaft, die das Antlitz der Welt verändert haben, zum Besten Ihres Volkes diesem zugänglich zu machen.

Habe ich nicht in Bhadravati die großen Eisenwerke von Mysore besichtigt, die zweitgrößten Roheisenwerke des britischen Imperiums? Sie haben die Philosophie vor denen gerettet, die aus ihr nur einen Zufluchtsort für Enttäuschte machen möchten, und sie in eine kraftvolle Inspiration für höhere Arbeit im Dienste für andere umgewandelt.

Wenn die Herrscher der Welt Ew. Hoheit nacheifern und nur einen kleinen Bruchteil ihrer Zeit reiner Philosophie widmen wollten, würde die daraus gewonnene Erleuchtung von ungeheurem Vorteil für eine weisere Politik und das Glück der Völker sein: Friede würde dann eine Tatsache werden und nicht das Phantom bleiben, das er heute ist. Ew. Hoheit bieten allen Menschen ein Beispiel, indem Sie zeigen, wie man hohe Geistigkeit erreichen und doch seinen nächsten Pflichten ebenso wirksam nachkommen kann wie der materiellste Mensch, ja noch unendlich viel besser.

Der klare hellenische Geist Platos sah voraus: «Die Welt kann nur gerettet werden, wenn die Könige Philosophen oder die Philosophen Könige werden.» Die Liebe, die jedermann im Staate zu Ihnen hegt, offenbart die Wahrheit dieser Worte. Indem ich diese Seiten in aufrichtiger Verehrung Ew. Hoheit widme, gebe ich nur ernsthaftesten, weitverbreiteten und stark empfundenen Gefühlen Ausdruck.

Paul Brunton

(Drei Jahre nach dem Empfang dieser Widmung verließ der Maharadscha von Mysore seine irdische Hülle. Der Verfasser wohnte seiner Kremation bei.)

I. Teil

Die Analysen

1. Kapitel

Einleitung: Der Autor über seine Schriften

Ein Mensch, der die Aufgabe übernimmt, seine tieferen Gedanken einer Anzahl von Lesern mitzuteilen und vor allem sie in Gebiete des Wissens, Formen der Erfahrung und Phasen des Bewußtseins einzuführen, die über das Alltägliche hinausgehen, wird dies immer in einem Geiste der Hingabe an seine Aufgabe tun müssen, wenn er die Herzen erreichen und nicht nur weiße Blätter mit Worten bedecken will. Weil ich von dieser augenscheinlichen Wahrheit vor einigen Jahren voll überzeugt war, schreckte ich davor zurück, mein erstes Buch: «Der Weg nach Innen» [1], zu schreiben, bis ein innerer Zwang hinzukam, den ich nicht mißachten konnte und wollte. Verschiedene Personen hatten mich schriftlich und mündlich gebeten, ein Buch zu schreiben, das genaue Unterweisungen über die Kunst der geistigen Meditation gäbe. Denn sie wußten, daß ich ein wenig von dieser Kunst erlernt hatte, sowohl durch harte Bemühungen langer Jahre, als auch weil ich auf meinen Wanderungen im Osten zeitweilig als Schüler bei verschiedenen weisen Männern geweilt hatte, die anerkanntermaßen Adepten auf diesem Gebiete des Wissens waren. Wieder und wieder weigerte ich mich, diesem Wunsche zu entsprechen, und je mehr man in mich drang, besto härter und eigensinniger verharrte ich in der ablehnenden Haltung, die ich gewählt hatte. Die Gründe für diese Weigerung waren rein persönliche; der hauptsächlichste war eine zynische Abneigung, die zu Zeiten fast zu einem Abscheu wurde, in die

---

[1] Englischer Originaltitel: " The Secret Path ".

Klasse der geistigen Lehrer, der Propheten oder Verkünder eingereiht zu werden. Wenn ich schließlich nachgab und mich bewegen ließ, die Feder in die Hand zu nehmen und das Buch zu schreiben, geschah es, wie ich sagte, auf das Geheiß einer Macht, der ich nicht den Gehorsam verweigern konnte und vor der meine eigenen persönlichen Wünsche zurücktreten mußten. Einmal an der Arbeit, schob ich die persönlichen Abneigungen, die mich bisher zurückgehalten hatten, entschlossen beiseite und versuchte durch einen Akt des Willens, die Aufgabe, die mir gestellt war, im Geiste des Dienens zu erfüllen.

Mein Standpunkt, als ich den «Weg nach Innen» schrieb, war einfach dieser: «Hier ist eine exotische Technik, die mir geholfen hat; ich biete sie andern an, weil sie ihnen vielleicht auch helfen könnte; aber ich habe nicht den Wunsch, sie auf irgendeine Weise anzupreisen. Wenn es Menschen gibt, die diese Methode schätzen können, werde ich zufrieden sein; wenn sich aber keine finden, wird mich das nicht weiter betrüben. Die Lorbeeren erfolgreicher Verteidigung einer geistigen Botschaft, soweit sie Öffentlichkeit und Nachfolge, Korrespondenz und Besuche einschließen, sind mir gerade so zuwider wie die Dornen des Martyriums. Wenn ich diese Lorbeeren des Glaubensgründers nicht wünsche, mache ich mir ebensowenig etwas aus der Dornenkrone, die auch das Los des häretischen Bahnbrechers ist. Ich verlange nichts anderes von der Welt, als daß sie mich meinen Wanderungen, Schreibereien und Betrachtungen überlasse.»

Es ist eine Binsenwahrheit, daß kein Prophet in seinem eigenen Lande etwas gilt, und man sollte hinzufügen: in seiner eigenen Zeit; aber weil ich die ganze Welt als meine Heimat betrachte, kann ich mich bis jetzt nicht über eine solche Behandlung beklagen, denn ich war glücklich genug, während meiner eigenen Lebenszeit ein wenig Beachtung zu finden trotz meiner angeborenen Abneigung gegen Publizität.

Meine Lage, als ich den *Weg nach Innen* schrieb, wird hier erwähnt, weil sie der Lage, in der ich das gegenwärtige Buch schrieb, sonderbar ähnlich war. Leute, die das kleine Buch gelesen und anscheinend von ihm profitiert hatten, fingen an, mich nach einer weiteren Entwicklung der darin enthaltenen Lehre zu fragen, nach einem Werke, das denselben Gegenstand, aber mit genaueren Einzelheiten, behandeln würde. Immer wieder wurde mir die eine oder andere Frage gestellt, welche dem Leser während seiner Anstrengungen, die Übung und Lehre des «*Weges nach Innen*» zu verstehen, aufgetaucht war. Ich entdeckte ferner, daß verschiedene Leser wiederholt die gleichen Fragen stellten und denselben Problemen zu begegnen schienen, und das in einem solchen Umfange, daß ich bald einsah, daß offenbar ein wirkliches Bedürfnis für ein größeres Werk vorlag, welches den Gegenstand erschöpfender behandelte. Schließlich hatte ich bei dem «*Weg nach Innen*» nur die Absicht gehabt, eine skizzenhaft formulierte Einführung zu diesem dunklen und nicht leicht verständlichen Gegenstande der Meditation zu geben, einen Umriß des Weges, durch den man potentielle Formen des Bewußtseins, die von höchstem Wert für die Menschheit sind, entwickeln kann. Eine ganze Anzahl Punkte der Praxis waren absichtlich ausgelassen worden, um Anfänger nicht zu verwirren; ebenso waren auch manche Punkte der Theorie nicht erwähnt, damit die Leute direkt auf den Kern des Gegenstandes losgehen sollten.

Ich hielt eine solche Vereinfachung für wichtig, weil die Erfahrung mir gezeigt hatte, daß sogar unter Menschen, die sich schon für den Gegenstand interessierten und ihn studiert hatten, große Verwirrungen und Mißverständnisse bestanden. Wieviel größer würden sie bei denen sein, die ihm zum erstenmal, als etwas gänzlich Neuem, begegneten!

Dies waren die Gründe, warum ich zunächst nur einen Umriß bot, dessen Hauptziel es war, das Wesentliche der Meditation zu klären. Jetzt aber hatte sich die Notwendigkeit eines vollständigeren Werkes gezeigt, das die skelettartige Konstruktion des «*Weges nach Innen*» sozusagen mit Fleisch umkleiden und eine ausführliche Analyse für jeden

Schritt des Weges geben sollte zum Besten derer, die diesen Pfad mit Erfolg zu gehen wünschten, das aber auch zeigen würde, wie das Göttliche innerhalb unseres materiellen Ich arbeite. Das Bedürfnis eines Buches dieser Art wurde mir fortwährend durch eine Flut von Briefen nahegelegt, die ich von den Lesern meiner andern Bücher erhielt, welche mich um weitere Erklärung darin aufgestellter Behauptungen baten oder bei ihren Anstrengungen während der Übung der Meditation Schwierigkeiten begegnet waren und ihre Probleme zu lösen suchten. Der «Weg nach Innen» war, wie ich im Vorwort angekündigt hatte, ein Pfeil, der auf gut Glück abgeschossen wurde; aber der Pfeil traf ins Schwarze, und sein Erfolg würde vermutlich jeden anderen Schriftsteller veranlaßt haben, sich über das Thema weiter auszulassen. Ich jedoch zögerte wieder, denn ich fürchtete nicht nur, sondern wußte diesmal genau, daß ein weiteres Werk mich nur noch sicherer in der öffentlichen Meinung zu einem «geistigen Lehrer» stempeln würde — eine Etikette, die mir wahrscheinlich für immer anhaften würde, und die zu tragen ich so verabscheute, daß der Gedanke allein mich mit kaltem Schauder überlief. Ich widerstand deshalb von neuem den Wünschen meiner Leser und den Beschwörungen meiner Freunde und blieb hartnäckig bei meinem vordem angenommenen Standpunkt, nicht zu handeln.

Ich weigerte mich, auf ein kleines Piedestal gestellt und ein «geistiger Lehrer» genannt zu werden, eine Bezeichnung, von der ich genau wußte, daß sie sogleich jedermann veranlassen würde, mich mit einem bestimmten Typus in Verbindung zu bringen. Ich fuhr fort, diese Bezeichnung zu widerlegen, wenn sie auf mich angewandt wurde, weil ich erkannte, daß die Annahme dieser Benennung mich ein für allemal in die verabscheute Klasse der Sektengründer einreihen würde. Ich wünschte nur, für das genommen zu werden, was ich bin: für nichts anderes als einen normalen Menschen mit ein paar abnormen Interessen, der aber ein normales Leben führt und keine Ansprüche auf Überlegenheit macht.

Ich wollte betonen, was ich bereits anderswo dargelegt hatte: daß ich die Menschen nicht *lehren,* sondern ihnen vielmehr zeigen möchte, wie sie ihr Denken nach innen wenden und dadurch ein inneres Leben aufbauen könnten, das sie befähigen würde, in fortwährender Verbindung mit dem geistigen Reiche zu leben, während sie gleichzeitig ihren normalen Tätigkeiten auf den Marktplätzen und Verkehrsstraßen der äußeren Welt nachgingen. Ich verlangte keine Jünger; denn ich wünschte vielmehr, die Menschen zu der Entdeckung des Lehrers und Führers in ihrem Innern, des allmächtigen Überselbst, zu leiten und sie dadurch zu Jüngern, nicht irgendeiner Person oder -eines Objektes außerhalb ihrer selbst, sondern des wahren, allmächtigen Geistes, der in ihrem eigenen Herzen wohnt, zu machen.

Immerhin sei es nun eingestanden, daß mir die Arbeit an dem «Weg nach Innen» Freude machte, weil ich hoffte, das Buch würde den Menschen zu einer Hilfe werden, obgleich der Kern seiner Botschaft die Einladung enthielt, sich selbst zu erforschen. Ich sah voraus, daß es ihnen helfen würde, in der Unruhe der heutigen Welt etwas inneren Frieden und Selbstbeherrschung zu finden, daß es ihnen Mut einflößen und ihren Geist anfeuern würde. Die Botschaft der Hoffnung dieses kleinen Buches ist über die ganze Welt gegangen und hat bei den verschiedensten Gesellschaftsschichten Eingang gefunden. Viele erklärten, daß die Lektüre derselben den Wendepunkt in ihrem Leben herbeigeführt und sie befähigt hätte, dem Dasein mit größerem Mut und klarerem Verständnis entgegenzutreten. Ich versuchte, den ganzen Gegenstand der Meditation und des ihr entsprechenden Yoga Indiens von der Geheimniskrämerei, den theologischen Verdunkelungen und unnötigen Komplikationen zu entkleiden, mit denen ich sie bedeckt fand. So bereitete es mir am Ende eine wirkliche Freude, daß ich so gehorsam gewesen war, das Buch zu schreiben.

Der Titel (The Secret Path) wurde als sensationell und inkorrekt kritisiert. Meine Erwiderung ist, daß ich einen bestimmten Pfad zu einem geistigen Ziel beschrieben habe, der der heutigen Welt zum großen Teile verlorengegangen war und der in der Alten Welt nur im geheimen und persönlich, durch gesprochenes Wort, und allein anerkannte Jünger gelehrt wurde. Zum Beweis dafür bringe ich einige Zitate aus den Schriften jener, die dem gleichen oder einem ähnlichen Pfade folgten.

Das erste stammt aus Tibet und ist mehr als siebenhundert Jahre alt: «Wenn ihr *den geheimen Pfad* betreten werdet, werdet ihr den kürzesten Weg gefunden haben», sagt die Hymne der Yogivorschriften, die in dem «Jetsun Kahbum» oder der biographischen Geschichte des Milarepa, des berühmtesten der mittelalterlichen Yogis, enthalten ist.

Das zweite ist einem noch nicht übersetzten Buche in tamilischer Sprache entnommen: «Die heiligen tamilischen Schriften», und ist von Tirumular, einem Seher, der vor vielen hundert Jahren lebte, geschrieben worden. Es lautet: «Wer diesen *geheimen Pfad* erforscht, wird erkennen, daß die Einzelseele das göttliche Selbst und nichts anderes ist.»

Das dritte Zitat kommt aus Südindien und gehört unserer eigenen Ära an. In diesem Werke, das den Titel «Der Katechismus der Untersuchung» trägt, dessen englische Übersetzung noch nicht veröffentlicht ist, schreibt der berühmte Maharishi des Arunachalahügels, der 1950 gestorben ist: «Diese Methode, das Absolute zu realisieren, *ist als der geheime Weg des Herzens* bekannt. Was soll man noch mehr über ihn sagen? Man sollte ihn durch unmittelbare Anschauung erleben.»

Ich habe auf diese Weise versucht, einige der besonderen Umstände, welche die Veröffentlichung des *«Secret Path»* begleiteten, und meine persönliche Haltung ihnen gegenüber klarzumachen. Der Augenblick ist deshalb günstig, mich auch meinen andern Büchern rückblickend zuzuwenden und sie zu revidieren, während ich kurz ihre Entstehung, ihren Gegenstand und ihre Resultate erwähne. Dieser Hinweis ist jetzt nötig, weil sie ganz unabhängig voneinander sind, da jedes auf einer anderen Ebene steht, und weil sie zu großen Mißverständnissen ihrer Natur und häufigen Kritiken an ihrem Verfasser Anlaß gaben.

Den Anfang der Reihe bildet «A Search in Secret India» [2]. Freudig benützte ich die Gelegenheit, in diesem Buche zu zeigen, daß es noch etwas Wertvolles in Indien gibt — einem Lande, das eine weit bessere Behandlung verdient, als es gewöhnlich in zeitgenössischen Gesprächen und Schriften erfährt —, etwas, das allerdings den Horizont der meisten über Indien schreibenden Schriftsteller der neueren Zeit bei weitem übersteigt.

Wir Abendländer sind mit Recht stolz auf die äußeren Errungenschaften in dieser unserer Welt; aber wir werden manchmal etwas unruhig, wenn wir von einem halbnackten Fakir hören, der eine Tat, die wir weder nachmachen noch verstehen können, ausführt. Diese Sache kommt immer noch häufig genug vor, um uns zu erinnern, daß es in den Ländern östlich des Suezkanals noch uralte Geheimnisse und ehrwürdige Weisheiten gibt, und daß nicht alle Bewohner dieser buntfarbigen Länder die umnachteten Heiden sind, für die einige unter uns sie halten. Wir stellen uns diese Yogis als träumerische Schwärmer vor, die die üblichen Wege der Menschheit aufgeben, um sich in sonderbare Verstecke, in düstere Höhlen, einsame Berge und abgeschlossene Wälder zurückzuziehen. Aber sie gehen mit einem klaren Ziele, und sie stellen sich keine geringere Aufgabe als die Erlangung einer vollkommenen und unglaublichen Gewalt über die gebrechliche Hülle des Fleisches. Um dieses Ziel zu erreichen, unterwerfen sie sich der in ihren Überlieferungen niedergelegten anspruchsvollen und harten Disziplin. Wenn das Publikum heutzutage hauptsächlich mit Vagabunden, Betrügern und faulen Landstreichern in Berührung kommt, die sich vor anderen und vor sich selbst als Yogis aufspielen, entwertet das

---

[2] Titel der deutschen Übersetzung
«Von Yogis, Magiern und Fakieren». (Hermann Bauer Verlag, Freiburg i. Br.)

17

nicht die Wahrheit ihrer Überlieferung, noch die Echtheit ihrer besten Vertreter.

Als Macaulay nach Indien kam, um seinen Sitz in der Regierung einzunehmen und einen Plan für ein Erziehungssystem auszuarbeiten, warf er diese ganze Wissenschaft in den Papierkorb und bemerkte mit Abscheu, daß sie eine jämmerliche Sammlung unreifer Kindereien und abergläubischer Einbildung darstelle. Hatte er damit wirklich recht? Jedenfalls bezweifelte ich sein Urteil und machte mich auf, um die Dinge selbst zu untersuchen.

Ich hoffe, daß die Wahrheit mein Horoskop beherrscht, denn auf ihr Geheiß schiffte ich mich nach fernen Meeren ein, und auf ihre Stimme warf ich verlockende Früchte mehrjähriger, ehrgeiziger Arbeit fort. Ich reiste mit Hochdruck, konzentrierte mich auf mein Suchen nach wertvollen Yogis und gab mich einer gesammelten Erforschung ihrer Übungen hin. Ich hatte keinen Augenblick übrig für die gestärkte und steife Etikette des europäischen Gesellschaftslebens in Indien. Ich konnte die Stunden nicht durchtanzen und durchtrinken. Der Durst, unter der Oberfläche des indischen Daseins nach seinen tiefsten Geheimnissen zu spähen, verfolgte mich wie ein Dämon.

Mein Weg in diesem fremdartigen Lande schien durch eine seltsame Gunst der Vorsehung geebnet zu werden, und ich begegnete allen Sorten sonderbarer Menschen und merkwürdiger Abenteuer. Da waren all die wandernden Jünger des Yoga: Fakire, die wie galvanisierte Mumien aussahen, von Gedanken verfolgte Philosophen, die sich in ein Coma hinein betrachteten, umherziehende Parasiten der menschlichen Gesellschaft und scheinheilige Landstreicher, Halbwahnsinnige mit langen, ungekämmten Haaren und mit Asche beschmierten Körpern, die mich unheimlich anstarrten; aber auch weltverachtende, Frauen und Wein meidende Heilige, die sich aufrichtig der Erforschung des Großen Geistes widmeten — eine so bunt gemischte Schar menschlicher Wesen, wie ich sie nur je gesehen hatte — und endlich, hie und da, ein seltener, wirklich normal lebender Weiser, der mich mit gefalteten Händen und gütigen Worten begrüßte, der mir ein Vertrauen zeigte, wie es Fremde im Orient nicht leicht gewinnen, und mir letzte Wahrheiten anvertraute, die für die Seiten eines gewöhnlichen Buches zu subtil sind.

Ich führte ein Leben auf und ab schwingender Wechselfälle, eine Woche mit dem Minister eines Maharadschastaates speisend, in der nächsten mich bettelarmen und heimatlosen, heiligen Männern zugesellend. Jeden Tag erwartete ich, etwas Unerwartetem zu begegnen oder bei der nächsten Ecke der Dorfstraße in eine neue Verwirrung zu geraten.

Es ist wohl am Platze, hier eine oft gestellte Frage zu beantworten und zu bekennen, daß ich den berühmten Trick mit dem Seile nie gesehen habe. Obgleich ich Indien der Länge und Breite nach durchwandert habe, fand ich keinen Fakir, der fähig oder bereit gewesen wäre, dieses scheinbare Wunder auszuführen. Die Anzahl der Beweise, daß es früher und noch vor kurzem stattgefunden hat, scheint mir aber zu überwältigend und zu authentisch, um nicht von Leuten mit aufgeschlossenem Verstande angenommen zu werden. Aber wenn ich über dieses Kunststück nicht berichten kann, so kann ich doch die Erklärung eines meiner Lehrer wiedergeben, des größten jetzt in Indien lebenden Geistes, der in seiner Jugend ein ähnliches Wunder gesehen hatte. Er behauptete bestimmt, daß, wo es sich nicht um ein bloßes Zauberkunststück und Gaukelei handle, es eine Leistung des Hypnotismus sei, eine Wirkung, die ein mächtigerer Geist auf eine Menge von schwächeren ausübe. Die Tatsache, daß auf einer dabei aufgenommenen Photographie kein Junge, der an dem Seile hinaufklettert, zu sehen war, ist ein Beweis für diese Feststellung. Der Einwand, daß nicht fünfhundert Leute in einer Menge einer Massensuggestion erliegen könnten, wurde von meinem Lehrer auf Grund des Prinzips zurückgewiesen, daß fünfhundert schwächere Geister immer einem einzigen stärkeren nachgeben würden oder, arithmetisch ausgedrückt, daß 500 mal 0 immer 0 bleibt.

Unter dem harten Drucke dieses angestrengten Suchens lernte ich viel, und obgleich das Thermometer an manchen Tagen so unbarmherzig stieg, daß die rebellischen Muskeln nicht dazu gebracht werden konnten, ihre normalen Funktionen zu erfüllen, fuhr ich fort, Wissenschaft von Aberglauben, Weisheit von Unsinn und Wahrheit von Dichtung zu sondern. Ich erkenne jetzt, daß, wenn wir Indiens Wissen nicht als den abendländischen Wissenschaften und Religionen entgegengesetzt betrachten würden, sondern als beiden dienend, wir durch diesen Zuwachs nur besser und weiser werden könnten.

Ein mohammedanischer Fakir, der mir zufällig begegnete, prophezeite mir träumerisch, während er mit gekreuzten Füßen und gefalteten Händen auf seiner Matte saß: *«Du wirst lange Schriften verfassen über deine Erlebnisse unter den Menschen meiner Klasse und sie in gedruckten Büchern niederlegen, damit die westlichen Völker sie lesen. Du wirst den Sahibs erzählen von deinem Leben mit denen, die sie verachten, und deine Worte werden zur Folge haben, daß ihr Geist sich wundert.»* — Er war der eigentliche Urheber des Buches *«A Search in Secret India»;* denn er gab mir die Idee, andern das mitzuteilen, was ich bis dahin nur als meine private Angelegenheit betrachtet hatte. Von da ab machte ich meine Notizen sorgfältiger. Es mag hier hinzugefügt werden, daß ich vielen Menschen begegnet bin, über die zu schreiben ich weder Raum noch Neigung hatte. Ich war bemüht, in diesem Buche die Geschichte eines Suchens zu geben und nur auf die Personen und Episoden einzugehen, die mit diesem Suchen bedeutungsvoll im Zusammenhang standen.

Mit einer neuen Sicht kehrte ich aus dem Osten zurück. Meine mystischen Erfahrungen hatten die Operation an dem grauen Star meiner Seele vollzogen, viel Krankheit war von meinen Augen genommen. Ich sah die moderne Gesellschaft nicht länger im Schimmer einer glorreichen Zivilisation, sondern als eine unglückselige Katakombe *schlafender Seelen.* Möge man mich nicht mißverstehen. Ich mache weder Propaganda für Yoga, noch für irgendeinen anderen «...ismus» oder Kultus; ich suche nur die Aufmerksamkeit zu wecken für ein paar wertvolle Ideen, die im Osten gefunden werden können. Ich gehöre auch nicht zu denen, die die sogenannte «Geistigkeit» des Ostens preisen, um den westlichen Materialismus herabzusetzen. Solche Vergleiche sind töricht und unzutreffend. Heiligkeit ist in uns selbst, nicht auf irgendeinem Fleck dieses Planeten. Dennoch bleibt die Tatsache bestehen, daß Asien und Afrika infolge ihres hohen Alters und ihrer geruhsameren Lebensweise Zeit gefunden haben, einige tiefe Geheimnisse geistiger, seelischer und materieller Natur zu entdecken und eine Weisheit, die, wie mir scheint, doch einigen Wert für uns hat. Diesen Geheimnissen und dieser Philosophie auf die Spur zu kommen, bereitet heute die größten Schwierigkeiten, da ihre Besitzer im Laufe der Zeit auf ein paar im Verborgenen Lebende zusammengeschmolzen sind; aber sie existieren und können gefunden werden.

Indien bewahrt aus seiner Vergangenheit ein uraltes Erbe geistigen Denkens, das in seiner Tiefe unerreicht ist und in seiner Weite einzig dasteht. Junge Inder sollten auf dieses Geburtsrecht Anspruch erheben und herausfinden, was darin wertvoll und verwendbar ist für die heutige Zeit und ihre Notwendigkeiten. Sie sollten sich weder durch den westlichen Skeptizismus einschüchtern, noch durch den modernen Materialismus bestechen, noch durch religiöse Streitereien verdummen lassen, sondern bei ihren besten Denkern Führung suchen.

Auch der Mystizismus ist in Indien vertreten, und in der geheimnisvollen Persönlichkeit des Maharishi fand ich seine erhabenste Verkörperung. Ungleich den mittelalterlichen religiösen Mystikern Europas nahm sein Mystizismus eine ausgesprochen verstandesmäßige Richtung. Er war in der Tat die hervorragendste Gestalt meines Buches, und es war nur angemessen, daß ich der Schilderung seiner Person und seiner Umgebung einen so großen Platz einräumte. Die letztere hat sich jedoch seit meinem ersten Besuche vor vielen Jahren sehr

verändert; sie hat ihren früher so friedvollen Charakter verloren. Über den Tod des Maharishi im Jahre 1950 berichte-
ten fast alle indischen Zeitungen.

«*A Search in Secret India*» ist.viel gelesen worden. Wie der
Schriftsteller John Knittel im Vorwort der deutschen Ausgabe großzügig schrieb: «In diesem Buche wird eine Brücke
geschlagen.» Europäer und Amerikaner könnten nun Indien
etwas höher einschätzen und ihm etwas mehr Achtung ent-
gegenbringen.

Der bilderreiche, impressionistische Stil des Buches rief
bei manchen Kritikern den Eindruck hervor, daß ich den
an sich wahren Stoff dichterisch ausgeschmückt hätte. Sie
waren ganz im Irrtum. Ich besitze das volle Recht, wenn
ich dazu Lust habe, von der Art der landläufigen Reise-
beschreibungen abzuweichen und meinen Stoff so interessant
wie möglich darzustellen. Die Tatsache, daß ich versuchte,
außergewöhnliche Ereignisse und Szenen, Gebräuche mit
außergewöhnlichen Menschen und meine eigenen außergewöhnlichen Erfahrungen dem allgemeinen Verständnis
nahezubringen, macht mich als Reporter nicht geringer. In
diesem Sinne ist mein Buch nur veredelter Journalismus.
Ich beanspruche deshalb das Recht jedes Reporters, das Beste
aus seinem Stoff zu machen, um ihn journalistisch wirkungs-
voll auszugestalten. Ich sehe nicht ein, warum ich diese Berichte in dem langweiligsten und blutlosesten Stile, den ich
finden kann, widergeben soll. Ich sehe nicht ein, warum ich
meine Erfahrungen für den Leser nicht ebenso lebendig
machen soll, wie sie es für mich waren. Und selbst wenn ich
— was ich nicht tue — für mein Buch den Anspruch eines
literarischen Werkes erhöbe, so käme mir sicher das Vorrecht
jedes Künstlers zu, das Material bewußt auszuwählen und
umzugestalten, statt es nach Art eines Professors begründet
und syllogistisch darzustellen. Und es muß ebenso daran erinnert werden, daß ich in meinen Gesprächen mit diesen
Yogis versuchte, den Dingen auf den Grund zu kommen, an
die letzte Bedeutung zu gelangen, die diese Menschen für

mich hatten, und daß ich unsere Gespräche dann in noch konzentrierterer Form für den Leser destillierte.

Das Buch ist eine treue und ehrliche Schilderung, geschrieben, um die Wahrheit zu berichten, ohne langweilig zu werden. Als ich letztes Jahr Dayalbagh bei Agra in der Gesellschaft meines Freundes, des Majors Francis Yeats-Brown, wieder besuchte, war Seine Heiligkeit, der verstorbene Sir Sahabji Maharaj, so freundlich, zu bemerken, als wir alle drei beim Frühstück saßen, daß mein veröffentlichter Bericht über die Interviews mit ihm ein erstaunlich genaues Gedächtnis bewiesen habe.

Endlich belustigt es mich, daran zu denken, daß, als ich vor sieben Jahren in der Stadt Madras versuchsweise Erkundigungen über den Maharishi anstellte, niemand auch nur von seinem Dasein gehört hatte und ich vor meinem Besuch bei ihm rein gar nichts über ihn erfahren konnte. Heute kann man fast jeden Bewohner dieser Stadt über den Mystiker von Arunachala fragen, um sofort reichliche Auskunft zu bekommen. Mir, dem ungläubigen Fremden, war es vorbehalten, den Maharishi in seinem eigenen Lande berühmt zu machen.

Einen meteorartigen Erfolg hatte das Buch «A Search in Secret Egypt» [3]. Trotz seines hohen Preises, der durch zahlreiche kostspielige Illustrationen bedingt wurde, würdigte das Publikum sofort, daß hier etwas für das sonnenverbrannte Land des Nils geleistet worden war, das niemand je zuvor versucht hatte. Dennoch weiß ich, daß es unter den Lesern viel umstritten und kritisiert worden ist. Nun ist der Augenblick gekommen, meine Kritiker zu kritisieren. Ich will gleich von Anfang an vollkommen offen sein und zugeben, daß ich nicht nur nach Ägypten ging, um nach Weisheit, sondern auch, um nach Wundern zu suchen. Ich bedaure, in diesem ungläubigen Zeitalter feststellen zu müssen, daß ich sie fand. Die Erzählung meines Erlebnisses während der Nacht, die ich in der großen Pyramide verbrachte, und die Offen-

---

[3] Titel der deutschen Übersetzung
«Geheimnisvolles Ägypten». (Hermann Bauer Verlag, Freiburg i. Br.)

barungen, die mir dort zuteil wurden, stellten, wie ich durchaus erwartet hatte, zu hohe Anforderungen an den Glauben mancher Leute, so daß einige sogar daran zweifelten, daß ich wirklich die Nacht dort verbracht hätte, während andere dachten, daß ich nur nach einer billigen Berühmtheit suche. Daß ein Mensch bei einem so ungewöhnlichen Unterfangen wirklich eine ehrliche, ernste Absicht haben könnte, kam vielen von ihnen gar nicht in den Sinn. Inzwischen sind sechs der außergewöhnlichen Behauptungen meines Buches seit seiner Veröffentlichung bestätigt worden und durch die Geschichte der neueren Weltdiplomatie die siebente ebenfalls, da die Prophezeiung des Adepten Ra-Mak-Hotep über internationale Verrätereien in trauriger Weise in Erfüllung gegangen ist.

Die erste Bestätigung betrifft die gigantische Figur der Sphinx, über deren Ursprung und Zweck die Welt bis zu unserer Zeit vergeblich nachgedacht hatte. Auf Seite 29 meines Buches stellte ich die folgende genaue Lösung auf:

«Der Zweck der Sphinx ist jetzt ein bißchen klarer geworden. Die ägyptischen Atlantier hatten sie als ihre großartigste Statue, ihr erhabenstes Denkmal der Erinnerung errichtet und ihrem Lichtgotte — der Sonne— geweiht. Die Sphinx war das verehrte, in Stein gefaßte Sinnbild eines Volkes, welches in dieser dichten Stoffwelt das Licht als das Gott am nächsten Stehende anschaute. Ra, der Sonnengott, war der Erste, der Vater und Schöpfer aller anderen Götter, der alle Dinge gemacht hatte, der Eine, der Selbstgeborene.»

Ein Jahr, nachdem ich diese Worte geschrieben hatte, d. h. im Oktober 1936, wurde folgende Meldung durch die Reuter-Agentur in Kairo veröffentlicht und in allen führenden Zeitungen der Welt abgedruckt:

«Neues Licht über die Sphinx —
Monument des Sonnengottes Ra.

Wichtige, soeben gemachte Entdeckungen werfen neues Licht auf das Geheimnis der großen Sphinx von Gizeh, der riesigen Steinfigur mit dem Haupte eines Menschen und dem Körper eines Löwen, die über das Niltal blickt.

Nach intensiven Ausgrabungsarbeiten hat Professor Selim Hassan von der Universität Kairo eine Stele aus Granit ans Tageslicht befördert — eine Tafel —, augenscheinlich aus der 18. Dynastie, welche eine Inschrift trägt, die ein weiteres Glied in der Geschichte dieses großen Denkmals liefert.

Seit Jahren war Professor Hassan damit beschäftigt, das Problem der Sphinx zu lösen — wer sie aus dem Kalksteinfelsen gehauen hätte, und wen sie darstellen sollte.

Die Inschrift auf der Tafel, die er soeben entdeckt hat, weist auf die Sphinx hin als ein Monument, das dem Sonnengotte Ra geweiht sei. Sie bestätigt und vervollständigt möglicherweise auch die Inschrift auf einer vorher entdeckten Tafel, von der ein Teil abgebröckelt war.»

So wurde das, was mir in einer in tiefer Meditation zu den Füßen der Sphinx verbrachten Nacht innerlich offenbart worden war, nachträglich durch eine zufällige archäologische Entdeckung als richtig bestätigt!

Die zweite erfreuliche Bestätigung bot sich mir in einer Besprechung meines Buches in der in Kairo erscheinenden Zeitung «Die Sphinx»:

«Ich wandte nicht wenig Mühe daran, persönliche Erkundigungen und Untersuchungen über einige der bemerkenswertesten Behauptungen dieses Buches anzustellen. In bezug auf die unheimliche Erfahrung des Autors während der Nacht, die er in der großen Pyramide verbrachte, versicherte mir der örtliche Polizeioffizier, der die Verantwortung für Mr. Brunton hatte, daß er selbst nicht für alle Reichtümer Ägyptens mit dem Autor hätte tauschen mögen. Das sagte ein Offizier, der seinen Mut öfters unter Beweis gestellt hatte. Mr. Bruntons Buch wird Anklang finden wegen der Darstellung erwiesener Tatsachen, die den ältesten Einwohnern unter uns vollkommen unbekannt gewesen sind.»

Mögen jene Kritiker, die in ihren Anklagen mit Feder, Papier und Zunge so tapfer sind, eine ähnliche Nacht in totaler Finsternis innerhalb dieser verwunschenen Pyramide verbringen; und nur, wenn sie dann noch ihren gesunden Verstand und ihren Skeptizismus behalten haben, werden sie der Welt vielleicht etwas Interessantes zu berichten haben.

Drittens rief, wie ich völlig erwartet hatte, die Erscheinung des Geistes eines alten ägyptischen Priesters, der mich über das Vorhandensein einer verborgenen Kammer in der Pyramide unterrichtete, die ungeheuer alte, heilige Erinnerungen enthielt, und der sogar meinen eigenen befreiten Geist in einen dorthin führenden, abschüssigen Gang begleitete, sarkastische und strenge Kritiken sogar bei denen hervor, die meine anderen Enthüllungen annehmbar fanden. Es überschritte den Raum dieses Buches, wollte ich mich der an sich sehr notwendigen Aufgabe unterziehen, die eigentliche Wahrheit über die jenseitige Welt und ihre Bewohner zu enthüllen, die sich so sehr von den kläglichen Illusionen und groben Phantasien materialistischer und spiritistischer Kreise unterscheidet. Hier genügt es, zu sagen, daß die Traumwelt nicht sehr verschieden ist von der Geisterwelt.

Während die Traumwelt uns an ihren tiefsten und deshalb am häufigsten berührten Rändern nur ein gedämpftes Bewußtsein gewöhnlicher, materieller Lebenserfahrungen und körperlicher Prozesse widergibt, erhebt sie sich an ihren höchsten Grenzen zu der Offenbarung einer Vereinigung mit der Welt körperloser Geister. Eine derartige Vereinigung ist ungewöhnlich, aber nicht so selten, daß sie nicht fast jedem wenigstens einmal in seiner Lebenszeit begegnet.

Durch reinen Zufall stieß ich neulich auf den Bericht eines Erlebnisses, das von dem meinigen in der Pyramide nicht allzu verschieden ist. Danach wurde ein Universitätsprofessor im Traume von einem babylonischen Priester besucht, der ihm genaue Einzelheiten über die richtige Entzifferung von zwei mit Inschriften versehenen Achaten gab. Die Auslegung erwies sich später als vollkommen richtig.

Hier folgt für die Neugierigen und zum Vergleich mit meinem eigenen der gekürzte Bericht. Der Fall wurde von

Prof. W. Romaine Newbold von der Universität Pennsylvania aufgezeichnet, in einem Blatt, benannt «Subconscious Reasoning», in den «Verhandlungen der Gesellschaft für psychische Forschung» (Bd. XII, S. 11—20).

Ich gebe folgenden Auszug:

«Diesen Fall verdanke ich einem andern Freunde und Kollegen, Dr. Hermann V. Hilprecht, Assyrologe an der Universität von Pennsylvanien. Das Erlebnis wurde mir kurz, nachdem es stattgefunden hatte, erzählt, und ich übersetze hier einen Bericht von Prof. Hilprecht, der in deutscher Sprache geschrieben ist, am 8. August 1893, bevor er die vollständige Bestätigung erhalten hatte:

Eines Samstagabends, um die Mitte des März 1893, hatte ich mich, wie schon so oft in den vergangenen Wochen, vergeblich abgemüht, zwei kleine Achatfragmente zu entziffern, die zu den Fingerringen irgendeines Babyloniers gehören sollten. Die Arbeit wurde sehr erschwert durch den Umstand, daß die Bruchstücke nur Überreste von Schriftzeichen und Linien aufwiesen, daß Dutzende von ähnlichen Fragmenten in den Ruinen des Baaltempels von Nippur gefunden worden waren, mit denen sich nichts anfangen ließ, und daß ich außerdem in diesem Falle nie die Originale vor mir gehabt hatte, sondern nur die flüchtige Skizze eines der Mitglieder der Expedition, die von der Universität von Pennsylvanien nach Babylonien geschickt worden war. Ich konnte nichts anderes sagen, als daß die Fragmente, wenn man den Ort, an dem sie gefunden worden, und den besonderen Charakter der keilförmigen Schriftzeichen, die auf ihnen erhalten waren, berücksichtigte, der cassitischen Periode der babylonischen Geschichte (1700—1440 v. Chr.) entstammten. Da überdies der erste Buchstabe der dritten Reihe des ersten Fragmentes KU zu sein schien, schrieb ich dieses Fragment, mit einem Fragezeichen versehen, König Kurigalzu zu, während ich das andere Fragment auf eine Seite meines Buches setzte, auf der ich die unklassifizierbaren Fragmente veröffentlichte. Die Korrekturbogen lagen schon vor mir; aber ich war weit entfernt, befriedigt zu sein. Das ganze Problem ging mir wieder an jenem Märzabend durch den Sinn, bevor ich mein Zustimmungszeichen unter die letzte Korrektur des Buches setzte. Aber selbst dann war ich noch nicht zu einem Schluß gekommen. Müde und erschöpft ging ich um Mitternacht zu Bett und fiel bald in tiefen Schlaf. Dann hatte ich den folgenden bemerkenswerten Traum:

Ein großer, magerer Priester des alten, vorchristlichen Nippur, ungefähr vierzig Jahre alt, der mit einer einfachen *Abba* bekleidet war, führte mich in die Schatzkammer des Tempels, auf dessen südöstlicher Seite. Er ging mit mir in ein kleines, niedriges Zimmer ohne Fenster, in welchem ein großer Kasten aus Holz stand, während auf dem Boden verstreut Stückchen von Achat und Lapislazuli umherlagen. *Hier redete er mich an, wie folgt: ‚Die beiden Fragmente, die Sie getrennt auf Seite 22 und 26 veröffentlicht haben, gehören zusammen; sie sind keine Fingerringe, und ihre Geschichte ist die folgende: König Kurigalzu (1300 v. Chr.) schickte einst nach dem Tempel des Baal unter andern Gegenständen von Achat und Lapislazuli einen gravierten Votivzylinder aus Achat. Dann erhielten wir Priester plötzlich den Befehl, für die Statue des Gottes Ninib ein Paar Ohrringe aus Achat anzufertigen. Wir waren in großer Bestürzung; denn es war kein Rohmaterial von Achat zur Hand. Um den Befehl auszuführen, blieb uns nichts anderes übrig, als den Votivzylinder in drei Teile zu zerschneiden und so drei Ringe anzufertigen, von denen jeder einen Teil der Originalinschrift enthielt. Die beiden ersten Ringe dienten als Ohrringe für die Statue des Gottes; die beiden Fragmente, die Ihnen so viel Mühe gemacht haben, sind Teile von diesen. Wenn Sie beide zusammenlegen, werden Sie meine Worte bestätigt finden. Aber den dritten Ring haben Sie im Laufe Ihrer Ausgrabungen noch nicht gefunden, und Sie werden ihn auch niemals finden.‘* Damit verschwand der Priester. Ich erwachte sofort und erzählte den Traum gleich meiner Frau, damit ich ihn nicht vergäße. Am nächsten Morgen untersuchte ich die

Bruchstücke nochmals im Lichte dieser Enthüllungen, *und zu meinem Erstaunen fand ich alle Einzelheiten des Traumes* insoweit, als die Mittel zu ihrer Feststellung in meinen Händen lagen, *genau bewahrheitet.* Die ursprüngliche Inschrift auf dem Votivzylinder lautete: ‚Dem Gotte Ninib, dem Sohne des Baal, seinem Herrn, hat Kurigalzu, Oberpriester des Baal, dies geschenkt.'

Das Problem war endlich gelöst. Ich stellte im Vorwort fest, daß ich unglücklicherweise zu spät entdeckt hätte, daß die beiden Fragmente zusammengehörten, und machte die entsprechenden Änderungen im Inhaltsverzeichnis (S. 50 und 52), und da es nicht möglich war, die Fragmente umzustellen, weil die Platten schon gemacht waren, setzte ich unter jede Platte einen kurzen Hinweis auf die andere. (Cf. Hilprecht: *‚Die babylonische Expedition der Universität von Pennsylvanien';* Serie A: Keilförmige Texte; Bd. 1, erster Teil: ‚Alte babylonische Inschriften, hauptsächlich aus Nippur.')

H. V. Hilprecht.

Um die Zeit, da Prof. Hilprecht mir diesen sonderbaren Traum erzählte — es war ein paar Wochen, nachdem er stattgefunden hatte —, bestand noch eine ernste Schwierigkeit, die er nicht erklären konnte. Nach den Aufzeichnungen, die in unserm Besitz waren, hatten die Fragmente verschiedene Farben und konnten deshalb kaum demselben Gegenstande angehört haben. Die Originale waren in Konstantinopel, und mit großem Interesse erwartete ich Prof. Hilprechts Rückkehr von der Reise, die er dorthin gemacht hatte, im Sommer 1893. Ich übersetze wieder seinen eigenen Bericht über das, was er dort festgestellt hatte:

10. November 1895

Im August 1893 wurde ich von dem Komitee der Babylonischen Expedition nach Konstantinopel geschickt, um die aus Nippur erhaltenen, im Kaiserlichen Museum aufbewahrten Sachen zu katalogisieren und zu studieren. Es war für mich von größtem Interesse, die Gegenstände persönlich zu sehen, die nach meinem Traum zusammengehören sollten, und mir die Befriedigung zu verschaffen, daß sie ursprünglich Teile desselben Votivzylinders gewesen seien. Halil Bey, der Direktor des Museums, dem ich meinen Traum erzählte und den ich um die Erlaubnis bat, die Gegenstände anzusehen, interessierte sich derart dafür, daß er sofort alle Kästen der babylonischen Abteilung öffnen ließ und mich bat, darin zu suchen. Pater Schell, ein Assyrologe aus Paris, der die von uns ausgegrabenen Gegenstände vor mir untersucht und geordnet hatte, hatte nicht erkannt, daß diese Bruchstücke zusammengehörten, und infolgedessen fand ich das eine Fragment in einem Kasten und das andere, weit davon entfernt, in einem andern. Sobald ich die Fragmente gefunden und zusammengelegt hatte, *wurde mir die Wahrheit des Traumes offenbar* — sie hatten in der Tat einstmals zu ein und demselben Zylinder gehört. Ursprünglich war er von feingeädertem Achat. Die Säge des Steinschneiders hatte zufällig den Gegenstand auf solche Weise geteilt, daß die weißliche Ader des Steines nur auf dem einen Stück zu sehen war und die größere, graue Oberfläche auf dem andern Teile.»

Prof. Hilprecht ist nicht imstande, zu sagen, in welcher Sprache der alte Priester ihn anredete. *Er ist ganz sicher, daß es nicht Assyrisch war, und meint, daß es entweder Englisch oder Deutsch gewesen sei.*

Die Tatsache, daß der babylonische Geist Prof. Hilprecht im Traume, während der ägyptische Geist mir in tiefer Versenkung erschien, ist kein Umstand von großer Bedeutung. Er beweist nur den verschiedenen Grad nervöser oder psychischer Veranlagung bei uns. Was andere im Traumzustand erfahren, begegnet mir oft sogar in wachem Zustande — ob entweder eine Person oder ein Ereignis aus großer Entfernung sich wahrnehmbar macht oder die Vision eines Ereignisses, das sich erst in der Zukunft verkörpern muß. Die wenig bekante Wahrheit ist, daß *beide* Lagen gleichzeitig bestehen; Traum und Tiefschlaf sind auch während des Wachzustandes immer gegenwärtig.

Es ist ein interessanter Punkt, daß beide Geister uns in Sprachen anredeten, die moderner sind als ihre eigenen. Ich will nicht behaupten, eine Erklärung hierfür geben zu können; es ist zweifellos unlogisch. Aber wer eine längere *persönliche* Erfahrung in psychologischer Forschung hat, entdeckt mit der Zeit, daß die Traum- und Geisteswelten jenseits unserer eigenen Welt manchmal über unsere dreidimensionale Logik lachen. Auffallend ist weiter die Übereinstimmung zwischen dem Traumselbst Prof. Hilprechts, das von einem Priester zu einer fensterlosen Schatzkammer des Tempels geführt wurde, und meinem eigenen Geistselbst, das von dem andern Priester zu einem·fensterlosen Gang geführt wurde, der in einen Raum nahe der Sphinx und der Pyramide mündete, in welchem uralte atlantische Erinnerungen aufbewahrt waren.

Wer nicht glaubt, daß es Geister gibt, mag diesen Bericht ruhig übergehen. Sein Wert ist nur ein persönlicher. «Mein Herr, jedermann hat das Recht auf seine eigene Meinung», sagte der alte Dr. Johnson. Ich höre ihn mit schweren Füßen geräuschvoll durch die Fleetstreet gehen, während er diese einfache Bemerkung an den treuen Boswell richtet. Obgleich wir mit seinem Diktum einverstanden sein mögen, ist der Nachsatz des ehrenwerten Doktors, daß jedermann das Recht hätte, ihn dafür niederzuschlagen, doch fraglich! Die Ägypter waren ein äußerst praktisches und sachliches Volk; aber das hinderte sie nicht, an Geister zu glauben. Wir jedoch betrachten uns als weiser.

Dies bedeutet nicht und darf nicht dahin mißverstanden werden, daß ich den modernen Kult des Spiritualismus in irgendeiner seiner Formen billige oder gar befürworte. Ich habe nichts mehr damit zu tun, obschon ich mir die Mühe genommen habe, ihn in meine früheren Untersuchungen des Okkulten einzuschließen. Die einzige geistige Lehre, die ich als gesund, zuverlassig und erhebend betrachte, ist die, welche uns näher zu Gott und weiter von der Bindung an die irdischen Dinge wegführt.

Mißverständnisse über das Werk eines Menschen sind durchaus zu verzeihen; aber ich unterscheide immerhin zwischen diesen und der Bosheit von Verleumdern.

Glücklicherweise haben mich meine Forschungen in dem erhabenen Reich des göttlichen Geistes — das im Gegensatz zu allen Irrgeistern steht — von dem schwankenden Barometer der öffentlichen Meinung unabhängig gemacht. Gott sei Dank brauchen wir keine Zeugnisse über unsern Charakter in die Gegenwart des Einen Richters mitzubringen, der allein alles weiß und deshalb allein befugt ist, alles zu richten; und in dem Maße, in dem Menschen, wenn wir ihnen näherkommen, ihre unglaubliche Kleinheit offenbaren, offenbart der Höchste seine unaussprechliche Größe, wenn wir uns ihm nahen.

Wenn ich aber die gute Meinung der Welt nicht brauche, ihr Lob ablehne und ihr Urteil geringschätze, bin ich doch nicht so gleichgültig, die Mahnung zu vergessen, die jemand gab, den ich seit langem zu meinen Meistern rechne, wenn auch sein Leib von diesem Erdball entschwunden ist: «Segnet die, so euch verfluchen; bittet für die, so euch beleidigen; vergebet, so wird euch vergeben.» Und deshalb empfehle ich ohne Groll diese unwissenden Verleumder der Obhut ihres himmlischen Vaters.

Ich muß nun zu dem eben besprochenen Buche zurückkehren und auf die vierte Bestätigung eingehen: Wer «A Search in Secret Egypt» gelesen hat, wird sich einer unheimlichen Botschaft erinnern, die mir von einem Adepten, unter dem Pseudonym Ra-Mak-Hotep, gegeben wurde, deren Inhalt war, daß das alte Ägypten dem heutigen und in Wirklichkeit der ganzen Welt eine unsichtbare Erbschaft hinterlassen habe, deren genaue Bedeutung nur wenige verständen. Diese Erbschaft umfaßt geistige Wesenheiten und psychische Kräfte, die, obwohl sie seit mehreren tausend Jahren, vor spähenden Augen verborgen, in versiegelten Gräbern gelegen haben, doch noch immer eine starke und unheilvolle Macht bewahren.

Zweifler haben über diese Idee gehöhnt — unfähig in ihrer naiven Unerfahrenheit gegenüber den feineren Kräften, die in der uns umgebenden Welt am Werke sind —, den Gedanken Raum zu geben, daß scheinbar «tote» Dinge einen lebendigen Einfluß auf unsere unmittelbare Gegenwart haben können und ihn auch haben. Vom okkulten und psychischen Standpunkt aus ist es ein wahres Wort, daß die Vergangenheit in der Gegenwart weiterlebt. Eine auffallende Bestätigung hiefür ist in dem folgenden Bericht über eine sonderbare Erfahrung enthalten, die Monsieur Cellerier begegnete, und die mir vor kurzem von einem seiner Freunde erzählt wurde.

Monsieur Cellerier ist der Leiter des Laboratoriums des Museums für Kunst und Kunstgewerbe in Paris. Im Oktober 1932 wurde er durch den Konservator der ägyptischen Abteilung des Louvre-Museums gebeten, mit Hilfe wissenschaftlicher Instrumente die Echtheit einer kleinen bemalten Holzfigur festzustellen, welche die Louvre-Autoritäten zum Preise von 80 000 Francs für diese Abteilung erwerben wollten. Monsieur Cellerier kam der Aufforderung nach und begann, durch eine Reihe physikalischer Experimente die Sorte des Holzes, die Echtheit und das Alter der Malerei zu bestimmen. Die Experimente wurden von seinen Assistenten unter seiner Aufsicht ausgeführt, und das Resultat dieser vorläufigen Untersuchung war, daß die Echtheit der kleinen Statue einwandfrei festgestellt wurde. Aber es war ein Geheimnis mit dem Ursprung und der Geschichte der Figur verknüpft, und der Wissenschaftler, dessen Neugier geweckt war, beschloß, sie der unbarmherzigen Durchleuchtung von X-Strahlen auszusetzen. Dies geschah; doch nichts Außergewöhnliches kam zum Vorschein. Er ging dann dazu über, die Statuette dem Spiel ultravioletter AL-Strahlen zu unterwerfen. Es muß bemerkt werden, daß die in dem Pariser Laboratorium verwendeten Strahlen eine ganz außergewöhnliche Kraft und Intensität besitzen und mindestens zehnmal so stark sind wie die von Ärzten für therapeutische Zwecke benutzten.

Kaum hatten die Strahlen die Figur berührt, als diese zu Monsieur Celleriers großem Erstaunen plötzlich leuchtend wurde, zu verschwinden und *einer neuen menschlichen Gestalt, die aus Licht gebildet war, Platz zu machen schien.* Die Ursache und genaue Natur dieses Phosphoreszierens konnte nicht festgestellt werden. Das Holz und die Malerei mußten als mögliche Ursachen des seltsamen Glühens ausscheiden, das direkt aus dem Herzen der Statue hervorging, so daß es in einem sehr wirklichen Sinne diese selbst zu sein schien.

Wer kann genau sagen, was dieser mächtige Strahl ahnungslos offenbart hat — wissen wir doch, daß solche Strahlen fähig sind, in grobstoffliche Materie einzudringen und feinere zu durchbohren, und daß das, was wir Elektrizität nennen, selbst in ihren einfachsten Erscheinungen eine der geheimnisvollsten Kräfte der Natur ist, in höchst konzentrierter Form, wie in diesem Strahl, aber entschieden eine okkulte Kraft wird.

Das Geheimnis ist bis auf den heutigen Tag nicht entschleiert worden. Die kleine Figur steht jetzt unter den späteren Erwerbungen des Louvre-Museums. Viele mögen hingehen, um sie zu betrachten, angezogen durch den magischen Zauber, der sie umgibt; aber wenigen oder keinem wird sie ihr kostbares Geheimnis verraten. Solche Figuren wurden gewöhnlich in die Gräber gelegt und mit dem Zauber versehen, der sie befähigte, als Medium zwischen dem Geiste des Verstorbenen und seiner Mumie zu wirken.

Wer weiß, ob nicht auch die Louvre-Figur der vorübergehende Aufenthaltsort eines solchen Naturgeistes sein mag, wie ihn Ra-Mak-Hotep erwähnte? Hatte einer der Magier, die in der fernen Glanzzeit Ägyptens so zahlreich waren, ihn heraufbeschworen und mit der kleinen Figur verbunden, um darin bis zu der festgesetzten Stunde zu leben, in der er wieder entlassen werden sollte in die Welt der Menschen?

Fünftens sind mir verschiedene unveröffentlichte Beweise für die Behauptung des Adepten wohlbekannt; aber im Einklang mit meinem Wunsche, nur annehmbare und verbürgte Zeugnisse anzuführen, drucke ich wieder einen Zeitungsausschnitt ab:

«Ein kleines Knochenstück wird verantwortlich gemacht für das Verzeichnis von Unglücksfällen, die dessen Besitzer, Sir Alexander und Lady Seton, befallen haben» (lautet eine Reuternachricht aus Edinburgh). «Das kleine Stückchen Knochen, von dem behauptet wird, daß es zu dem Skelett eines Pharao gehöre, wurde letztes Jahr von Lady Seton als Merkwürdigkeit aus den Gräbern von Gizeh mitgebracht. Seitdem hat sich eine Reihe von Unglücken in dem Hause Seton in Edinburgh ereignet. Zunächst wurden die Familie und das Personal von Krankheit befallen. Die verschiedenen Mitglieder des Haushalts und die Gäste klagten über eine geheimnisvoll gewandete Gestalt, welche nachts das Haus durchstreifte. Zwei unaufgeklärte Brände waren ausgebrochen. Glas und Porzellan, das in Schränken in der Nähe des Kastens, der den Knochen enthielt, aufbewahrt war, wurde in der Nacht zu Atomen zertrümmert. ,Dieser Knochen wird so schnell wie möglich in das Grab zurückgelegt werden, aus dem wir ihn genommen haben', erklärte Sir Alexander in einem Interview. ,Lady Seton wird selbst hinreisen, um sicher zu sein, daß er wieder dort hinkommt.'»

Demgegenüber mag ein Teil der tatsächlichen Behauptung des Adepten Ra-Mak-Hotep, meines Informators, folgen, wie sie in «A Search in Secret Egypt» veröffentlicht wurde:

«Jene, welche die Gräber des alten Ägypten aufbrachen, haben Kräfte auf die Welt losgelassen, die sie gefährden. Sowohl die Grabräuber früherer Zeiten wie die Archäologen von heute haben ganz ahnungslos die Gräber jener geöffnet, die sich mit schwarzer Magie abgaben. Wo immer der einbalsamierte Körper einer Person mit magischem Wissen angehört hatte oder jemandem, der unter dem Schutze und der Führung eines Magiers stand, waren geistige Mächte angerufen worden, um das Grab zu schützen und Eindringlinge zu bestrafen. Diese Mächte waren oft äußerst schädlich, gefahr- und verderbenbringend. Sie lebten seit Jahrtausenden in verschlossenen Gräbern. ... Jedes derartige Grab, das entsiegelt wurde, läßt eine Flut solcher zurückgehaltenen, schädlichen und bösen Geisteswesen auf unsere physische Welt los. Diese Einflüsse können der Welt nur Schaden bringen, ja sogar bis zu dem Punkt, daß sie auf die Schicksale der Nationen verderblich einwirken. Ihr Abendländer könnt euch nicht vor ihnen schützen. Weil ihr sie nicht seht, sind sie darum nicht weniger mächtig. ... Ob sie darauf achten wird oder nicht, lassen Sie die Welt diese Botschaft hören: Sie soll sich nicht mit Gräbern zu schaffen machen, deren psychische Natur die Menschen nicht verstehen. Möge die Welt aufhören, jene Gräber zu öffnen, bis sie genügend Wissen erlangt hat, um die ernsten Folgen ihres Tuns einzusehen. Lassen Sie diese Warnung durch Ihre Feder ergehen, auch wenn sie verspottet und nicht beachtet wird. Meine und Ihre Pflicht wird erfüllt sein. Die Naturgesetze verzeihen keine Unwissenheit; aber selbst diese Entschuldigung wird nicht mehr da sein.»

Ohne weiteren Kommentar hierzu außer der Feststellung, daß die Warnung des Adepten nicht unbeachtet geblieben ist, drucke ich noch die folgende Nachricht ab, die im Londoner «Sunday Express» erschien, genau 13 Monate nach der Veröffentlichung meines Buches:

«Ägypten plant, seine Pharaonen von neuem zu begraben. Mächtige Könige, die einst ‚ausgestellt' wurden.»

In einem Brief an den Herausgeber schreibt der bekannte Romanschriftsteller Mr. H. de Vere Stacpoole:

‚Ich hörte kürzlich, daß die ägyptische Regierung die Pharaonen wieder begraben werde. Es war ein Skandal, die Gräber zu entweihen, und ich glaube, er hat Unglück über die Welt gebracht.'

Auf der ägyptische‐ Botschaft in London wurde dem ‚Sunday Express' mitgete⸴lt, daß die Regierung jetzt wirklich erwägt, die Pharaonen wiₑder zu begraben.

Der ‚Sunday Express' erfährt, daß die ägyptische Regierung jetzt überlegt, ein spezielles Mausoleum für die Pharaonen zu erbauen, entweder in Gizeh, nahe den Pyramiden, oder in Heliopolis.

Das Mausoleum würde, wie die der alten Ägypter, unterirdisch sein, und die Särge der Könige würden wieder unter der Erde versiegelt, um nie wieder von menschlichen Augen gesehen zu werden.»

Sechstens: Weitere Kritiken richten sich gegen die erstaunliche Behauptung des Adepten, daß in verschiedenen Gräbern seit Jahrtausenden Körper im Trancezustand lägen. Offen gesagt, wurde es auch mir zuerst schwer, an diese Behauptung zu glauben. Der Gedanke, daß unter dem Wüstensand menschliche Körper sein könnten, die ein fast endloses Dasein erreicht hätten und den Naturgesetzen des körperlichen Verfalls und der Zerstörung der Zeit trotzten, machte auch mich stutzig. Aber ich habe mich seitdem völlig von dieser *Möglichkeit* überzeugt. Und meine Überzeugung beruht auf einer auffallenden wissenschaftlichen Entdeckung, von der vor kurzem ein Bericht in der Presse erschien, den ich hier wiedergebe:

«Mitglieder der Sowjetakademie der Wissenschaften, die im sibirischen Eise Untersuchungen machten, entdeckten vor kurzem in einer Tiefe von 15 Fuß eine Anzahl primitiver Insekten und kleiner Seetiere. Es wurde ausgerechnet, daß diese Geschöpfe seit dem Jahre 1000 v. Chr. schlafend dort gelegen haben. Dennoch wurden sie durch ein wissenschaftliches Verfahren aufgetaut und wieder zum Leben zurückgebracht. Sofort nach ihrer Auferstehung nahmen alle eifrig ihre normalen Tätigkeiten wieder auf; sogar die neben ihnen liegenden Eier wurden ausgebrütet, und von dem eingefrorenen Krebs hat Prof. P. N. Kapterew, der Leiter der Expedition, schon zehn neue Generationen gezüchtet.

Als Beispiel der kühlhaltenden Kräfte der Natur ist der Erfolg dieser Untersuchung verblüffend. *Aber Wissenschaftler legen ihr eine noch viel größere Bedeutung bei. Sie sehen voraus, daß, wenn Insekten 3000 Jahre überleben, der Mensch auch etwas Ähnliches vollbringen könnte.* In Amerika hat Dr. Ralph S. Willard in seinem Feldzug zur Ausrottung degenerierter Zellen einen erkrankten Affen festgefroren, eine Zeitlang in einem Eiskasten aufbewahrt und dann wieder auftauen lassen, ohne daß sich irgendeine schädliche Wirkung an dem kleinen Tier zeigte.»

Diesem Bericht möchte ich die Behauptung eines bekannten medizinischen Forschers, Dr. Alexis Carrel vom Rockefeller-Institut zur Seite stellen:

«Es besteht eine sehr entfernte Möglichkeit, den Tod von gewissen Individuen für längere Zeiträume hinauszuschieben. Man weiß, daß manche Tiere, wie z. B. der kleine Menschenaffe und das Faultier, aufhören, sich zu verändern, wenn sie getrocknet werden. Ein Zustand latenten Lebens ist dadurch herbeigeführt. Wenn man nach Ablauf von mehreren Wochen diese vertrockneten Tiere anfeuchtet, geben sie wieder Lebenszeichen und sind imstande, ihr gewohntes Dasein wieder aufzunehmen. *Gewisse Individuen können für längere Zeitabschnitte auf Lager gelegt und für weitere Zeiträume wieder zu normalem Leben zurückgebracht werden. Auf diese Weise ist es ihnen vergönnt, mehrere hundert Jahre zu leben.*»

Wir schaudern vor dem Gedanken des Todes — kein Wunder, daß das fabelhafte Elixier des Lebens die Phantasie des Menschen immer noch anzieht. Wir würden, wenn wir könnten, die Spanne unseres Lebens bis zu sagenhaften Grenzen ausdehnen. Aber niemand, außer gewissen vereinzelten Adepten, kennt und bewahrt dieses Geheimnis.

Dies sind die sechs «Bestätigungen». Ein unbedeutender Punkt mag noch hinzugefügt werden. Ich erwähnte skeptisch die welterschütternden Ereignisse, die im September 1936 als Beginn einer neuen Ära von den Mitgliedern des «British Israel Club» erwartet wurden. Ich wagte zu bemerken, daß, obgleich die Maße eines so gewaltigen Bauwerks wie die Pyramide herangezogen wurden, um diese und andere Ansprüche zu stützen, ich keine augenscheinlichen

Gründe fände, welche die außergewöhnlichen Behauptungen der Führer dieses Kultes verbürgten. Der verhängnisvolle September ging vorüber, ungefähr auf die gleiche Art, wie andere Monate dieser spannungsreichen Jahre vorbeigingen. Ich bedaure die Enttäuschung der zahlreichen englischen Anhänger dieses Kultes; aber die große Pyramide wurde zu einem höheren Zwecke erbaut als bloß zu dem des Wahrsagens — wenn auch in noch so großem Maßstab —, und einen Teil jenes Zweckes habe ich in meinem Buche enthüllt.

Ja, «A Search in Secret Egypt» hat nicht wenige Leser stutzig gemacht. Daß der Mensch in einer unsichtbaren Welt lebe und sich bewege, die unsere eigene völlig durchdringe und deren unsichtbare Bewohner menschliche und nichtmenschliche Geister seien, war kein ganz neuer Gedanke für sie; denn sowohl die Bibeln der Erwachsenen wie die Märchen der Kinder erwähnen eine solche Welt. Daß aber diese Welt eine auch heute noch stets gegenwärtige Wirklichkeit sei — so wirklich wie der Broadway in Neuyork und die Place de la Madeleine in Paris —, war eine Neuigkeit, die im Verstande einzelner wie eine Bombe explodierte.

Der Kern des Buches ist jedoch die Lehre, daß der Mensch den Tod überdauert. Er geht aus dem Körper hinaus, wie man aus einem Gefängnis hinausgeht, und geht nicht mit ihm zugrunde. Denn der Mensch ist Geist und nicht Stoff. Hätte dieses Buch nicht mehr getan, als die moderne Welt an jene entschwundenen und vergessenen Mysterienkulte des Altertums zu erinnern, in denen diese Wahrheit lebendig gelehrt und weitgehend bewiesen wurde, würde es seine Existenz gerechtfertigt haben. *Wenn der Mensch wieder verstehen wird, daß sein Leben fortdauert, auch nachdem das Grab seinen Körper gefordert hat, wird er vielleicht in seinem gehetzten Dasein innehalten und eine höhere Verantwortung in sich zu fühlen beginnen. Aber auch dann muß man bedenken, daß bloßes Weiterleben nicht dasselbe ist wie dauernde Unsterblichkeit.*

Endlich bemühte ich mich, meinen Lesern etwas weiterzugeben, das mir der Umgang mit sowohl gebildeten, als auch einfachen mohammedanischen Ägyptern vermittelt hatte: nämlich die Überzeugung, daß deren hohe Religion nicht das ist, was sich die meisten Europäer in falschen, dummen und ungerechten Vorstellungen eingeredet hatten. Der Islam ist ein hochstehender Glaube, der dem Lande, in dem er sich zuerst ausbreitete, wunderbar angepaßt ist.

Das Buch «A Message from Arunachala» zu schreiben, machte mir am wenigsten Freude. Es war so unbeliebt, daß es nie in weitere Kreise eindrang, während sein Titel unglücklicherweise zu einem Mißverstehen seines Inhalts führte. Es ist ein Buch voll anzüglicher Kritik, der Form wie dem Geiste nach ungewöhnlich, ungestalt in seinem literarischen Aufbau, eine Anklage gegen die materialistischen Grundlagen unserer modernen Zivilisation und daher notwendig zerstörend in seiner Tonart. Die Zeichnung eines solchen Bildes der spirituellen Dunkelheit unserer Zeit, hingeworfen in einigen ruckartigen Sätzen und abgerissenen Abschnitten, war eine Aufgabe, die für mich ebenso unangenehm war, wie das Ergebnis es für den Leser gewesen sein muß. Obgleich es das Ziel meines Lebens ist, entschieden konstruktiv zu sein, mitzuhelfen, eine neue und bessere Welt fruchtbarer Ideen aufzubauen, konnte ich dennoch nicht umhin, «A Message from Arunachala» zu schreiben. Ich fühlte wie einen starken Zwang, daß es geschehen sollte, und ich hoffe wahrlich, nie wieder ein solches Buch schreiben zu müssen. Überdies war es infolge der gedrängten Zeitverhältnisse während seiner Entstehung etwas rauh und unpoliert geblieben. Es war ein Stück rohen Eisenerzes. Ich hatte damals nicht die Zeit, noch habe ich jetzt den Wunsch, das Werk zu einem anziehenderen Gegenstand umzuarbeiten.

Weil ich versucht hatte, meine schwereren Aphorismen durch ein paar dünn gesäte Scherze zu erleichtern, nahmen manche Leser hieran Anstoß und sahen die ganze Botschaft mißtrauisch an. Das Leben ist für den Denker reich an Tränen, und wenn er seine Feder notgedrungen in die volle Schale tauchen muß, die er gesammelt hat, sollte er dann nicht auch hin und wieder seine traurigen Seiten mit einem sparsamen Lächeln aufhellen dürfen? Warum sollten Philosophen nicht auch ab und zu fröhlich sein? Macht sie das etwa weniger aufrichtig? Selbst wenn das Leben nur ein jammervolles Zwischenspiel der Zeit in dem seligen Dasein der Ewigkeit wäre, würde es nicht durch ein wenig Lachen erträglicher werden?

Die Bitterkeit dieses kleinen Buches war zu groß, und einige der sozialen Kritiken waren bewußt übertrieben, um die wesentlichen Punkte um so eindrucksvoller zu machen — ich sage das jetzt ganz offen und würde seine Seiten gewiß stark abtönen, wenn ich den Willen hätte, es nochmals zu schreiben. Die tragische Geschichte unseres Zeitalters mit ihrem Chaos, ihrer Oberflächlichkeit, ihrem Kämpfen und Blutvergießen, ihrem gespannten, unruhigen Frieden und ihrer bedrohten Zukunft und nicht zum wenigsten der Narrentanz, in dem wir selbst mittreiben, mögen vielleicht zur teilweisen Rechtfertigung des Buches beitragen.

«Die Seele kann einsam und traurig dasitzen, umgeben von mechanischen Wundern», schrieb Zangwill, und mein Buch spiegelte diese Traurigkeit wider. Ich bemühte mich jedoch, zu zeigen, daß die Wechselfälle in der heutigen Politik und Gesellschaft nichts an dem geistigen Herrscherrecht des Menschen über die Natur ändern können, und der zweite Teil des Buches suchte hilfreiche konstruktive Winke zur geistigen Erhellung des täglichen Lebens; vielleicht mag dies eine weitere Rechtfertigung des Buches sein.

Es war vielleicht nichts anderes als die logische Folgerichtigkeit der Dinge, daß ich mein Suchen nach spiritueller Wahrheit eine Stufe höher führte, und zwar in die wilden Regionen und weiten Horizonte des riesigen Himalaja selber. Denn diese rauhe, 1500 Meilen lange Gebirgskette, die ewige Wacht über Indien hält, ist schon immer das heilige Land seiner Völker gewesen, der geweihte Bezirk, in dem ihre sagenhaften

Götter und berühmten geistigen Lehrer, ihre Weisen und Yogis lebten und — wie das Volk sagt — noch heute leben, und wo unerschrockene Gläubige noch immer die Lampen ihrer hohen Heiligtümer betreuen. Der Himalaja bedeutet für die Hindus, was Palästina für die Juden und Christen bedeutet. Immer noch arbeiten die Pilger sich geduldig die schmalen, gewundenen Spuren zu den großen Heiligenschreinen von Badrinath, Gangotri und Jumnotri hinauf; sie ertragen die zahlreichen Mühseligkeiten, riskieren Unglücksfälle und Krankheiten, nur um in einer Gegend sein zu können, die ihre ältesten Überlieferungen mit Heiligkeit verknüpft haben und die sich ihren Augen für immer als die schönste und eindrucksvollste von ganz Indien einprägen muß.

Und so ließ auch ich mich eine Zeitlang unter diesen einsamen Bergen nieder, deren unberührte Größe mich vor Scham über meine eigene Unwürdigkeit weinen machte. Ich wählte das kleine Königreich von Tehri-Garwal, eines Staates, der an Tibet grenzt, zum Rahmen meiner geistigen Anstrengungen, da man nur dort inmitten der großartigsten Gebirgslandschaft der ganzen Welt jene gänzliche Entlegenheit von jeder Zivilisation finden konnte, die für mein damaliges Streben wesentlich war. Auch ich ging auf eine Pilgerfahrt, wenn sie auch von anderer Art sein mochte, als die der meisten Pilger. Ich ging in tiefste Einsamkeit, lebte nur in der Gesellschaft der wilden Tiere der mächtigen Forsten, der hohen Bergzedern und der schneebedeckten Riesen, die sich vor mir auftürmten. Was ich während dieses Aufenthalts zu üben suchte, war wohl eine Art Yoga, aber nichts anderes als der Yoga vollkommener Stille. Ich ließ Körper und Geist in den ruhigsten Zustand gleiten, den ich nur irgendwie erreichen konnte. Nach dem Worte des Psalmisten wollte ich «stille sein und wissen, daß ich Gott bin».

Während meiner Wanderungen unter herrlichen Gipfeln und durch tiefe Schluchten und meines Aufenthalts in ihren Einsamkeiten führte ich so etwas wie ein zwangloses Tagebuch, in das ich von Zeit zu Zeit Schilderungen der großartigen Landschaft, die mich umgab, wie auch Gedanken über verschiedene Gegenstände, die mir durch den Kopf gingen, eintrug. Auch über die geistigen Erfahrungen während meines Abenteuers der Stille machte ich einige Notizen. Auszüge aus diesem Tagebuch erschienen im Druck und begrüßten das Publikum unter dem Namen «A Hermit in the Himalayas»[4]. Meine Verleger nannten es einen literarischen Cocktail — so gemischt war sein Inhalt —, und sie hatten zweifellos recht. Jedenfalls hoffe ich, daß es den Tribut meiner Ehrfurcht vor der Größe des Himalaja bezahlt hat und vor der göttlichen Atmosphäre, die ich unter seinen granitenen Höhen — so fern von den Schienensträngen der Welt — fand!

Solcherart sind die Schriften, die durch meine Feder gegangen sind. Jede von ihnen enthält eine bestimmte Botschaft für die, welche sich die Mühe nehmen, über ihren Inhalt nachzudenken und nicht nur flüchtig über die Seiten wegzugleiten. Mindestens zwei von ihnen haben der Welt gezeigt, welch wundervolles Wissen noch im heiligen Indien und mystischen Ägypten verborgen liegt. Wer von mir erwartet, daß ich immer in derselben Art und Weise über das gleiche Thema schreiben solle, erfaßt nicht, daß diese Schriften nur verschiedene Facetten ein und desselben Kristalles sind — alle drücken die Wahrheit aus, wie ich sie fand. Doch damit ist nicht gesagt, daß alle den gleichen Wert haben; denn es gibt verschiedene Grade der Wahrheit, die immer von unserm Verständnis abhängig ist. Es ist die Aufgabe des Menschen, nach der höchsten zu suchen — so wie ich hoffe, daß es die meine sein wird, sie zu erkennen und in einem künftigen Werke zum Ausdruck zu bringen. Dieses wiederum wird nur bei wenigen sogleich Verständnis finden, weil die Massen die Wahrheit nur wünschen und verstehen, wenn sie in eindrucksvollen Hüllen erscheint und geräuschvoll

---

[4] Titel der deutschen Übersetzung «Als Einsiedler im Himalaja».

vorausverkündet wird. Daher erkennen sie nicht so sehr die Wahrheit als vielmehr ihre Gewänder. Daher mein Wunsch, in diesen Büchern einige dieser verschiedenen Aspekte darzustellen, bevor ich schließlich in die verdünnte Luft der erhabenen letzten Wahrheit aufsteige, wohin, wie ich weiß, nur wenige mir folgen werden. *Diese Wahrheit ist jedoch die einzige Ursache unseres Daseins und ihre Verwirklichung der einzige Sinn unserer Menschwerdung.*

Dennoch werden diese Werke, die intimen Gedanken und veröffentlichten Berichte vielleicht nicht ohne Nutzen sein. Wenn ich das Schauspiel einer Welt betrachte, die noch vor kurzem in einen tödlichen Kampf verstrickt war und sich nun bereits wieder anschickt — falls das Schicksal den Sieg der feindlichen Elemente zuläßt —, sich in einen noch tödlicheren zu stürzen, der nur zu allgemeiner Selbstzerstörung führen kann, bin ich versucht, zu denken, daß ich nicht ganz umsonst geschrieben habe. Ich weiß, daß einige tausend Menschen sich durch meine Schriften zu dem Glauben emporringen werden, daß die Gerechtigkeit doch einmal kommen muß, wenn sie auch lange auf sich warten läßt, daß des Menschen wahres Selbst unzerstörbar und darum unsterblich ist. Sie werden in ihnen etwas Licht für ihren Weg finden, etwas Antrieb für ihr Streben nach einem höheren Leben, und etwas Trost, um das Gewicht ihrer irdischen Lasten zu erleichtern. Und wenn ich die verschrobenen Lehren höre und lese, die heute als Philosophie gelten, das unredliche und intolerante Verfahren der Religionen und den unbarmherzigen Druck erkenne, den ein grausamer Materialismus auf arm und reich ausübt, freue ich mich, für ein paar ewige Wahrheiten Zeugnis abgelegt zu haben, welche die Vorurteile dieses Zeitalters niemals zerstören können.

Wieder ist die innere Aufforderung an mich ergangen, die folgende Arbeit zu unternehmen und sie als einen Akt des Dienstes zu verrichten, und gegenüber einem so gebieterischen Befehl fällt mein eigener persönlicher Wille machtlos zusammen.

Ich habe deshalb gehorcht und gehorchend versucht, in meine Aufgabe mit jenem Geiste hingebenden Dienens einzudringen, der von mir verlangt wurde. Der Inhalt dieser Seiten, diese frohe Botschaft vom inspirierten Denken und Handeln, diese Darstellung des Weges zum Überselbst — für mich eine der erhabensten und wichtigsten Ideen, die jemals dem Geiste der Menschheit vorgehalten wurden, und eine von überirdischer Schönheit —, bildet eine geeignete Fortsetzung meiner früheren Schriften. Ich nenne sie die erhabenste; denn wir *leben* nur, wenn wir unsern heiligen Quell berühren; andernfalls existieren wir bloß.

Überdies sind die drei Jahre, die seit der Niederschrift von *The Secret Path* verstrichen sind, Jahre weiterer Erfahrung in diesen tieferen Wahrheiten und bedeutender Erweiterung in der persönlichen Verwirklichung gewesen. Mein Verständnis für sie ist, wie ich hoffe, nun tiefer, und ich fühle mich deshalb in der Lage, den Gegenstand umfassender zu behandeln: genauer und mit einer klareren Sicht des eigentlichen Zusammenhangs dieser Wahrheiten mit unserm praktischen alltäglichen Dasein. «The Secret Path» war nur eine Einleitung, ein unvollständiger Umriß. In dem gegenwärtigen Buche aber bin ich bemüht, die gleiche Technik eingehender zu behandeln, eine vollständige Methode inneren Denkens und inneren Lebens zu formulieren, eine präzise, genaue Darstellung dieses schwierigen Themas, des Verständnisses unseres göttlichen Selbst, zu geben. Von jetzt ab kann ich persönlich über den Wert der geistigen Methoden, die hier erklärt werden, Zeugnis ablegen. Nicht durch Theorie oder Hörensagen verstehe ich sie, sondern durch ein Wissen aus erster Hand, das durch lange persönliche Erfahrung gewonnen wurde.

Weil ich die These dieses Buches etwas philosophischer, wissenschaftlicher und analytischer ausarbeiten wollte als in den vorhergehenden Bänden und mehr als je den Wunsch habe, zu zeigen, daß die Wahrheit über das Dasein des Menschen auf philosophischem und rationalem Weg erreicht werden kann, habe ich mich absichtlich in diesem Buche eines anderen Stils bedient, ohne mich jedoch, wie ich hoffe, jemals von der Sprache der gesunden Vernunft, die die Sprache des Lebens selber ist, entfernt zu haben. Ich habe nüchtern und ernst das Persönliche an die Stelle des Unpersönlichen, die Kälte ruhiger Analyse an die Stelle leidenschaftlicher Überzeugung gesetzt und die Kühnheit gehabt, einen trockenen, halbakademischen Stil zu gebrauchen, der nicht mein gewohnter ist. Aus dem gleichen Grunde habe ich soweit wie möglich jede unnötige Erwähnung des Okkulten, des Psychischen und jenes dunklen Grenzwissens vermieden, das seinen Ursprung aus der geheimnisvollen Beschaffenheit der menschlichen Natur nimmt, aber zum größten Teil von der Wissenschaft nicht anerkannt wird. Dieses Gebiet ist auf jeden Fall unendlich viel weniger wichtig als das des Göttlichen und Heiligen. Ein denkwürdiges Wort von den Lippen Jesu, Krischnas oder Mohammeds wiegt alle Wundertaten der Okkultisten auf.

Ich bemühe mich, auf diesen Seiten einige der geheimen, subtilen, aber bestimmten Gesetze freizulegen, soweit ich sie feststellen konnte, die das Wirken des inneren Geistes des Menschen, seine Seele, regieren. Jede Erziehung, ob es die der Volksschule oder der Universität ist, bleibt in den Anfängen stecken, wenn sie das höhere Ich und seine Entfaltung unberücksichtigt läßt. Gehorsam gegenüber diesen Gesetzen wird uns mit dem Besten im Leben in Einklang bringen.

Ein besonders wichtiger Punkt, auf den ich hier die Aufmerksamkeit lenken möchte, ist die Erkenntnis, daß sich die Wahrheit unter einem anderen Aspekte zeigt, wenn ein höherer Standpunkt eingenommen wird. Das Buch «A Search in Secret Egypt» predigte die Lehre von dem Überleben der Seele, eine Lehre, deren Wert sich lediglich auf den physischen Körper bezieht; sie richtet sich vor allem an jene Gruppe von Menschen, deren Geist durch den Körper und das persönliche Ich beherrscht wird. Es lehrte keine geistige Unsterblichkeit, die ja etwas ganz anderes ist. Erstere läßt das persönliche Ich fortdauern, während letztere es auflöst.

In dem vorliegenden Werk, das für die seltenen Menschen einer höheren Geistesart bestimmt ist, wurde folglich auch ein höherer Standpunkt eingenommen und die Notwendigkeit der Hingabe des Ego an das Überselbst unterstrichen. Dies allein ist die wahre Lehre der Unsterblichkeit.

Jeder Schriftsteller oder Lehrer ist genötigt, je nach dem Grade der Entwicklung des Geistes, an den er sich wendet, eine verschiedene Stellung einzunehmen. Wenn ich daher in «A Search in Secret Egypt» behaupte, daß x wahr sei, und nun in «The Quest of the Overself» schreibe, y sei wahr, so schließt eine Behauptung die andere nicht aus. Es bedeutet nur, daß ich jetzt für Leser in einem höheren Entwicklungsgrad schreibe. Und selbst dann darf die Absicht dieser Seiten nicht mißdeutet werden. Sie sind dazu bestimmt, den Menschen des Westens einen für sie geeigneten Yogapfad zu zeigen, einen Pfad, dessen Früchte innere Heiterkeit, Beherrschung der Gedanken und Wünsche sind und die Macht, höhere Kräfte des Seins nutzbar zu machen. Kurz: Sie zeigen, wie man gewisse Befriedigungen erreicht; aber sie versuchen auf dieser Stufe noch nicht, das Geheimnis des Weltalls zu lösen. Das, was unsere führenden Gelehrten noch immer vergebens suchen und heute vergessene Philosophen in Verzweiflung, es zu finden, aufgegeben haben, ist der sorgsam gehütete Besitz einer kleinen Zahl erlesener Menschen in Indien geblieben seit jenem grauen Altertum, wo dieses Wissen nur von Mund zu Mund verbreitet wurde, und in dessen Dunkel sein Ursprung sich gänzlich verliert. *Es ist dem gewöhnlichen Yogi unerreichbar;* dennoch ist die Übung des Yoga eine geistige und moralische Zucht, die notwendig ist als Vorbereitung zum Empfang des unschätzbaren Edelsteins der *absoluten Wahrheit*. Erst wenn Friede des Geistes und Konzentration der Gedanken gewonnen sind, sind wir fähig und bereit, uns auf die Suche nach der letzten Wahrheit zu machen. Wir sind noch in dem Prozeß der Entschleierung einer subtilen und überraschenden Weisheit, die unter einer Million kaum einer erfaßt hat, eines geordneten Lehrsystems, dessen unumstößliche Gewißheiten noch für alle Zeiten zu entwickeln sind.

Archäologen, die in Ägypten Ausgrabungen machten, entdeckten ein Blatt aus einem Papyrusbuch — das des Oxyrhynchus —, welches acht Aussprüche Jesu enthält. Die Entdecker setzten die ungefähre Entstehungszeit des Papyrus auf 200 n. Chr. fest. Unter diesen Aussprüchen befindet sich einer von besonderer Kraft, dessen bemerkenswerte Ähnlichkeit mit der immerfort wiederholten Lehre der Philosophen des Altertums auffallend ist.

Jesus sagte: *«Und das Königreich des Himmels ist in euch; und wer immer sich selbst erkennt, wird es finden.»*

Das Buch ist *eine* Hilfe zu dieser Selbsterkenntnis. Das Bildnis des Selbst, das es uns zeigt, mag den meisten unter uns ungewohnt sein; aber wer ihm genügend Aufmerksamkeit schenkt, wird schließlich finden, daß die Seele nicht unerkennbar ist. Wer annimmt, daß diese Behauptungen bloß phantastische Spekulationen und diese Erfahrungen nur geistige Wahnbilder seien, unterliegt der Täuschung dessen, das nur einen Tag bedeutet in der Weltgeschichte. Der Materialismus, dem es nie wirklich gelungen ist, eine einleuchtende Erklärung des Daseins zu geben, mag noch eine Zeitlang die Herrschaft behalten; aber bald wird er gelähmt zusammenbrechen.

Möge dieses Zeitalter dem wahren Leben nicht so fremd gegenüberstehen, daß nicht ein paar dieser Gedanken bei ihm gastliche Aufnahme finden!

2. Kapitel

Der Mensch-ein Geheimnis

Der erste Gedanke, der für einen längeren Zeitraum das Bewußtsein eines Kindes beherrscht, ist das Erlebnis des eigenen *Ich.* Der letzte Gedanke, der beim Tode mit dem Geist das Gehirn verläßt, gilt ebenfalls diesem *Ich.* Auch während der Jahre zwischen Geburt und Tod — Jahre, die das aus alltäglichen Ereignissen, ungewollten Komödien, gelegentlichen Tragödien, kurzem Sonnenschein und lastendem Schatten zusammengesetzte Bild des Lebens abgeben — beschäftigen sich die meisten Menschen hauptsächlich mit eben diesem *Ich.*

Seltsamerweise ist dieses *Ich* in geheimnisvolles Dunkel gehüllt und unwissender über sich selbst als über irgend etwas in der Welt, die es umgibt.

Doch der Mensch ist sich dieser Unwissenheit nicht von vornherein bewußt. Erst wenn das Gefühl für seine Wesenheit anfängt, ihn zu beschäftigen und zum Nachdenken über sich selbst anzuregen, erwächst dieses Bewußtsein. Dann wird er sich selbst zum allergrößten Rätsel, vergleichbar dem der Sphinx, und zum größten Problem gleichermaßen. Wenn er den Mut und die Entschlossenheit besitzt, das Leben dauernd zu befragen, seine menschlichen Erfahrungen unvoreingenommen auszulegen, wird er staunen über seine eigene Unfähigkeit, die Wahrheit zu verstehen, die volle Wahrheit über seine Beziehung als Einzelwesen zu der großen Lebenskraft, in der alle Dinge sich bewegen und sind, und von der er selbst nur ein einzelner Ausdruck ist.

Schwächliche Zauderer in der ungeheuren, schweigenden kosmischen Entwicklung, sollten wir bedenken, daß dieses

Weltall seinen höchsten sichtbaren Ausdruck im Menschen erreicht, dessen komplexe Natur die meisten Elemente und Prinzipien verkörpert, die in den einfacheren Erscheinungen getrennt zu finden sind. Deshalb dürfen wir hoffen, in der erfolgreichen Analyse des Menschen den ersten Schlüssel zum Universum selber zu finden. Tatsächlich zieht sich das allgemeine Weltbild der heutigen Wissenschaft in großer Schnelligkeit auf eine Anzahl von Symbolen zurück, die von Natur aus im menschlichen Bewußtsein verankert sind. Das Gesetz der Relativität hat Materie und Zeit als solche vom Menschen abgeleitete Begriffe gezeigt, und die Quantentheorie hat uns so weit von der altmodischen Erklärung der Materie als «Masse» weggeführt, daß der scharfsinnige Gelehrte früher oder später einsehen muß, daß die Grenzen der wissenschaftlichen Forschung nicht überschritten werden können, bevor nicht *zuerst* die gegenwärtigen Grenzen des menschlichen Wahrnehmungsfeldes überschritten werden.

Dean Inge hat irgendwo gesagt: «Vom astronomischen Standpunkt aus gesehen, sind wir nur Wesen eines Tages.» Es ist eines der traurigen Resultate sowohl der naturwissenschaftlichen wie der philosophischen Forschung, daß wir uns zutiefst der vergänglichen Natur der Unmenge von Formen, aus denen sich das Universum zusammensetzt, bewußt werden. Wir sind gezwungen, über die Tatsache der Sterblichkeit nachzudenken und erschrecken bisweilen bei dem Gedanken an die Nichtigkeit aller menschlichen Bestrebungen. Hier liegt der Ursprung für jede Religion.

Aus den Anstrengungen des Menschen, sein wirkliches Selbst zu verstehen, sind alle Religionen, große wie kleine, viele philosophische Systeme und ein paar Wissenschaften, sowie auch jene dunklen und heute verschwundenen Geheimlehren und verschwiegenen Ritualpfade, die zu den Mysterientempeln des Altertums führten, entstanden. Aber trotz dieser historischen Bestrebungen gibt es erstaunlich wenig Menschen, die ehrlich von sich behaupten können, daß sie das Leben hinlänglich verstehen und beherrschen. Die meisten von uns fliehen vor sich selber und haben, wenn auch widerstrebend, den bankrotten Glauben angenommen, daß es nicht die Aufgabe des Menschen sei, das Geheimnis des Lebens zu lösen. Wir nehmen dessen Unverständlichkeit an und haben uns in den Gedanken gefunden, daß wir unsere geistige Unwissenheit und menschliche Schwäche nie überwinden werden. Solcherart ist die beständige Verwirrung des menschlichen Geistes, wenn er über sich selber nachgrübelt. Aber diese ergebungsvolle Haltung, diese schwächliche Furcht, das Dasein um sein zurückgehaltenes Geheimnis herauszufordern, die manchmal in Trägheit und Gleichgültigkeit gegenüber der geistigen Seite des Lebens ausartet, ist des Menschen unwürdig, der heute anscheinend das intelligenteste und mächtigste aller Lebewesen ist.

Das Wissen des normalen Menschen über sein eigenes *Ich* beschränkt sich mehr oder weniger auf die billige Anschauung von dem Körper als einem vollständigen Organismus, der aus Fleisch, Blut und Knochen zusammengesetzt ist. Irgendwo im Haupte dieses Organismus befindet sich eine grauweiße Masse, Gehirn genannt, in dessen verwickelten Windungen der Prozeß des Denkens vor sich geht, der die Eindrücke, Ideen und Beweise hervorbringt. Außerdem weiß der Mensch auch, daß in diesem Körper von Zeit zu Zeit verschiedene Gefühle, wie Sehnsucht, Geschlechtstrieb, Liebe, Haß, Eifersucht, Furcht usw. aufstehen, die ihn zu entsprechenden Handlungen auf der physischen Ebene veranlassen, je nachdem, welches dieser Gefühle gerade vorherrschend ist. Für den Durchschnittsmenschen bilden diese Dinge den Bestand seines «Ich». Viel darüber hinaus nimmt er nicht in sich wahr, und mit dieser beschränkten Vorstellung begnügt er sich für die meisten Vorkommnisse seines Alltags. Und solange einer nicht tiefer über die Sache nachdenkt, mag er mit einer solchen Vorstellung ganz gut durch das Leben kommen und sie leidlich befriedigend finden.

Doch nehmen wir einen Augenblick an, der Mensch sei nichts anderes als diese fleischliche Gestalt, und versuchen wir dann, die volle Tragweite einer solchen Behauptung zu erfassen. Hier ist ein Geschöpf, das ausschließlich aus verschiedenartigen physikalischen Substanzen und chemischen Elementen zusammengesetzt ist, die in einem Beutel aus Haut eng zusammengehalten werden. Und doch offenbaren diese leblosen und offenbar unintelligenten Bestandteile, wie Kohlenstoff, Stickstoff und Phosphor, die im Menschen vorhanden sind, in dieser Verbindung ein lebendiges Prinzip, eine seltsame Vitalität und die Fähigkeit, intelligent und zweckmäßig zu denken und zielbewußt zu handeln.

Ist dies nicht ein außerordentliches Geheimnis? Hat irgendein Wissenschaftler es je gelöst? Die Antwort lautet: Keiner. Warum? Weil kein Wissenschaftler auf der ganzen Welt bisher imstande war, aus diesen wesentlichen chemischen Bestandteilen ein gleichartiges Wesen eigenen Fabrikats, das lebt, sich bewegt, redet und handelt wie ein Mensch, herzustellen. Anderseits haben viele Gelehrte ihre Meinungen geäußert, kluge und kunstvolle Systeme und Theorien, meistens auf materialistischer Grundlage, aufgebaut, die uns den Menschen erklären sollen. Die Probe auf jede Theorie muß aber letzten Endes das Experiment des Laboratoriums oder die Erfahrung des Lebens selbst sein. Wenn einer dieser Gelehrten durch die Kunst der Chemie einen Menschen schaffen kann, wird er seine Theorie bewiesen haben — aber nicht eher. Die Wissenschaft, die so viel über andere Dinge weiß, ist in ihrem Verständnis für die unsichtbare Lebenskraft, die sich im Menschen äußert, noch immer im Rückstand. Doch sie steuert auf die Wahrheit zu, und so dürfen wir hoffen.

Sir James Jeans sagte in seiner Ansprache als Präsident der Britischen Gesellschaft für den Fortschritt der Wissenschaft bei einem Jahrestreffen: «Die Wissenschaft hat dem Menschen die Herrschaft über die Natur gegeben, bevor er die Herrschaft über sich selbst erlangt hatte. In bezug auf Wissen steht jede Generation auf den Schultern der vorangegangenen; in bezug auf sich selber aber stehen beide auf dem gleichen Boden. Dies sind harte Tatsachen, die wir nicht ändern können. Wenn jedoch ein Ausweg vorhanden ist, so liegt er nicht in der Richtung von weniger, sondern von mehr Wissenschaft. Die Psychologie läßt uns hoffen, daß der Mensch zum erstenmal in seiner langen Geschichte fähig werde, dem Gebote ‚Erkenne dich selbst' zu gehorchen.»

Die Hindus, die über diesen Gegenstand tiefe Forschungen angestellt haben, viele tausend Jahre bevor der erste westliche Gelehrte zu denken anfing, haben ihre Lehren ganz allgemein auf der stillschweigenden Annahme des Daseins eines universalen Geistes aufgebaut, der die Welt und die in ihr lebenden Geschöpfe durchdringt und gleichzeitig über ihnen steht. Sie behaupten deshalb, daß der menschliche Geist in sich selbst die Offenbarung besitze, die er sucht. Dank einer Erziehung nach wissenschaftlichen Richtlinien, die nichts als selbstverständlich hinnimmt, können wir aber eine solche Behauptung nicht annehmen. Wir können nur bejahen, was wir als unbestreitbar kennen: die Tatsache unserer eigenen Existenz. Mögen wir auch wirklich fühlen, daß wir von einer höheren Lebensordnung als der rein materiellen umgeben sind, so müssen wir diese doch zunächst als eine Täuschung betrachten, solange sie sich unserer Wahrnehmung entzieht. Und so ist der moderne Mensch das sonderbare Wesen geworden, das sich an den Brüsten der Gottheit nährt und nichts davon ahnt! Dieser kreisende Erdball könnte sich nicht um seine Achse drehen, wenn nicht eine höhere Energie in seinem Kern ihn vorwärts triebe. Für den gebildeten Geist aber ist er nicht mehr als ein Gegenstand geologischer Untersuchung!

Der Mensch zweifelt nicht an der Existenz seines Geistes — dafür stellt das moderne Leben viel zu hohe Ansprüche an ihn —; aber er bleibt dabei, die oft wiederholte und durch reichliche Beweise gestützte Behauptung der Psychologen zu mißachten, daß der größere Teil seines Geistes — und daher seiner selbst — ohne sein bewußtes Wissen funktioniert und daß dieser verborgene Teil ihn in weit größerem Umfange beeinflußt, als er es selber merkt oder zugeben möchte. Obgleich er sich in riesige materielle Unternehmungen einläßt, die manchmal drastische Veränderungen auf der Oberfläche dieses Planeten hervorrufen, scheint ihm der Wille oder der Wunsch, oder beides, zu fehlen, sich in das ebenso notwendige Unternehmen einzulassen, das Woher und Wohin seines eigenen Lebens zu entdecken. Obgleich er sich während des ganzen Tages und oft bis in die tiefe Nacht hinein einer fieberhaften Tätigkeit hingibt, kommt ihm nie der Gedanke, seine Lebenserfahrung dadurch zu vertiefen, daß er seine Aufmerksamkeit nach innen wendet und nach den Quellen seines eigenen Wesens forscht. Lieber senkt er sorgfältig ausgebaute Schächte in die Erde, um das materielle Gold in ihrem Schoße zu entdecken, als daß er sich die Mühe nimmt, den viel selteneren Schatz, der in den tiefen Schlupfwinkeln seines eigenen Ich begraben liegt, zu suchen. Er scheint nicht zu erkennen, daß es von höchster und entscheidender Wichtigkeit für ihn ist, den Ursprung und die Richtung seines eigenen Lebensstromes aufzufinden, *dessen immer gegenwärtiger Wirksamkeit er es allein verdankt, daß er fähig ist, diese äußeren, weltlichen Tätigkeiten, in die er so vertieft ist, fortzuführen.* Selbsterkenntnis ist deshalb die höchste Wissenschaft.

Und doch hat es jederzeit einige Menschen gegeben, und es gibt sie auch heute noch und wird sie immer geben, die sich bemühen, aus der treibenden Flut der täglichen Ereignisse ans Ufer zu schwimmen. Sie suchen einen überlegenen Punkt auf sicherem Grunde über dem Strudel äußerer Dinge zu finden, um von ihm aus dieses Geheimnis des Lebens und Geistes zu betrachten. Die meisten tun das unter dem Druck eines großen Schmerzes, einer Gefühlskrise oder einer andern Erschütterung, die sie in ihr Inneres treibt und ihnen zeitweilig jede sich um ihr individuelles Ich drehende Tätigkeit als nichtig und sinnlos erscheinen läßt. Sonderbar, daß die Menschen erst, wenn ihnen das Leben «nicht mehr der Mühe wert erscheint, gelebt zu werden», anfangen, sich wirklich für den geistigen Aspekt des Lebens zu interessieren, währenddem sie vorher nur für materielle Dinge Interesse aufgebracht hatten.

Dies ist auch der Augenblick, wo sie sich der Religion und der Philosophie zuwenden, um bei ihnen Trost und Verständnis zu finden, und wenn diese beiden nicht genügen, bei fremdartigen, unorthodoxen Kulten einen häretischen Lichtschimmer suchen. Aber wohin sie sich auch um innere Erleuchtung und Führung wenden: immer werden sie am Ende doch dem Geheimnis des Selbst gegenüberstehen, das fortwährend, wenn auch schweigend, von ihnen verlangt, daß sie noch tiefer forschen. Es ist unerläßlich, daß der Mensch zu dieser Einsicht komme und das Verständnis seines Selbst zum Hauptmotiv seines Lebens mache. Solange er das nicht tut, werden Religion, Philosophie, Parapsychologie — kurz: alle Zugänge zu nichtsinnlichem Wissen — ihn weiterhin verwirren und aus der Fassung bringen.

Das Leben hat den Menschen wohl geschaffen; aber die Mysterien, die mit seiner Erschaffung verbunden sind, wurden ihm bisher keineswegs enthüllt. Es ist deshalb fraglos so, daß das tiefste und quälendste Geheimnis der Natur gleichzeitig ihr allerwichtigstes ist. Scheuen wir uns jedoch nicht, sie zu befragen.

In seinem achtzigsten Lebensjahr, als er sich nach einem Bade trocknete, blickte der rauhe Schotte Carlyle bekümmert auf seine alten Glieder herab, und indem er an seiner welken Haut zerrte, stieß er ingrimmig die Frage hervor: «Wer zum Teufel bin ich eigentlich?»

Der Verfasser möchte auf die Frage Carlyles, die so oft gestellt wird, eine Antwort geben: *«Die Frage selbst ist schon das Tor zur Offenbarung.»*

Seit dem großen Kriege hat in den Naturwissenschaften eine lautlose Revolution stattgefunden. Der naive Materialismus des neunzehnten Jahrhunderts erscheint nicht länger glaubhaft und ist jämmerlich unmodern geworden, während die Relativitätstheorie, die Quantentheorie und die Wellenlehre unsere Ansichten über das Weltall umwandeln. Als das feste Atom in elektrische Ladungen aufgespalten und dann in den ursprünglichen Äther aufgelöst wurde, war der Materialist seiner Materie beraubt! Wir fangen an, die Doktrinen der Alten, die Lehren Babyloniens, Ägyptens und Indiens auszulegen; aber wir tun es im Lichte der modernen Wissenschaft. Die Beweise häufen sich, daß die Wissenschaft bald dieselben Dinge sagen wird wie jene vergessenen Alten, wenn auch auf andere Weise.

Der Verfasser hat in seinen Büchern und Artikeln wiederholt vorausgesagt, daß das zwanzigste Jahrhundert Zeuge einer weitgehenden Enthüllung des Lebensgeheimnisses in einer rationalen und wissenschaftlich anerkannten Weise würde. Nicht ohne hinreichenden Grund wurde diese Prophezeiung gemacht. Dann erst wird die Menschheit anfangen, auf einsichtige Weise an dem verborgenen Weltenplan der Natur mitzuarbeiten. Es ist kein Zufall, daß ein bedeutender Wissenschaftler wie Millikan zugeben mußte: «Wir haben in unserer Lebenszeit mehr neue Verbindungen in der Naturwissenschaft gefunden, als sie in allen früheren Zeitaltern zusammen ans Tageslicht gefördert worden sind, und der Strom der Entdeckungen scheint bis jetzt noch nicht nachzulassen.»

Es ist noch gar nicht so lange her, daß die Welt durch die Wissenschaft in Ausdrücken mechanischer Maschinenbaukunst erklärt wurde. Die Materie war einfach eine feste, unveränderliche Substanz, eine Sammlung fester Atome, und nicht mehr. Das Weltall war eine Maschine, um die es kein Geheimnis gab. Jetzt gibt die Wissenschaft ihre Erklärung in Ausdrücken mathematischer Physik ab. Das Universum ist zu einer Sammlung von Symbolen geworden, die mathematische Beziehungen besitzen. So sind wir von der materiellen zur geistigen Sicht gelangt. Wenn alle heutigen Forscher ihre Meinung geäußert haben, werden wir den nächsten Schritt tun. Die Physik wird der Metaphysik freundschaftlich die Hand reichen. Dann wird die Wissenschaft die Welt in der Sprache der Philosophie deuten. Das Universum wird dann weder rein mechanisch noch eine mathematische Formel sein. Die vorgeschritteneren Denker nähern sich bereits den

Schlüssen, die dieses Buch andeutet und die ein künftiges Werk des Autors deutlicher enthüllen soll.

Es war kein bloßer Zufall, daß namhafte Gelehrte des neunzehnten Jahrhunderts, wie Kelvin, Poincaré, Rayleigh und Helmholtz, angesichts der aufsehenerregenden Entdeckungen, die plötzlich gemacht wurden, sich gezwungen sahen, ihre früheren Anschauungen über das Weltall zu ändern. Die Röntgenstrahlen, die Elektronen und die Quanten waren drei Entdeckungen, die jeden selbstsicheren Materialisten seiner festen Stützen beraubten. Sie zertrümmerten auch sein mechanisches Weltgebäude und brachten eine Folge von Untersuchungen in Gang, die unsere heutigen Physiker zu ihrer Bestürzung ganz aus ihrem Spezialgebiet herausführten.

Wie soll es der Mensch nun anfangen, in dieses Geheimnis des Ich einzudringen? Der Verfasser hält es nicht für der Mühe wert, sich in eine allgemeine Darstellung über den Stand des geistigen Suchens unserer Zeit einzulassen, noch die positiven Werte und hemmenden Grenzen der verschiedenen Glaubensbekenntnisse, Kulturen und Philosophien zu beurteilen, die, ob traditionell oder reformerisch, als Antwort auf dieses Suchen entstanden sind. Ein solcher Überblick würde ihn zu einem kritisch abwägenden Urteil zwingen, das er ablehnt, weil ohnedies schon zuviel überflüssige Kritik und zuwenig nützliche Aufbauarbeit in der Welt vorhanden ist. Er möchte sich deshalb lieber um seine eigene Sache kümmern, niemanden stören und im Geiste guten Willens allen gegenüber arbeiten, froh darüber, daß auch noch andere Lichter dem Menschen auf seinem Weg durch die Fährnisse des Daseins leuchten. Aus diesem Geiste allein bietet er seinen Beitrag an und hofft, daß er einigen förderlich sein könne, wie er selber sich in den dunklen Tagen seiner eigenen Lehrzeit gefreut haben würde, eine ähnliche Hilfe zu erhalten.

Was ist die Seele? Gibt es wirklich eine Unsterblichkeit? Was bedeutet das Wort Ewigkeit? Und wo ist der Himmel?

Auf diese Fragen gibt es keine kurzen und überzeugenden Antworten. Diese Probleme beschäftigten auch die Weisen und Seher des Altertums, besonders die des Orients. Sie schürften tief, fanden ihre Lösungen und gaben ihren Entdeckungen Ausdruck in einer Sprache und einem Stil, die ihrem Lande und ihrer Zeit angepaßt waren. Diese uralten Kunden und primitiven Kulturen enthalten echte und genaue Antworten auf die Rätsel, die auch den modernen Geist beunruhigen. Überdies machten diese Weisen es andern möglich, die gleichen Entdeckungen selbst zu erzielen. Sie arbeiteten Methoden religiöser Annäherung und psychologische Techniken aus, die einen Schlüssel zu wesentlichen persönlichen Erfahrungen auf dem Gebiete des Geistes bilden. Solche Methoden waren in der Tat wirksam, liegen aber doch unserm heutigen Geschmack, Temperament und unseren Lebensumständen zu fern.

Die zurückgezogenen Yogis Indiens, die milden Weisen Chinas, die mächtigen eingeweihten Priester Ägyptens, die gottestrunkenen Sufis Persiens, die entschwundenen Druiden des alten Britannien und die hohen Inkapriester Amerikas waren, unter anderen, Hüter psychologischen Wissens. Sie kannten einen bestimmten Weg — und einige unter ihnen gingen ihn auch —, der erstaunliche geistige Umwandlungen in ihnen hervorbrachte. Ihre unbedeutenderen Nachfolger von heute haben diesen Weg größtenteils vergessen oder beachten ihn nicht, und nur wenige üben ihn praktisch aus. Für uns im Westen könnte es eine Rettung bedeuten, wenn wir diese nun schon fast im Schatten des dunklen Altertums verlorengegangenen Methoden neu erlernen, sie unserer Umgebung anpassen, in moderne Sprache kleiden und in *regelmäßiger* Übung uns zu eigen machen würden.

Eine neuzeitliche Revision läßt sich nicht umgehen. Die Erfahrung mit manchen Leuten hat gezeigt, daß die alte indische Art, diese Fragen in Wort und Schrift zu diskutieren und zu beantworten, unsern weltlichen Geschäften *scheinbar* zu fern liegt. Sie ist der Tradition und dem Temperament des

Europäers zu fremdartig und ungewohnt, um großen Nutzen oder Anziehungskraft für ihn zu besitzen. In Wirklichkeit ist das nicht der Fall. Weil aber die äußere Form berücksichtigt werden muß, brauchen wir Menschen des Abendlandes eine modernere und praktischere Methode, um dieselben Wahrheiten darzustellen, die seit unausdenkbaren Zeiten von bärtigen Yogis an den Ufern des Ganges und verehrten Rishis in Felsenhöhlen des Himalaja gelehrt worden sind. Wenn sie in der alten Art dargeboten werden, scheinen sie von einer zu wirklichkeitsfernen und unpraktischen Art zu sein, um in der wimmelnden Welt einer Großstadt wie London, Paris oder Neuyork Verwendung finden zu können. Überdies ist es nicht nötig, daß wir außer dem Erlernen einer neuen Technik auch noch Zeit und Kraft verschwenden müssen, um eine uns fremde Ausdrucksweise zu erlernen.

Wir können uns nicht mehr mit dem geheimnisvollen Volke verwandt fühlen, das seine geistigen Probleme innerhalb der hohen Tempelmauern und Pylonentore Ägyptens löste; noch können wir glauben, daß die groteske Architektur Yukatans der Ausdruck einer geistigen Sehnsucht ist, die der unsrigen gleicht.

Die hervorragendste unter den alten Lehren ist die indische, *weil sie noch heute lebt, während andere zugrunde gegangen sind und weil Indien das Land ist, das die tiefsten Gedanken über den Menschen hervorgebracht hat,* wie Ägypten seine wunderbarste Magie zeugte und Griechenland sein höchstes Streben nach Schönheit verkörperte.

Jede Philosophie und Religion, die in Europa erschienen ist, findet ihr Gegenstück in der langen Geschichte Indiens. Hierzu kommt, daß dieses Land geheime Systeme geistiger Schulung besaß, die von den Yogis in den Wäldern und in Felsschlupfwinkeln genährt wurden. Das Haupt dieser zurückgezogenen Männer war Patanjali, der das erste Buch über Yogamethoden schrieb. Er wird von manchen Hindus als der Gründer des Systems geehrt; doch ist diese Ansicht zweifellos unrichtig. In seinem Kern ist der Yoga eine Einkehr des menschlichen Geistes in sein göttliches Selbst. Er ist kein künstliches System, sondern eine natürliche Tatsache, die schon andere Menschen unwillkürlich entdeckt hatten. Es hat sicher auch in anderen Ländern, z. B im prähistorischen Ägypten, vor Patanjali Menschen gegeben, die diese Einkehr in ihr inneres Selbst übten. Sein Buch war nie für allgemeine Veröffentlichung gedacht, sondern wurde nur vor erwählten Schülern mündlich vorgetragen und ausgelegt; niemand anderer wurde zugelassen.

Was so im geheimen gelehrt wurde, war nicht sehr verschieden von dem, was einige griechische Philosophen in der Öffentlichkeit vortrugen; denn derselbe Grundgedanke durchzieht den Geist der ganzen Welt, vom Osten zum Westen, und zeigt allen den gleichen, uralten Weg: *Mensch, erkenne dich selbst!*

Sokrates z. B. übte Methoden tiefster Versenkung, wie sie Patanjalis Lehre von der direkten Kontemplation klar einprägte. Beide gipfelten im Trancezustand, wie das an Sokrates persönlich zu beobachten war, der zuzeiten plötzlich in einen kontemplativen Zustand hinüberzugleiten pflegte.

Einmal wanderte er mit seinem Freunde Aristodemus zu einem Gastmahl. In einem Anfall tiefer Entrücktheit blieb Sokrates zurück, sein Geist war in sich selbst versunken, und Aristodemus kam ohne ihn an. Ein Diener wurde ausgeschickt, um nach dem Weisen zu suchen; er kehrte aber zurück und berichtete, daß Sokrates unter dem Toreingang eines Hauses stehe und keine Antwort gebe, wenn man ihn anrufe. «Laßt ihn in Ruhe», sagte Aristodemus. «Es ist seine Art, sich zeitweise in sich zurückzuziehen und dort stehenzubleiben, wo er zufällig ist.» Sokrates kam später nach. Bei einer andern Gelegenheit erwähnt Alcibiades, daß Sokrates während eines Feldzuges von einem Soldaten auf demselben Platze stehend gefunden worden sei, auf dem er schon seit dem frühen Morgengrauen, in tiefe Betrachtung versunken, gestanden hatte. Am Mittag wurde man auf ihn aufmerksam, und noch bei Sonnenuntergang beobachtete die staunende

Menge, daß Sokrates in seiner Versenkung verharrte. So blieb er die ganze Nacht hindurch stehen. Beim Morgengrauen brachte er der Sonne ein Gebet dar und kehrte dann zu seiner gewohnten Tätigkeit zurück. Dies ist genau der gleiche Zustand wie das «*Nirvikalpa Samadhi*» der Hindus.

Hindus, die den Methoden Patanjalis in ununterbrochener Überlieferung schon seit vorsokratischen Tagen folgten, machten genau dieselben Erfahrungen. Der Verfasser hat verschiedene Beispiele ähnlicher Trancezustände unter heute lebenden Yogis gesehen.

Aber so interessant diese uralten Ideen und überlieferten Praktiken auch für den Leser der Gegenwart sein mögen, die Tatsache bleibt doch bestehen, daß jene vor allem ihren eigenen, frühen Epochen angepaßt waren, ihrer einfachen Umgebung, nicht aber der Welt des modernen Menschen mit ihren verstandesmäßigen Hintergründen und verwirrenden Lebensumständen. Ihre Anpassung an die Wissenschaft von heute ist daher in der Tat erforderlich. Wohl hegen wir die höchste Achtung vor den weisen Männern des Altertums, deren hohe Geistigkeit auch heute noch — im Osten mehr als im Westen — in einigen seltenen Vertretern weiterlebt; wohl sollten wir Indien, dem Mutterland umfassender Religiosität, großartiger Philosophien und bedeutender Yogatechniken, unsere ehrfurchtsvolle Huldigung darbringen; aber wir Menschen der westlichen Hemisphäre müssen doch bedenken, daß die alten Formen geistiger Vertiefung unter unseren Lebensumständen und Bedürfnissen schwer anwendbar sind. Wir sind genötigt, wohl oder übel vom Altertum und dessen Erben im heutigen Orient nur die Nahrung anzunehmen, die uns zuträglich ist. Wir müssen dieses scheinbar so fernliegende Wissen in einen Gegenstand praktischen Nutzens für uns umwandeln. Die Weisheit wird durch eine Auffrischung durch das zwanzigste Jahrhundert nicht verringert.

Eine solche Aufgabe ist nicht leicht. Sie ist im Gegenteil mit großen Schwierigkeiten verbunden, und der Verfasser hielte sich ihr nicht für gewachsen, wenn nicht lebende orientalische Adepten und Weise ihm direkte Führung und hilfreichen Rat zugesichert hätten. Einige von ihnen sehen auch die Notwendigkeit ein, dieses ehrwürdige Wissen in moderner Sprache auszudrücken und seine Forderungen den Bewußtseinsformen des zwanzigsten Jahrhunderts anzupassen, ohne jedoch nur ein Jota jener grundlegenden Bedingungen aufzugeben, die für immer jede echte geistige Selbstdisziplin auszeichnen. Dies bedeutet weder eine Herabsetzung des Altertums, noch des Orients. Im Gegenteil: Was wir an Breite gewonnen haben, besitzen sie an Tiefe, und es ist eine Frage, welche von beiden Dimensionen wünschenswerter ist. Wir sollten uns nicht mit der bloßen Tatsache schmeicheln, daß wir auf der westlichen Halbkugel und im zwanzigsten Jahrhundert leben. Wo die Alten zu den Quellen des menschlichen Lebens vordrangen, haben die Modernen ihre Forschungen über den ganzen Erdball, den Schauplatz dieses Lebens, ausgedehnt. Während unsere dem Mittelalter vorausgehenden Vorfahren behaupteten, daß wahres Wissen aus dem Innern komme, erklären wir, daß es von außen kommen müsse. Doch wie dem auch sei, wir haben das unerbittliche Geschäft des täglichen Lebens vorwärtszubringen in der Umgebung, in der wir uns befinden. So laßt uns hinfort versuchen, das Beste, was der Osten und der Westen, die alte und die neue Zeit uns geben können, miteinander zu verschmelzen, so gut wir es vermögen.

Der Verfasser beansprucht, nach langem Studium verschiedener Yogasysteme und gnostischer Philosophien, einige der wertvollsten Elemente abgesondert und in diesem Buche dargestellt zu haben. Es wird jedoch nicht vom Leser verlangt, daß er sich mit unbekannten indischen oder andern schwer verständlichen Ausdrucksweisen vertraut mache.

Er wird hier den Kern der besten orientalischen Techniken finden in einer Sprache, die dem abendländischen Geiste bekannt und verständlich ist.

In alten Zeiten wurden fortgeschrittene geistige Methoden gewöhnlich nur denen vorgeschrieben, die der Welt und ihren Versuchungen entsagt, sich in Klöster zurückgezogen hatten oder in die Wüste, den Dschungel oder die Berghöhle geflohen waren. Eine solche Flucht ist für die überwiegende Mehrheit der modernen Menschen nicht nur unausführbar, sondern, wie man ruhig behaupten darf, auch nicht anzuraten. Dennoch werden manche unter uns nicht weniger durch die eindringliche Forderung des Geistes beunruhigt als jene alten Völker. Der Weg zu einem höheren Leben kann und muß in und durch die Welt gefunden werden, nicht außerhalb derselben.

Als der Verfasser eine Technik ausarbeitete, die auf dieser Überzeugung fußt, war er sich ganz bewußt, daß sie noch nicht vollkommen sein könne. Doch ist er überzeugt, daß für die große Mehrzahl der durchschnittlichen Menschen, die nicht bewußt nach dem letzten menschlich-erreichbaren Ziele, der absoluten Wirklichkeit, suchen, sondern zufrieden sind, wenn sie ein weises, ruhiges und beherrschtes Leben führen können, die hier gegebene Technik vollkommen angemessen ist. Die von ihnen verlangte Disziplin ist weder so hoch, daß sie sich nach vergeblichen Anstrengungen entmutigt fühlen, noch so schwierig, daß sie sich mit Ungeduld von ihr abwenden müßten. Sie ist etwas, das durchaus im Bereich ihrer Möglichkeiten liegt. Dennoch werden Menschen, die zu sehr in Anspruch genommen sind von dem Zauber übermäßiger Begierden, den Ausbrüchen ungezügelter Leidenschaften und dem Wirbel endloser Tätigkeiten, sie vielleicht als eine unklare und bedeutungslose Sache geringschätzen. Mögen sie es tun. Aber wie das Leben schließlich, wenn auch heimlich, über den Tod triumphiert, so wird auch das geistige Leben und alles, was zu seiner Entwicklung und Bereicherung beiträgt, letzten Endes, aber öffentlich, über den heutigen seelenlosen Materialismus triumphieren.

Endlich lautet die Antwort auf des Menschen tiefste Fragen dahin, daß eine gewisse Anstrengung, eine geistige, persönliche Übung von ihm verlangt wird, die, einem Drillbohrer gleich, langsam und stetig die irdische Schicht des Seins durchdringt, bis sie endlich auf den Felsengrund des Wahren Göttlichen Selbstes stößt, der scheinbar so tief unter der Oberfläche begraben liegt. Dieses Verfahren hat etwas von der Natur des Gebetes an sich; es ist eine Art lange durchgehaltener, auf ein bestimmtes Ziel hin gerichteter Anstrengung, die gewöhnlich Meditation, auf diesen Seiten auch geistige Stille und Konzentration genannt wird. Paradoxerweise ist deren letzte und äußerste Phase ein Zustand, in dem alles Wollen und alle Anstrengungen aufhören.

Wird diese Übung beharrlich und voller Zuversicht durchgeführt, so kann der Mensch schließlich, selbst während er noch in dieser Hülle sterblichen Fleisches weilt, zur Entdeckung seines unsterblichen Geistes gelangen. Eine ununterbrochene Reihe von Zeugen, die in verschiedenen Ländern lebten, von der vorgeschichtlichen Zeit bis zum heutigen Zeitalter höchster Zivilisation, bestätigen diese Wahrheit.

Wir müssen uns über diesen subtilen Gegenstand klarzuwerden suchen. Die Kunst der Geistesbeherrschung kann natürlich nicht wie die meisten anderen Künste durch die Fesseln starrer Regeln und vorgeschriebener Lehrsätze eingeengt werden. Die vorgeschritteneren Übungen sind zu fein und zu wenig greifbar, als daß sie auf einer leblosen Druckseite angemessen gelehrt werden könnten. Sie müssen auf dem altbewährten Wege, d. h. von einem persönlich dazu befähigten Lehrer, gelernt werden. Ein solcher Lehrer ist in unserem die Meditation geringschätzenden Zeitalter schwer zu finden. Und haben danach Strebende doch einmal das Glück, in den Gesichtskreis eines solchen Meisters zu kommen, so versagen sie oft selber schon bei der Aufnahme, weil sie den stillschweigenden Proben — auf ihre Einfühlungskraft, ihre geistige Reife, ihren Ernst, die Sache durchzuführen und ihre Treue —, welche die für sein Wirken maßgebenden Gesetze ihnen auferlegen, nicht standhalten. Es ist aber trotzdem gut möglich, die Anfangsgründe und Zwischenstufen der Meditation ohne Hilfe eines solchen Lehrers zu erlernen und zu beherrschen, und diese Unterweisung kann wohl schriftlich erteilt werden. Der Zweck dieses Buches ist, einfache, nach keiner Seite hin befangene, praktische Erklärungen dieser Kunst zu geben, obgleich es unmöglich ist, alles, was in jahrelanger Forschung über diesen wichtigsten aller Gegenstände entdeckt wurde, auf einige Seiten zusammenzupressen.

Es gibt zahlreiche Wege, wie wir diese Übungen in Angriff nehmen können, und jeder Weg hat seinen besonderen Anreiz oder bringt der einen oder anderen Person rascheren Erfolg. Im Hinblick auf das letzte Ziel mag eine Methode so gut sein wie die andere, vorausgesetzt, daß sie unserer persönlichen Veranlagung, unserem Temperament und unseren Neigungen zusagt.

Gewöhnlich treibt der Mensch dahin, ohne sich darüber klarzuwerden, welche Tiefen sich unter der Oberfläche seines Wesens verbergen, einem schwimmenden Eisberg gleich, dessen größter Teil unter dem Wasser verborgen ist. Prof. William James, der bekannte Psychologe der Harvard-Universität, hielt die Entdeckung des Unterbewußtseins für eine der größten jemals gemachten Entdeckungen. Sie bedeutet, daß wir uns nur eines kleinen Teils dessen bewußt sind, was in unserm Verstande vorgeht. Neunzig Prozent unserer Gehirntätigkeit gehen gänzlich ohne unser Wissen *im Unterbewußtsein* vor sich. *Alle Methoden der Meditation fußen deshalb auf einem bestimmten Prinzip, das bewußte Denken durch gewisse körperliche, geistige und gefühlsmäßige Mittel auszuschalten, um uns zu tieferen Schichten gelangen zu lassen.*

Infolge der unendlichen Verschiedenheit der Menschen gibt es keine einheitliche Methode der Annäherung für alle. Der Weise wird deshalb nicht über den Weg streiten. Er wird jedem vollkommene Freiheit lassen, den Weg zu wählen, der ihm am meisten zusagt; denn er weiß genau, daß die letzte Vollendung für alle die gleiche ist und sein muß. Es gibt nur eine höhere Macht im Weltall, und wer heute mit ihr in Berührung kommt, wird sie als genau die gleiche erkennen, die sie vor zweitausend Jahren war und in weiteren zweitausend Jahren sein wird. Die göttliche Wesenheit ändert sich nicht, nur die menschlichen Ideen über sie.

Die unter den westlichen Völkern am meisten bekannte Form der Meditation ist die des religiösen Mystizismus. Die großen Heiligen des Christentums, wie Augustinus, Justinus, Johannes vom Kreuz, Theresia, Thomas a Kempis und George Fox, haben berichtet, wie sie zu wunderbaren Höhen religiöser Ekstase und innerer Schau emporgestiegen sind, indem sie das geistige Bild, Leben und Lehre ihres erhabenen Führers Jesus Christus immer von neuem betrachteten, oftmals in Verbindung mit harter Askese und Selbstverleugnung. Es erübrigt sich, zu sagen, daß die Wirksamkeit dieser Form zum Teil von dem Besitze einer tief religiösen Veranlagung, zum Teil von der intensiven Hingebung abhängig ist, die während solcher schweigenden Anbetung aufquillt.

Tatsächlich kann sich jeder Mensch durch intensive Verehrung Gottes oder eines seiner verkörperten Sendboten, mit Hilfe seines geläuterten Empfindens, zu der gleichen Höhe religiöser Erfahrung emporheben, in der er auch fühlt, wie seine Persönlichkeit sich in das weitere Sein der Seele auflöst.

In diesem vernunftbetonten, alles durchforschenden und ziemlich skeptischen Zeitalter gibt es jedoch viele Menschen, die sich von einem solchen Wege nicht angezogen fühlen. Keine religiöse Persönlichkeit regt sie zu tiefer Ehrfurcht oder freudiger Anbetung an, obwohl sie ihre aufrichtige Achtung gewinnen mag. Die Religion und ihre Gesetze haben ihre überzeugende Kraft verloren, und solche Menschen leben oft in einer halb kritischen, halb gleichgültigen Atmosphäre. Der Verstand erfreut sich ihrer höchsten Verehrung, während die kalte Statue der Wissenschaft einen bevorzugten Platz in ihrem Heiligenschrein einnimmt. Man sollte sie darob nicht tadeln. Der Wert, der auf religiöse Dogmen und leere Formen gelegt wurde, hat dazu geführt, aus der Wahrheit eine Sophisterei zu machen. Er hat Gaukler der theologischen Lehre zu Herren der Menschheit gemacht.

Wer würde einen realen Platz auf der Börse mit einem zweifelhaften Sitz im Himmel vertauschen? Wir leben im Zeitalter des Zweifels, und wir dürfen das ruhig zugeben. Wen die frostige Luft des Zweifels erzittern läßt, der zittert in Wirklichkeit für seine halb aufrechterhaltenen Überzeugungen, für sein baufälliges Fachwerk ererbter Dogmen und für den bequemen Komfort eines Glaubens, den man ehren kann, ohne ihm zu folgen. Seien wir deshalb nicht zu pessimistisch wegen der skeptischen Neigung unserer Zeit, sondern seien wir lieber dem Himmel dankbar dafür; denn nun werden wir vielleicht der Wahrheit der Dinge näherkommen.

Damit soll nicht gesagt sein, daß die Religionen keinen wirklichen Wert haben. Wenn wir alle Kirchentore auf der ganzen Welt schließen, jede Moschee, jeden Tempel und jede Synagoge niederreißen, den Ursprung jedes Dogmas anzweifeln, die beschämenden Kapitel in der Geschichte jedes Glaubens hervorsuchen und mit unwiderlegbaren Schlüssen beweisen würden, daß Moses, Jesus, Mohammed, Krischna und Buddha nie gelebt haben, bliebe dennoch ein Hunger in der menschlichen Seele, der erst dann gestillt würde, wenn die alten Religionen wiederhergestellt oder neue formuliert worden wären.

Warum?

Weil der Mensch seinen Ursprung aus dem Absoluten nicht verloren hat und nicht verlieren kann.

Er hat nur dessen *Gewahrwerden* verloren. Die Religionen erinnern ihn an diesen Verlust. Jene gewaltige Wahrnehmung muß wieder erlangt werden.

Aber gibt es keinen Weg, auf dem diese Zweifler die geheimnisvolle Wahrheit und den Frieden, den die Meditation verspricht, für sich gewinnen können?

Gewiß, einen solchen Weg gibt es.

Die Völker des Westens haben einen analytischen Geist. Dieses auffallende Kennzeichen hat den Verfasser zu der Folgerung gezwungen, daß heutzutage nur ein analytischer Weg für sie in Frage kommt. Wir haben alles analysiert, was aus chemischen Substanzen zusammengesetzt ist; jetzt wird es Zeit, daß wir uns selbst analysieren. Der Weg, der mit dieser tief im modernen Menschen wurzelnden Neigung übereinstimmt, muß auf dem Gebrauch der Vernunft begründet sein.

Ferner ist ein Weg zugänglich, der von allen theologischen Zutaten vollkommen frei ist, und den der Verfasser denen empfehlen möchte, die sich von sämtlichen Kulten und «... ismen» fernzuhalten wünschen. Diese Methode ist der Pfad der introspektiven Selbstuntersuchung. Sie verbindet das Vernunftgemäße der Analyse mit meditativer Kraft. Wie man die äußeren Häute einer Zwiebel abschält, so schält sie die Bestandteile der menschlichen Persönlichkeit ab, bis ihre wahren Züge zum Vorschein kommen. Sie ist ein gangbarer Weg, der in das Innerste des Menschen führt; deshalb kann jeder ihn gehen. Der Schreibende hat ihn selbst beschritten und seine Grundzüge im mystischen Osten erlernt, wo er jetzt diese Sätze niederschreibt. Im Osten besitzt eine große Anzahl Menschen eine natürliche Gabe für Meditation. Sie hatten das Glück, von Kindheit an in dieser Gewohnheit ausgebildet zu werden. Doch das westliche Temperament wird nicht gerne seine Tätigkeit um der Meditation willen aufgeben. So war der Verfasser gezwungen, die Unterweisung, die er erhalten hatte, durch zahlreiche Verbesserungen, Anpassungen und Zusätze in eine dem Westen entsprechende Form zu bringen.

Die hier gezeigte Methode entspricht in ihrer psychologischen und philosophischen Art ganz besonders der wissenschaftlichen Betrachtungsweise der heutigen Welt. Sie ist einzigartig, weil sie von jedermann, überall und zu jeder Zeit geübt werden kann. Beinahe alle andern Verfahren tragen irgendein kennzeichnendes Etikett, verlangen abstoßende Askese, einen tiefen Glauben oder lebenslängliche, mühselige Anstrengungen von gewaltigem Umfang. Die Kunst der Selbstuntersuchung jedoch ist einfach, direkt, vernunftgemäß und frei von jedem Zusammenhang mit irgendeinem Kultus oder einer Religion. Der Mohammedaner kann sie ebensogut ausüben wie der Christ und nicht weniger erfolgreich als der Buddhist, der Arbeiter ebensogut wie der Gesellschaftsmensch. Deshalb ist die Kunst der Selbstbefragung das einzige Verfahren, das hier empfohlen wird.

Dieser Weg ist keine rein gedankliche Abstraktion mit eingebildeten Erfolgen; er bietet Tatsachen, die sich verwirklichen lassen, und keine Hirngespinste. Man wird die Bekanntschaft der Seele machen und nicht bloß von ihr reden hören. Es ist richtig, daß es andere, abgekürzte Verfahren gibt; aber diese sind nicht für den Schüler, der ohne Führung arbeitet. Sie können nur durch einen kompetenten Lehrer den wenigen Schülern verraten werden, deren Würdigkeit und Treue durch die Zeit erprobt worden sind. Die Gunst eines solchen Lehrers muß durch äußerste Hingabe gewonnen werden, bevor eine Einweihung erwartet werden kann.

Diejenigen, denen es Ernst ist mit ihrer Suche, mögen also den Weg der geistigen Selbstbefragung aufnehmen, der wegen seiner vernünftigen Grundlage, und weil er von jeder Einseitigkeit frei ist, der einzige war, den der Verfasser durch eine Reihe von Jahren für den allgemeinen Gebrauch ausgelegt hat. Er ahmt nicht die alten, orthodoxen Methoden des Mystizismus und Yoga nach, sondern bildet eine vereinfachte Technik, die der heutigen Zeit rastloser Tätigkeit angepaßt ist, einer Zeit, in der ein nur der Meditation gewidmetes Leben nahezu zur Unmöglichkeit wird.

Der Autor sieht ein, daß der Durchschnittseuropäer weder Zeit noch Geduld für die langen Disziplinen der orientalischen Sucher hat; er erkennt aber auch, daß Übungen von wirklichem Wert in jenen Disziplinen enthalten sind. Diese wurden deshalb im Auszug verwendet. Wenige Menschen können der Meditation heute mehr als eine halbe Stunde täglich widmen. Der hier dargestellte Weg ist nicht für Träumer und Verschrobene bestimmt, sondern für praktische Geschäftsleute, Bureau- und Fabrikarbeiter oder Menschen anderer Berufe, aber ebenso auch für die klösterlich Gesinnten, die bereit sind, der Welt zu entsagen.

Der Verfasser mußte jeden Schritt des Weges analytisch durchdenken, vom normalen, alltäglichen Zustand des Menschen bis zum inneren geistigen Ziel, und ebenso den stufenweisen Rückweg in das tägliche Leben. Er bemühte sich um eine wissenschaftliche Darstellung, indem er vorsichtig seine Empfindungen bei jedem Schritte seiner eigenen Übungen analysierte, die Veränderungen beobachtete, die während des Eindringens in den Versenkungszustand und die geistige Stille und deren Abklingen sich in ihm vollzogen, und indem er untersuchte, wie man seine gewohnte Tätigkeit wieder aufnehmen könne, ohne die innere Stille zu verlieren.

Wer diese Wahrheiten annimmt und diese Methode befolgt, wird seinen Geist von der Ruhelosigkeit befreien, ihm Frieden geben, ihn an die Innenschau gewöhnen und seine Konzentrationskraft stärken. So ausgerüstet, wird er bereit sein, wie im vorigen Kapitel angedeutet wurde, einen noch höheren Weg zu betreten: den Weg zur letzten Wirklichkeit, zu der unumstößlichen Wahrheit. Zumindest aber wird er eine große Erneuerung der Seele erleben, eine Springflut von Licht, und sein Leben wird in einem neuen Frühling aufblühen.

Von Emerson wird erzählt, daß sich unter den Zuhörern, die seine Vorlesungen am häufigsten besuchten, eine einfache, ungebildete Waschfrau befand. Als sie gefragt wurde, wieviel sie von den erhabenen Aussprüchen des Philosophen verstehe, sagte sie: «Wenn ich auch das meiste nicht verstehe, eines sagt er mir: daß ich keine von Gott verlassene Sünderin bin und wirklich eine gute Frau sein kann. Er hat mich fühlen lassen, daß auch ich in den Augen Gottes etwas wert bin und nicht eine verächtliche Kreatur, wie sie sagen.»

Wenn diese Seiten die Menschen von heute überreden könnten, ähnlich wie diese Waschfrau das Zeugnis von ihrer augenblicklichen Entartung zu belachen und den schließlichen Aufstieg in einen göttlicheren Zustand vorausschauend zu erkennen, würde der Verfasser sich wahrhaft glücklich schätzen.

3. Kapitel

Analyse des physischen Selbst

Der erste wichtige Punkt, den wir in Erwägung ziehen müssen, bevor wir mit Nutzen weitergehen können, ist, daß wir uns über die genaue Bedeutung des Wortes *Selbst* klarwerden. Bevor das geschehen ist, werden wir nur eine unbestimmte Vorstellung haben können von dem, was wir eigentlich suchen.

Wir wissen, daß wir *sind*.

Dieser Begriff von unserem Dasein entsteht in uns durch unwillkürliche, direkte und unbestreitbare Einsicht und durch das unmittelbare Erleben jedes Augenblicks unseres wachen Daseins. Die Tatsachen der Wissenschaft sind weniger sicher als diese ursprüngliche Gewißheit, daß wir sind. Wir können unserem Selbst nicht entrinnen, noch uns außerhalb unseres Daseins denken. *Sogar unsere Existenz anzuzweifeln, würde einen Zweifler voraussetzen.* Selbst wenn wir unseren Verstand gänzlich leer machen könnten, würden *wir* doch übrigbleiben, um diese Leere zu sehen, zu erfahren und nach der Rückkehr in den normalen Zustand von dieser neuen Phase Zeugnis abzulegen, da wir ja mit dem geheimnisvollen Unerklärbaren, dem Bewußtsein, begabt sind.

Von dem bescheidensten herumhüpfenden Frosch bis zu dem in gelehrte Betrachtungen versunkenen Philosophen bedeutet die Tatsache, lebendig zu sein, auch die, man selbst zu sein. Man braucht kein Philosoph zu sein, um mit dem französischen Metaphysiker Descartes zu erklären: «Ich denke, darum bin ich», oder mit seinem deutschen Kollegen Immanuel Kant anzunehmen, daß das Selbst eine notwendige

Grundlage des Denkens sei, denn jedermann nimmt ganz von selbst sein eigenes Dasein als die unbestreitbarste aller Tatsachen an. Jede Erörterung oder Beweisführung darüber erübrigt sich. Über die fundamentale Tatsache der Selbsterfahrung kommen wir nicht hinweg.

Aber wenn auch die Existenz des «Ich» die sicherste aller Behauptungen ist, so ist seine wahre Natur seine allerungewisseste. Zu sagen: «Ich bin», ist eine einfache Feststellung und kein Kunststück. Die Frage: «Was [1] bin ich?» verlangt eine Erklärung, welche die schwierigste aller Aufgaben ist. Wir wollen einen Augenblick diese kurze Frage: «Was bin ich?» erwägen. Die Antwort scheint sehr einfach. Name und persönliche Identität genügen doch!

Zum Beispiel «Ich bin S. M.»

Aber genügt das wirklich? Denn S. M. ist ein sehr veränderliches Wesen. Sein «Ich» hat nicht jedesmal die gleiche Bedeutung, wenn er das Wort gebraucht. Des Morgens, wenn er seinem Kinde, das in die Schule geht, Lebewohl sagt, bedeutet «Ich» einen Vater; eine Stunde später, wenn er sich von seiner Frau, die Einkäufe machen will, verabschiedet, einen Gatten; zwei Stunden später, wenn J. M. ihn besucht, einen Bruder; drei Stunden später, wenn er seinem Sekretär einen Geschäftsbrief diktiert, bedeutet «Ich» einen Geschäftsmann.

Dann wieder fühlen wir uns vollkommen mit unserem Körper identifiziert, wenn wir ein Mahl eingenommen haben, nachdem wir eine Zeitlang hungrig gewesen sind. Eine Stunde später hat der Strom des Erlebens diesen Begriff geändert, und wir sind über jemanden, der uns angegriffen hat, so aufgebracht, daß wir uns wie ein Bündel zorniger Gefühle vorkommen. Zwei Stunden später lassen wir uns in einen be-

---

[1] Für die Veränderung der uralten Meditationsformel: «Wer bin ich?» zu der ihrer tiefsten Bedeutung nach so verschiedenen Frage: «Was bin ich?» gibt der Verfasser in seinem Buch " The Hidden Teaching beyond Yoga " (deutscher Titel «Philosophie der Wahrheit — tiefster Grund des Yoga») die Erklärung.

quemen Sessel nieder und widmen unsere ganze Aufmerksamkeit einem ernsten wissenschaftlichen Buche, so daß wir uns für den Augenblick mit unserem Verstande eins fühlen.

So gibt es eine endlose Reihe von Möglichkeiten, sich selbst zu betrachten. Welche von ihnen kann mit Recht herausgehoben und als das wahre «Ich», das wirkliche Selbst verkündet werden?

Wie sollen wir aber auf den genauen Sinn des Wortes «Selbst» kommen, den Sinn, der für alle Zeiten und Gelegenheiten gültig ist? *Der folgerichtigste Weg wäre, das ins Auge zu fassen, was allen Menschenwesen als bestimmter, gemeinsamer Umstand innewohnt, dasjenige in dem Einzelmenschen, das, selber unveränderlich, alle Veränderungen der Persönlichkeit wahrnimmt, das einzig Wissende in uns, entgegen der Unmenge des Gewußten, dasjenige, das der Wurzelgrund all der Wandlungen unserer Selbstheit ist.* Um dieses Ziel zu erreichen, müssen wir mit einer Analyse unserer Begriffe von der menschlichen Persönlichkeit anfangen, die alles in uns untersucht und vor nichts zurückschreckt.

Gibt es etwas in uns, das unter allen verschiedenen Lebenserfahrungen gleich bleibt? Gibt es eine wesentliche Bedingung unter all diesen Erfahrungen, die von höchstem Werte für uns ist? Denn wir fühlen irgendwie, daß das *Ich*, welches seine Umgebung sieht, das spricht und angesprochen wird, das denkt und fühlt, wirklich eine innere, wenn auch nicht greifbare Wesenheit besitzt, die weder vergeht noch schwankt und in gewissem Sinne unser Mittelpunkt ist.

Dies ist schon durch das kurze Wort «Ich» ausgedrückt. Es ist ein Unikum im Wörterbuch, denn es ist weder auf eine andere Person, noch auf irgend etwas anderes anwendbar und kann einzig und allein auf seinen Eigentümer bezogen werden.

Denn es drückt unsere innerste, unsere tiefste, aber unbewußte Erkenntnis aus, daß das «Ich» in den Tiefen unseres Wesens verankert ist.

Schließen wir für eine Weile unsere Augen, ziehen wir uns in das Gebiet analytischen Denkens zurück und fangen wir an, unser Selbst planmäßig nach seiner vollsten Bedeutung zu erforschen.

Wir beginnen unsere Untersuchung mit dem, was uns am gewohntesten, augenscheinlichsten und bekanntesten ist: mit unserm stofflichen Körper. Wenn wir «Ich» sagen, meinen wir dann den physischen Körper? *Bin ich der Körper?* «Ja!» ist die naheliegende Antwort, die sich zunächst aufdrängt, von der Logik des gesunden Menschenverstandes und der alltäglichen Erfahrung diktiert. Wir werden alle als unbewußte Materialisten geboren, weil die Hauptarbeit der Natur an uns während des ersten Viertels unseres Lebens zunächst und notwendigerweise dem Aufbau eines hochentwickelten physischen Mittels gilt, durch welches jeder Mensch in mehr oder weniger wirksame Berührung mit dem planetarischen Spielplatz kommen kann, den sie für ihr Kind geschaffen hat und auf dem es Erfahrungen über sich selbst gewinnen kann.

Fast all unsere Gedanken — wie verschieden auch die Angelegenheiten sein mögen, mit denen sie sich befassen — sind gewöhnlich wie Perlen auf dem Faden dieser einen Vorstellung: «Ich bin der Körper» aufgereiht.

Doch betrachte einmal deinen Körper, als ob er der eines Fremden wäre, und lege ihn im Geiste zur Zergliederung auf den Seziertisch, untersuche ihn Stück für Stück; er wird sich dir nur als eine Verbindung von Knochen und Fleisch, Blut und Mark, Sinnesorganen und inneren Organen offenbaren. Keiner dieser *Teile* ist das Selbst, denn offenbar würde dann unser Bewußtsein auf diesen Teil beschränkt sein.

Das menschliche Bewußtsein erleidet keine Verminderung während der Jahre zwischen Geburt und Tod, auch wenn Knochen zerbrochen, Hände abgeschnitten, Beine amputiert werden oder wenn der ganze Körper gelähmt ist. Niemand fühlt sein «Ich bin» weniger unter so schrecklichen Umständen. Sogar wenn wir das Selbst mit dem Gehirn identifizieren, müssen wir bedenken, daß ein Schlag auf den Kopf, der alle Erinnerung an die Vergangenheit auslöscht — manche haben durch eine solche Ursache monatelang ihr Gedächtnis verloren —, das Ichgefühl nicht auslöscht, daß dieses vielmehr unvermindert weiterbesteht. Selbst wer von einer Hirnhautentzündung befallen und dadurch schwachsinnig wird, kann das Bewußtsein seiner selbst nicht verlieren. Man suche, wo man will: Das Selbst scheint keinem Körperteil innezuwohnen.

Ist es dann vielleicht durch irgendeine sonderbare Alchemie innerhalb des Körpers als einem vollständigen Organismus, innerhalb der Gesamtheit dieser Organe, Gliedmaßen und Teile, die einander zur Untersuchung gleichgeordnet sind, zu entdecken? Findet es sich in der Gesamtheit der fünf Sinne: Gesicht, Gehör, Geruch, Geschmack und Tastsinn? Nehmen wir den Fall eines Mannes, der tief mit irgendeinem Problem beschäftigt ist. Fragt man ihn, der vielleicht dicht vor einem Gegenstand oder einer Person stand, ob er jene gesehen habe, so kann es sein, daß er zur Antwort gibt: «Nein, ich habe ihn gar nicht bemerkt. Ich war anderswo mit meinen Gedanken.» Dieses Beispiel beweist, daß die Augen ihrer eigentlichen Aufgabe nicht nachkommen — obgleich sie dazu unvermindert imstande wären —, *wenn das Selbst anderweitig beschäftigt ist.* Ebenso kann es geschehen, daß man von einem tief in irgend etwas Interessantes versunkenen Menschen auf eine Anrede keine Antwort erhält. Wenn er gefragt wird: «Hast du gehört, was ich gesagt habe?», wird er offen bekennen: «Nein, ich war gar nicht hier mit meinen Gedanken.» Dies zeigt, daß der Gehörsinn, trotz völligen Intaktseins des physischen Organs, ebenso aufhört zu funktionieren, wenn die Aufmerksamkeit des Selbst ihm nicht zugewendet ist. Die gleiche Beweisführung kann auf die drei andern Sinne angewendet werden. Da wir nun gefunden haben, daß weder die einzelnen Teile, noch die einzelnen Sinne des Körpers das Selbst sind, muß die Schlußfolgerung gezogen werden, daß auch der Körper in seiner Gesamtheit, als Summe von Sinnen, Gliedern und Organen, unmöglich das wahre, bewußte Selbst sein kann.

Ein interessantes Beispiel, das einen weiteren Beweis für

diesen Punkt liefert, mag aus der Erfahrung eines der Meister des Verfassers berichtet werden. Jener ist ein älterer Mann, der keine Ansprüche auf geheimnisvolle Kräfte macht und ein vollkommen normales Leben führt. Er besitzt jedoch eine hochentwickelte Geisteskraft. Vor nicht langer Zeit entstand an seinem rechten Arme eine große, häßliche Beule, die auf den Rat eines ärztlichen Freundes durch eine Operation entfernt werden sollte. In Anbetracht der Schmerzen und des vorgerückten Alters des Patienten wollte der Arzt Chloroform anwenden, der Meister aber lehnte es wegen seines Alters und seiner schwankenden Herztätigkeit ab. Er bat den Arzt ruhig, fünf Minuten zu warten und dann erst mit dem Herausschneiden der Beule anzufangen. Darauf richtete er den Blick fest auf seinen Arm und sagte mehrere Male nachdrücklich zu sich selbst: «Dieser Körper ist nicht mein Selbst.» Der Gedanke grub sich so tief in ihn ein, daß, obschon er fortfuhr, auf die Beule zu blicken, er nicht sah, wie der Arzt das Messer nahm, um das kranke Gewächs zu entfernen, noch den leisesten Schmerz empfand. Erst nach vollständiger Beendigung der Operation wurde er sich des Geschehenen bewußt: Als sich sein Geist wieder mit dem physischen Körper identifizierte, wurde er das heraussickernde Blut gewahr und begann Schmerzen zu empfinden.

Während der ganzen Dauer dieser Analyse ist man sich bewußt, daß etwas *innerhalb* dieses Körpers, das man «sich selbst» nennt, diese Untersuchung leitet. Wenn das Selbst nur der Körper in seiner Gesamtheit wäre, hätte man immer noch das folgende Problem zu lösen:

Wer oder was ist das Selbst, das sich bewußt ist, einen Körper zu besitzen? Weist nicht die Anerkennung eines Körper-Selbstes auf ein zweites oder höheres — das erkennende — Selbst hin? Und ist nicht dieses zweite Selbst ein rein geistiges, weit über das Fleisch hinausgehendes? Denn das wahre Selbst des Menschen muß das höchste Subjekt all seiner Erfahrungen sein, und vom geistigen Standpunkt aus ist der Körper ein Objekt, das wir erleben und beobachten.

Wenn wir über den physischen Körper nachdenken, wie wir es jetzt tun, schließen wir unbewußt irgend etwas im Hintergrund ein, das den Körper gewahr wird und von ihm zeugt. Wir sind die *Wahrnehmenden*, nicht unsere Wahrnehmungen.

Die verstandesmäßige Erkenntnis unserer selbst ist von dem physischen Gefühl, einen Körper zu besitzen, *gänzlich verschieden*. So sagte der große Hinduweise Prabhu: «Erkenne dich selbst, ohne dabei das Erkennende aus dem Auge zu verlieren ... Wenn der Körper du selbst bist, warum sagst du denn: ,mein Körper' usw.? Jedermann spricht von seinem Besitz als ,meine Kleider' oder ,mein Gold' usw. Sage mir, ob irgend jemand von sich selbst sagt: ,Ich bin die Kleider' oder ,Ich bin Gold' usw. Du verwechselst eine Annahme mit einer Tatsache. Erwäge den Fall eines Mannes, welcher sagt: ,Ich verliere mein Leben.' Kann ein Leben ein anderes Leben verlieren? ,Lebensatem' ist die erste Bedeutung des Wortes Leben, während das Selbst die untergeordnete Bedeutung ist. Selbst ist das Bewußtsein des eigenen Seins. ,Ich denke' oder ,mein Körper' bedeutet nur Verbindung mit der Fähigkeit des Denkens oder mit dem Körper. Der Körper ist etwas dir Fremdes.»

Das Selbst ist also, auch vom physischen Standpunkt aus, eine Realität, aber es kann, genau genommen, nicht mit einem Teil oder der Gesamtheit des Körpers identifiziert werden.

Wir wollen jedoch vorläufig einmal denen nachgeben, die behaupten, der Körper sei alles in allem, und um der Analyse willen annehmen, daß es so sei. Daraufhin müssen wir nun die Anhaltspunkte näher ins Auge fassen, die uns der Körper in seinem Schlafzustand liefert; denn wir dürfen uns nicht damit zufrieden geben, daß wir den Menschen nur in seinem wachen Zustande betrachten. Wir müssen tiefer schürfen nach dem Selbst — einem Goldgräber gleich, der in die Tiefe der goldhaltigen Erde dringt. Nur wenn wir die gegebenen

Tatsachen der drei Zustände: des Schlafes, des Traumes und des Tiefschlafes, zusammenfassen, kann die volle Wahrheit des Selbst-Bewußtseins erkannt werden.

Da haben wir also nun ein Wesen vor uns, das in seiner Wirksamkeit während des Tages seine bewußte Verstandes- und Lebenskraft entfaltet, das aber nach Ansicht der Materialisten aus nichts anderem als aus chemischen Substanzen besteht, die, im Gehirn spezialisiert, das Bewußtsein hervorbringen. Und hier haben wir ein Geschöpf, das bei Anbruch der Nacht sich in einen gänzlich veränderten Daseinszustand versenkt sieht — den Zustand des Schlafes, in dem die wachen Sinne verdunkelt sind und der Körper selbst unbeweglich auf seinem Bett von weichen Daunen oder hartem Stroh hingestreckt liegt. Die Augen sind fest geschlossen, die Glieder bewegungslos, und nur die unwillkürlichen Funktionen des Körpers, wie die des Herzens, der Verdauung und der Lungen, werden weiter ausgeübt. Das Lebensprinzip, die Lebenskraft, scheint auf einen tiefen Stand gesunken zu sein.

Was ist aus der Intelligenz geworden, die der Mensch während des Tages in größerem oder kleinerem Maße bekundete? Auch sie erscheint dem Beobachter unwirksam zu sein. Man mag dem Schläfer eine Frage stellen — man wird keine Antwort erhalten: Er erkennt niemanden, wird keinen Besucher gewahr und kann unsere Fragen nicht verstehen. Man könnte sich ihm mit einer gefährlichen Waffe nahen, versuchen, ihn zu verletzen oder gar zu töten: Sein schlafender Verstand würde ihn nicht vor einem drohenden Überfall schützen können.

So ergibt sich der scheinbar seltsame Widerspruch eines Geschöpfes, das, während es wach ist, einen erheblichen Grad von Leben und Intelligenz zeigt, in schlafendem Zustand jedoch unfähig scheint, diese Eigenschaften auf bewußte und natürliche Art zu bekunden. Wirklich erstirbt das bewußte Selbst allmählich im Schlafe unserer Welt, während der physische Körper fortfährt zu leben, denn das Herz schlägt und die Lungen atmen.

Daher kann der Körper nicht das immerwährende, wahre Selbst sein.

Doch wir müssen uns fragen: In welcher Hinsicht ist dieser schlafende Körper chemisch verschieden von dem gleichen Körper im arbeitenden Zustande? Genau dieselben Bestandteile bilden auch im Schlaf die menschliche Gestalt, die verschiedenen Elemente sind noch immer vorhanden, nur mit einer geringen Veränderung ihrer Proportionen. Der Stickstoff, Wasserstoff, Kohlenstoff u. a., die in ihrer Verbindung das Fleisch bilden, sind noch da, trotzdem die *Eigenschaften* bewußter Intelligenz und freiwilliger Tätigkeit so gut wie verschwunden sind. Woher kommt es, daß dieser Körper in wachem Zustande die Fähigkeit besitzt, seine eigene Natur und Existenz zu untersuchen und zu beurteilen, während er diese Fähigkeit jetzt nicht mehr hat? Die einzige vollständige Antwort ist, daß der urteilende Verstand den Körper verlassen hat. Der Beweis für diese Antwort liegt in der Tatsache des Traumzustandes.

Die Verbindung von Verstand, Denken, Fühlen und Leben in einem einzigen Brennpunkt offenbart sich im physischen Körper als das, was wir das persönliche Ich oder die Individualität nennen. Wenn aber auch während des Schlafes das Bewußtsein des Körpers, *sein physischer Brennpunkt*, verschwindet, so wissen wir doch, daß im Traumzustand die Verbindung weiterbesteht und die Empfindung der eigenen Persönlichkeit anhält. Auch das Gemisch von Eindrücken, Erinnerungen, Gefühlen, Gedanken, Wünschen, Befürchtungen und Hoffnungen, aus denen die wache Individualität sich zusammensetzt, dauert weiter. Ja, es arbeitet an seiner Mentalschöpfung genau so, als ob es einen Körper besäße. Alle fünf Sinne sind noch tätig; man sieht, hört, riecht, berührt und schmeckt im Traum. Unsere Traumwelt erscheint uns zurzeit als die einzig wirkliche Welt, und man würde niemals argwöhnen, daß sie weniger wirklich sei als der wache Zustand. Man wird durch Gedanken geleitet und durch Wünsche bewegt, wie zuvor. Man begegnet Freunden,

Feinden und Unbekannten. Man flüchtet vor eingebildeten Gefahren und findet ausgesprochene Befriedigung an diesen Traumereignissen. Man bewegt sich, reist und fliegt sogar im Traume. Man redet, liebt und streitet während dieser lebendigen nächtlichen Visionen. Obgleich das physische Selbst anscheinend tot ist, wird das bewußte Selbst seiner eigenen Existenz von neuem auf andere Art gewahr: nämlich als ein Traumwesen.

Wenn die Offenbarung der Individualität in der physischen Welt verschwindet, kehrt sie oftmals in der subtileren Welt der Träume zurück.

Wie phantastisch auch manche Träume sein mögen, so gibt es doch auch solche, die vernünftig genug sind, um uns zu zeigen, daß *dieses bewußte, intelligente Ego selbst in seiner veränderten Form als Traumpersönlichkeit zweifellos weiterexistiert,* da es genau dieselbe Gruppe von Ideen, Eindrücken und Erinnerungen besitzt wie im wachen Zustande.

Wir haben das Kriterium aufgestellt, die physische Welt sei die allein wirkliche; aber der Träumer, der einen zusammenhängenden und vernünftigen Traum träumt, würde das Recht haben, an dieser Behauptung zu zweifeln, denn seine Tätigkeit in der Traumwelt ist für ihn nicht weniger wirklich als für uns unsere wache Tätigkeit im physischen Körper; und schließlich ist ja gerade dieser rhythmische Prozeß des Schaffens und Schlafens, des Wachens und Träumens, das von der Natur Gewollte. Traumerlebnisse spiegeln ein wirkliches Bewußtsein wider, das nicht weniger wirklich ist als das durch die wachen Erfahrungen widergespiegelte, wie phantastisch die Träume selbst auch sein mögen. So, und in diesem Zusammenhang allein, ist Selbstgewahrwerdung die Probe auf die Wirklichkeit. Es kann daher gerechterweise nicht gesagt werden, daß alle Zustände außer dem der wachen Tätigkeit auf physischem Gebiet persönliche Einbildungen seien; denn die Phänomene des Schlafes und Traumes sind vollkommen natürliche, die dem Menschengeschlecht als Ganzem und nicht nur einzelnen Individuen eigen sind. *Nie-*

mals während des Schlafes behauptet der gefühllose Körper,
daß er das «Ich» sei. Warum? Weil das Ich überphysisch,
d. h. mental ist und den Körper verlassen hat, um in eine
mentale Welt einzutreten. So gehört das Ich seinem wahren
Dasein nach dem Geist und nicht dem Fleische an.

Der Körper existiert für einen schlafenden Menschen bloß
deshalb nicht, weil das mentale Ich ihn verlassen hat. Unsere
Behauptung geht also dahin, daß die Persönlichkeit im Zustande des Traumes ganz *vom physischen Körper abgesondert*
weiterlebt und weiterwirkt. Kurz: Das persönliche Ich ist
etwas, das seiner Natur nach getrennt und in seinem Ausdruck unabhängig ist von seinem physischen Werkzeug.

Ein einfacher Vergleich der beiden Zustände wird genügen, um zu zeigen, daß, weil das Traumselbst keinen physischen Körper für seine Wanderungen benutzen kann und sich
darin vom physischen Selbst unterscheidet, ein dauerndes,
unveränderliches Element in beiden vorhanden sein muß,
das dem wachen Ich ermöglicht, sich seiner Traumerlebnisse
zu erinnern. Dieses beiden Zugrundeliegende muß deshalb
das aus nichtphysischer «Substanz» bestehende, wahre Selbst
sein. Eine solche Substanz aber kann nur geistiger Natur se'n.

Das Selbst ist *nicht* der Körper, sondern *eine bewußte*
Wesenheit, die mit dem Körper eins wird, wenn sie gänzlich
in ihn eingesunken ist; das wäre der Begriff, den ein denken-
der Mensch sich zugestehen könnte, wenn sein Verstand nicht
von den im jetzigen Zeitalter planetarischer Geschichte vorübergehend kursierenden Theorien umnebelt wäre.

Wenn diese letzte Behauptung unwahr ist, dann müssen
wir auch die wichtigen in ihrer Zurückweisung enthaltenen
Folgerungen annehmen. Denn wenn der Geist nicht vom
Körper getrennt werden, wenn die Seele nicht über ihrer
Hülle schweben, wenn das Bewußtsein nicht von seinem
körperlichen Brennpunkte befreit werden könnte, *würde ein*
Zustand wie der Schlaf nicht möglich sein. Der Mensch
könnte dann das Bewußtsein seines physischen Körpers nicht
verlieren, und er wäre dazu verurteilt, während der vierund-

zwanzig Stunden des Tages und der Nacht sich seines Kör-
pers, mit dem die Natur ihn so unauflöslich verbunden hätte,
bewußt zu bleiben. Auch bei den Bemühungen der Natur,
während der Nacht die verbrauchten körperlichen Gewebe
zu ersetzen, würde der Mensch als unglücklicher und vielleicht unfreiwilliger Mitarbeiter zugegen sein und den Prozeß der Wiederherstellung, der in seinem Körper vor sich
geht, bewußt erleben müssen; denn die Wohltat der Ruhe
würde seinem Geiste versagt sein. *Hierin kann der Mensch die*
wundervolle Weisheit und milde Barmherzigkeit der Natur
erkennen.

Diese Folgerung ist von so großer Tragweite, daß der Leser
sich über sie gründlich klarwerden und sich nicht durch die
naiven und phantastischen Meinungen eines orthodox-mate-
rialistischen Gesichtspunktes hypnotisieren lassen sollte, der
angesichts der neueren Entdeckungen anfängt, altmodisch
und unangebracht zu werden. Durch ein solches mutiges und
unabhängiges Denken kann der Mensch schließlich seine
eigene Befreiung von den Fesseln geistiger Unwissenheit bewirken.

Schlaf und Bewußtsein könnten nie im Kampf miteinander
sein, wenn der Mensch nichts anderes wäre als die Sammlung
von Atomen, aus denen ein physischer Körper sich zusammensetzt. Der Krieg entsteht, weil *er nicht nur ein Körper,*
sondern auch eine Kraft ist — etwas viel Subtileres als physische Materie.

Das wesentliche, persönliche Selbst ist feiner als der physische Körper und trägt das Licht des Bewußtseins in ihn
hinein; wäre es anders, so könnte in dem Zustand, den wir
Schlaf nennen, keine Trennung zwischen beiden sein.

So würde ein geistiger Seher den Gegenstand betrachten.
Eine solche Auffassung schließt jedoch *nicht* notwendigerweise Unsterblichkeit ein, oder nicht einmal das Überleben
des Körpers nach dem Tode. Sie betrifft allein den lebendigen
Körper und sagt nichts für oder gegen die Möglichkeit aus,
daß ein solches getrenntes Bewußtsein fortdauere, wenn der

vom Tode getroffene Körper nicht mehr da ist. Diese Möglichkeit soll in Kürze betrachtet werden.

Man mag nun die vorausgegangene Antwort aus einem andern Gesichtswinkel untersuchen, um zu sehen, ob sie auch dann noch standhält.

Es gibt eine Gruppe abnormer Zustände, die mit dem allgemeinen Begriffe Trance bezeichnet werden. Moderne Wissenschaftler, welche die Phänomene des Hypnotismus und der psychischen Forschung studiert haben, sind mit den verschiedenen Phasen dieser Zustände vertraut. Eine große Anzahl Fälle sind in psychologischen Zeitschriften und Büchern berichtet und beschrieben worden; die meisten von ihnen ergaben sich aus Experimenten, die unter strengster wissenschaftlicher Prüfung vorgenommen worden waren. Daß dieser Zustand existiert, wird heute nicht mehr bestritten, daß in der tieferen Phase der Trance eine wirkliche und beinahe vollständige Trennung des Bewußtseins vom Körper, die gelegentlich gewollt, aber meistens ungewollt ist, bewirkt werden kann, ist ebenso nicht zu leugnen. Wer keine Studien in dieser Richtung gemacht hat, sich aber die Mühe nimmt, die Literatur über den Gegenstand offenen Geistes zu überprüfen, wird erstaunt sein über die Menge von Beweismaterial, der durch die Vorhut der Wissenschaftler und Ärzte, die den Mut hatten, dieses — sonderbarerweise «abnorme Psychologie» benannte — Gebiet zu erforschen, aufgehäuft worden ist.

Durch ihre Bildung und Unparteilichkeit bekannte Männer, wie der verstorbene F. W. H. Myers, der seinerzeit in Cambridge mehr Ehren erwarb als irgendein anderer Student, haben eine ungeheure Anzahl von Forschungen und Experimenten auf diesem dunklen Gebiet eingeleitet und sich dabei eines streng wissenschaftlichen Vorgehens befleißigt. Die erlangten Ergebnisse sind veröffentlicht worden. Wer Geduld und Zeit genug hat, sich durch diese Bände hindurchzuarbeiten, wird eine Menge von Beweisen dafür finden, *daß das Be-*

wußtsein des Menschen tatsächlich auch während seines Lebens vom Körper getrennt werden kann. Wenn diese Trennung während des Traumzustandes meistens auch nur flakkernd und unbestimmt bewirkt werden kann, ist sie jedoch klar und auffallend unter ungewöhnlichen Umständen, wie z. B. bei einer Ohnmacht, die durch eine heftige Gemütsbewegung verursacht ist.

Die Namen anderer Forscher, die besonders in das Phänomen der hypnotischen Trance einzudringen versuchten und dabei blieben, ungeachtet des leidenschaftlichen Unglaubens derer, die es selbst nie der Mühe wert hielten, solche Untersuchungen anzustellen, sind: Dr. James Braid, ein Chirurg aus Manchester; der französische Geistliche Abbé Faria, der etwas von dieser Kunst in Indien erlernt hatte; der französische Neurologe Charcot, der die Experimente des Salpétrière-Hospitals in Paris leitete; Dr. Lebeault aus Nancy und Prof. Bernheim, sein Schüler; der Deutsche Dr. Moll, der eine gute historische Abhandlung über den Gegenstand schrieb, soweit er zu seiner Zeit bekannt war; der verstorbene Alexander Erskine in London; und Dr. Esdaile, Chefarzt des Government Hospital in Kalkutta, der dreihundert größere und mehrere tausend kleinere Operationen ausführte, ohne irgendein Betäubungsmittel anzuwenden, aber seinen Patienten trotzdem keine Schmerzen verursachte, weil er ihre Körper für eine bestimmte Zeit durch Magnetismus gefühllos machte.

Personen, die in tiefen Trancezustand hypnotisiert wurden, hatten ihre Körper gänzlich vergessen; sie nahmen teil an weit zurückliegenden Ereignissen, bezeugten in der Ferne sich abspielende Vorgänge oder beobachteten Leute, zu denen sie geschickt waren. Obgleich ihre eigenen Körper weit zurückgeblieben waren, hatten sie dennoch das volle Bewußtsein persönlichen, aber überkörperlichen Daseins.

Es gibt nichts wirklich Neues in hypnotischen Experimenten, da sie schon in Zeiten, die so weit zurückliegen wie die der alten ägyptischen Priester und der frühen chaldäischen

Wahrsager, ausgeübt wurden. Aber die Experimente des Altertums haben wenig Beweiskraft für die moderne Zeit.

Wenn irgend etwas, so zeigen solche Untersuchungen, daß das bewußte Selbst nicht der Körper ist, einfach weil im tiefsten und deshalb seltensten Grade der hypnotischen Trance beide gespalten und als zwei getrennte Einheiten dargestellt werden können. Der ganze Teil des Geistes, der das Selbstbewußtsein umfaßt, ist dabei autonom geworden.

Wirkliche Trance des dritten Grades ist ein viel selteneres Phänomen als irgendein anderes in der Forschung der Hypnose, und sie ist im Westen heutzutage weniger häufig als während des 19. Jahrhunderts. Im Osten wird sie noch heute durch eine Art von Selbsthypnose hervorgerufen, die von den Yogis und Fakiren und den «Medizinmännern» der afrikanischen Neger geübt wird. Der Hypnotisierte («Mesmerisierte» oder «Magnetisierte» waren die von den früheren Forschern gebrauchten Ausdrücke) fiel dann in einen Zustand von Erstarrung, der ihn wie tot erscheinen ließ. Er wurde taub gegen alle Geräusche und schweigsam wie ein Grab. Die Pupillen seiner Augen waren nach oben gerichtet.

Wenn die Betreffenden zum wachen Bewußtsein zurückkehrten, so bestätigten sie, daß das Bewußtsein des *Physischen* während der Dauer des Trancezustandes vollständig ausgeschaltet gewesen sei. Andererseits trat in den leichteren Stadien der Trance häufiger eine Verlegung des Zentrums der Persönlichkeit ein, wobei der Betreffende die Sprache noch einigermaßen beherrschte und ausführliche Beschreibungen abgeben konnte von fernliegenden Szenen und Ereignissen, die er soeben zu sehen behauptete, oder von Personen, mit denen zusammen zu sein er sich deutlich bewußt war. Daraus ist ersichtlich, daß der hypnotische Zustand in seinen leichteren Graden dem Traumzustand, in seinem tiefsten Grad aber dem Zustand während des Tiefschlafes entspricht.

Ein anschaulicher Fall der leichteren Sorte wird von Erskine berichtet. Um eine von Sir Arthur Conan Doyle gewünschte

Probe zu liefern, versetzte er einen seiner Patienten in hypnotische Trance. Der Geist des Patienten durchwanderte den Raum bis in Lady Doyles Wohnung in London-Westminster und berichtete, daß sie dort in einem Zimmer säße, das er in allen Einzelheiten beschrieb. Der Bericht und die Beschreibung erwiesen sich beide als vollkommen richtig! Mit Telepathie wird eine solche Sache nicht erklärt; denn Erskine beschreibt noch einen anderen Fall, bei dem die hypnotisierte Persönlichkeit fähig war, einen dreistündigen Bericht über die Bewegungen, Reisen, Handlungen und Gespräche ihres Vaters, eines Beamten bei der portugiesischen Gesandtschaft, zu geben. Letzterer bestätigte später die vollkommene Korrektheit des geschriebenen Berichtes. Doch weder der Hypnotiseur noch der Sohn hatten vorher irgendwelche Kenntnis von dem Aufenthaltsort oder den Absichten des Beamten gehabt!

Der Beweis für die Trennungsmöglichkeit des Geistes vom Körper genügt, um die Behauptung, daß das Selbst nicht der Körper ist, zu stützen. Er zeigt, daß das Ich auf jede Weise und ebenso vollständig in der hypnotischen Trance wie im gewöhnlichen Dasein wirken kann, nur daß es sein physisches Werkzeug, den Körper, infolge des durch die Hypnose bewirkten leblosen Zustandes nicht benutzen kann.

Wo immer bewußter Verstand ist, muß auch Leben sein, das ihn in Gang bringt. Die oben genannten Experimente zeigen uns auch, daß das Leben den Geist bei seiner Absonderung vom physischen Körperbewußtsein begleitet, ohne jedoch den Tod des Körpers herbeizuführen, da ja die Trennung nur eine vorübergehende ist. Es ist also klar ersichtlich, daß Leben und Geist sich *durch* den Körper offenbaren können, wie der elektrische Strom sich durch die Birne offenbart, daß aber ihre eigene Existenz dennoch nicht vollständig von ihm abhängig ist. In der Tat sind sie in der Lage, unabhängig voneinander zu funktionieren, wie der normale Zustand des Schlafes und der abnorme der hypnotischen Trance zeigen.

Ein weiterer Beweis wird uns in den Resultaten der psychischen Forschung und des Spiritismus zur Verfügung gestellt. Er wird vielleicht weniger ansprechen, weil die große Menge der Zeugnisse über diesen Gegenstand der Qualität nach so verschieden ist und sich von überraschender Augenscheinlichkeit bis zu alberner Schalheit und offensichtlicher Scharlatanerie erstreckt. Doch wenn die Berichte über diese Phänomene unparteiisch gesichtet werden, kann ein gewisser Rückstand von echten Tatsachen festgestellt werden, die das Überleben der Persönlichkeit, selbst nach der totalen Zerstörung des Körpers, wie bei der Feuerbestattung, zeigen.

Die Gesellschaft für psychische Forschung hat seit mehr als einem halben Jahrhundert zahlreiche Berichte von Geistererscheinungen, Sitzungen mit Medien usw. gesammelt. Sir William Crookes, Sir Oliver Lodge, Professor Hans Driesch und Sir William Barrett — lauter angesehene Gelehrte — waren nach ausgedehnten Untersuchungen unter Zuhilfenahme von Medien gezwungen, sich zugunsten der spiritistischen These, daß die Toten weiterleben und unter gewissen Umständen mit ihnen verkehrt werden kann, zu entscheiden. Ein Medium, dessen Dienste von Sir Oliver Lodge häufig gebraucht wurden, war der verstorbene Alfred Vout Peters, der zufällig ein Freund des Verfassers war. Peters war mit äußerst seltenen und bemerkenswerten Anlagen geboren; er konnte die «Toten» nicht nur deutlich sehen, sondern sich auch mit ihnen unterhalten und Botschaften für die Hinterbliebenen von ihnen erlangen. Er verbrachte einen großen Teil seines Lebens mit Reisen durch ganz Europa und lieferte Proben und Beweise von der Wirklichkeit des jenseitigen Weiterlebens an zahlreiche berühmte Persönlichkeiten, zu denen, wie er einmal scherzhaft bemerkte, «die Hälfte aller gekrönten Häupter Europas» gehörte.

Ein einziges Beispiel seiner Fähigkeiten, für das Mr. Wallis Mansford, Sekretär des Londoner Instituts, öffentlich Zeugnis ablegte, wird genügen. Mr. Vout Peters machte im Jahre 1922 folgende Mitteilung an Mr. Mansford: «Mit Ihnen ist der Geist eines jungen Mannes von außergewöhnlicher physischer

Schönheit, fein geschnittenen Zügen, dichtem Haar, mit hervorragender geistiger und starker magnetischer Kraft begabt. Ich sehe ihn in einem schönen Garten, er trägt einen Flanellanzug. Er hatte die Gewohnheit, mit verschränkten Armen rittlings auf seinem Stuhl zu sitzen, das Gesicht der Lehne zugekehrt. Haben Sie zu Hause keine Photographie von ihm in dieser Stellung? Der Geist ist der eines noch ziemlich jungen Mannes, der während des Krieges im Auslande starb. Das Klima ist warm, und in den letzten Stunden litt er unter Durst. Ein Jahrestag, der mit ihm zusammenhängt, ist sehr nah.»

Mr. Mansford erwiderte, daß er keine solche Photographie besitze; aber als er nach Hause kam, suchte er unter seinen Papieren und entdeckte darunter ein Bild von Rupert Brooke, dem bekannten Soldatendichter. Er war im Garten sitzend dargestellt in genau derselben Stellung, die das Medium erwähnt hatte. Mr. Mansford hatte sich sehr für Brooke interessiert und sich von ihm angezogen gefühlt. Es war dessen Mutter, die ihm das Bild geschenkt hatte. Was den beschreibenden Teil der Botschaft anbelangt, so weiß jedermann, daß er genau dem Äußeren des Dichters entsprach, während in bezug auf die Wahrheit der letzten Worte erwähnt werden mag, daß Brooke auf einem Lazarettschiff im Mittelmeere starb. Der Jahrestag seines Geburtstages war fünf Tage, bevor Peters über ihn sprach, gewesen.

Das Dasein solcher Menschen wie Peters, obwohl ihrer wenige sein mögen unter dem Heere sich und andere täuschender Personen, welche die echte Tatsache medialer Veranlagung für sich beanspruchen, ist ein Hinweis auf primitive Fähigkeiten, die infolge der berechtigten und notwendigen Evolution der geistigen und physischen Fähigkeiten des Menschen abgelegt worden und verlorengegangen sind.

Wer lebendigen Geistes ist, weiß, daß das ganze Gebiet der hypnotischen und psychischen Forschung nun angefangen hat, sogar in akademischen Kreisen einen gewissen Grad von Ansehen zu gewinnen. Mehrere Universitäten in verschiede-

nen Ländern haben Kurse über psychische Forschung angekündigt, während Dr. J. B. Rhine an der Duke University in
Amerika laboratorische Untersuchungen über extra-senso-
rische Wahrnehmung bis zu einem Punkte geführt hat, wo
die Echtheit der Telepathie und Hellsichtigkeit so einwandfrei festgestellt wurde, daß sie endgültig in den Gesichtskreis
der anerkannten Experimentalwissenschaften gerückt sind.
Prof. William McDougall, der hervorragende Amerikaner,
dessen Forschungen in abnormer Psychologie wohlbekannt
sind, hat sogar nicht gezögert, zu behaupten, daß Dr. Rhines
Werk dem biologischen Materialismus seinen schwersten
Schlag versetzt habe.

Hunderte von anderen authentischen Fällen sind in Berichten niedergelegt worden für die, welche sich die Mühe
nehmen wollen, diese Literatur zu untersuchen. Diese Forschungen zeigen, daß eine nichtmaterielle Welt existiert, in
der das bewußte Selbst des Menschen auf geistige Weise, ganz
unabhängig von seinem Körper, wirken kann, sogar wenn
letzterer im Grabe liegt.

Es gibt viele, die ein tief eingewurzeltes Bedenken gegen
das Thema der psychischen Forschung oder des Spiritismus
hegen. Zum Teil sind sie durch den offensichtlichen Unfug,
der auf diesem Gebiete mit dem Wirklichen und Echten unzertrennlich verbunden erscheint, gerechtfertigt. Sind sie religiös, so verbirgt sich ihnen die schwarze Schreckgestalt des
Teufels hinter solchen Experimenten; sind sie wissenschaftlich eingestellt, so ist die ganze Sache Scharlatanerie. Kurz,
da der Gegenstand selbst ihnen nicht zusagt, wird auch kein
damit in Verbindung stehender Beweis zugelassen. Trotzdem
aber können auch solche Menschen die Frage: «Was bin ich?»
— in ihrer Beziehung auf den Körper — stellen, ohne zu der
spiritistischen Literatur Zuflucht nehmen zu müssen. Denn
es gibt eine merkwürdige Reihe von Zeugnissen, deren Tatsachen außer Zweifel und deren Folgerungen klar sind. Bei
verschiedenen Gelegenheiten und in verschiedenen Orten
Asiens und Afrikas begegnete der Verfasser Yogis und Fa-

kiren, welche die außergewöhnliche Fähigkeit zeigten, die
Atmung auszuschalten, die Herztätigkeit und Blutzirkula-
tion zum Stillstand zu bringen, und die sich sogar wieder
lebendig erheben konnten, nachdem sie für einige Stunden
oder Tage in einem luftleeren Sarg oder unter der Erde «begraben» gewesen waren. Er hat ihre Leistungen sorgfältig
überprüft, um die Betrüger von den echten Besitzern solcher
außergewöhnlichen Kräfte zu unterscheiden. Er ist vollkommen überzeugt, daß solche Kräfte wirklich existieren.
Doch er möchte seine persönlichen Beweise nicht in diesem
Zusammenhang vorbringen; obgleich einer dieser Yogis kürzlich in einem versiegelten und auszementierten steinernen
Grabe für nicht weniger als vierzig Tage eingeschlossen war,
gibt es unabhängige und weniger anfechtbare Zeugnisse, die
alle seit 1936 datieren.

Das erste ist ein Ausschnitt aus einem zuverlässigen indischen Blatte, «The Madras Mail», das in britischem Besitze
ist und von einem Engländer herausgegeben wird, der eine
lebenslängliche, gründliche journalistische Erfahrung hat.

«Während 30 Minuten lebendig begraben.
Yogitat vor 15 000 Zeugen

Masulipatam, 15. Dezember (1936)

Eine bemerkenswerte Leistung in Yoga wurde durch den
Yogi Sankara Narayanaswami aus Mysore am Sonntagabend
vor dem Tempel Sri Ramalingeswaraswamis in Gegenwart
von beinahe 15 000 Menschen vorgeführt. Er wurde für ungefähr eine halbe Stunde lebendig begraben.

Lt.-Col. K. V. Ramana Rao, I. M. S., District Medical
Officer, der als Beobachter tätig war, nahm vor der Probe
einen Brief des Yogi entgegen, in dem dieser feststellte, daß
er die Tat auf seine eigene Verantwortung ausführe.

Der Yogi wurde in einen Kasten gesetzt, der eigens für diesen Zweck angefertigt worden war, und in eine Grube herabgelassen, die mit Erde zugedeckt wurde. Als man nach ungefähr einer halben Stunde den Kasten hervorholte, wurde der Yogi im Trancezustand darin gefunden. Eine halbe Stunde später erlangte er das Bewußtsein wieder, was von der Menge freudig begrüßt wurde.»

Das zweite Zeugnis kommt von einem Freunde, Major F. Yeats-Brown, der 20 Jahre bei den Bengal Lancers, einem indischen Kavallerie-Regimente, stand. Er veröffentlichte diesen Bericht im Londoner «Sunday Express»:

«Auferstehung von den ‚Toten' ist eine ziemlich verbreitete Übung in der indischen Magie. Ich habe sie zweimal gesehen. Der Adept unterzieht sich einer 24stündigen geheimen Vorbereitung, die in Reinigung, Fasten und ‚Schlucken' von Luft besteht.

Vor dem Eintritt in den Trancezustand befindet sich der Adept in einem Sauerstoffrausch. Dann preßt er seine Schlagadern und geht in Bewußtlosigkeit über.

Seine Schüler begraben ihn.

Bei einer der Gelegenheiten, wo ich zugegen war, verharrte der Adept eine Stunde, bei einer andern nur fünfzehn Minuten in der Todestrance.

Ärzte, die den ‚Leichnam' untersuchten, stellten fest, daß kein Lebenszeichen da war. Nach der angegebenen Zeit kehrte der Adept zum Leben zurück.

Der starre Körper wird biegsam, die festgeschlossenen Lippen entspannen sich und stoßen einen Seufzer aus, den niemand, der ihn gehört hat, vergessen kann.

Das Experiment ist wahrlich nicht für die Öffentlichkeit geeignet.»

Das dritte Zeugnis ist aus der «Sunday Times» von Madras, Februar 1936. Es lautet wie folgt:

» Herz- und Pulsbeherrschung
Seltsame Tat eines Yogi

In Gegenwart von Col. Harty, Civil-Surgeon von Ahme-
dabad, und verschiedener anderer Ärzte führte der Yogi
Swami Vidyalankar das seltsame Kunststück vor, seine Herz-
und Pulstätigkeit während ziemlich langer Zeit zu beherrschen. Mit geschlossenen Augen auf der Erde hockend,
brachte er Herz und Puls plötzlich zum Stillstand. Gleichzeitig wurde sein Herz abgehorcht und ein Elektrokardio-
gramm gemacht. Die Untersuchung ergab, daß er beide Organe vollständig in seiner Gewalt hatte.

Er zeigte noch verschiedene andere Wundertaten, darunter
die, während 25 Stunden in einem Grabe zu liegen.«

Die Beweiskraft dieses letzten Falles wird besonders er-
härtet durch das Zeugnis des dem Geschehen beiwohnenden
gebildeten Engländers, der zugleich Mitglied der Armee und
qualifizierter Arzt war. Daß deshalb eine scharfe Prüfung
stattfand, ist sicher.

Wem die Zeit für eine gründlichere Untersuchung nicht
fehlt und wer die Mühe nicht scheut, einige Jahre hindurch
nach Berichten über ähnliche Fälle zu forschen, kann mit
einer reichen Ernte rechnen, obgleich der Autor weiß, daß
verschiedene mit außergewöhnlichen Kräften begabte Yogis
in der Öffentlichkeit nicht bekannt sind, da sie die großen
Städte meiden.

Was ist die endgültige Folgerung aus solchen Fällen?

Ist es nicht dies: *daß der körperliche Lebensatem nicht das
wirkliche Selbst ist?* Erhalten wir nicht den zwingenden Beweis, daß das persönliche Sein, das «Ich», sich nach zeitweiliger Entäußerung der *physischen* Lebenskraft und Einstellung der Atemtätigkeit unvermindert und unbeeinträchtigt
in seiner gewohnten Persönlichkeit wieder kundtun kann?

Ist es nicht so, daß der Körper buchstäblich eine Leiche
werden kann, ohne daß das Überleben der individuellen Persönlichkeit dadurch beeinträchtigt wird?

Wird durch die genannten Fälle nicht bewiesen, daß die Lebenskräfte, die dem Körper den Tag hindurch seine Bewegungskraft und seinen Tätigkeitstrieb geliehen haben, nicht notwendig ein Produkt körperlicher Gewebe und Muskeln zu sein brauchen? Ihr Verhältnis zum Körper kann einfach das schon vorher erwähnte des elektrischen Stromes zur Lampe sein.

Zeigen diese Fälle nicht auch, daß das Ichbewußtsein das ganze Leben hindurch besteht, während das Körperbewußtsein nur ein Inhalt dieses tieferen Erkennens gewesen ist?

Wäre letzteres mit dem Körper als dessen dauernder Besitz verbunden gewesen, so hätte es zu keiner Zeit von ihm getrennt werden können. Zum Beispiel: Hitze ist eine Eigenschaft des Feuers. Wo immer wir Feuer finden, ist unweigerlich Hitze mit ihm verbunden. Ein Phänomen wie kaltes Feuer können wir uns nicht vorstellen. Desgleichen: wäre das Selbst eine Funktion des körperlichen Organismus, so könnte es nie von ihm getrennt werden, wie dies im tiefen Schlafe, in hypnotischer Trance und bei Fakirbegräbnissen geschieht. Mit anderen Worten: Der *wirkliche Mensch*, die Seele, wenn man sie so nennen will, ist ganz gewiß nicht sein Körper. Das Selbst kann nicht durch irgendein materielles Mikroskop geschaut werden.

Wir machen uns für gewöhnlich nicht klar, daß das Gehirn in dem Moment, da das Selbstbewußtsein aus ihm zurückgezogen wird, nichts weiteres mehr ist als ein Stück lebloser Materie, gleich dem Fleisch in einem Fleischerladen.

Ohne die Gegenwart des Selbst könnte es keinen einzigen Gedanken hervorbringen, keinen Begriff bilden, weder von sich selbst noch von seiner Umgebung, weder von abstrakten Eigenschaften noch von materiellen Dingen.

Die Materialisten, die behaupten wollen, daß Verstand und Leben Produkte physischer Organe seien, haben das Recht auf ihre Ansicht; aber da sie weder Leben noch Intelligenz hervorbringen können in ihren Laboratorien, besteht kein Grund für die Annahme, daß ihre Theorien begründeter seien als die der Weisen und Seher, die das Gegenteil für wahr halten: nämlich, daß der Strom des menschlichen Geistes und Lebens den Körper bewohne, aber nicht von ihm geschaffen sei. Überdies beanspruchen diese Seher und Weisen, den Beweis für ihre Feststellungen gefunden zu haben auf dem einzigen Wege, auf dem ein solcher wirklich erlangt werden kann: nämlich durch wirkliche Trennung dieser beiden Qualitäten — oder mit anderen Worten: des persönlichen Ego — vom physischen Körper. Sie haben dies, wie aus ihrem Zeugnis zu ersehen ist, durch Jahrhunderte hindurch getan. Deshalb sind solche Theorien, welche die Annahme eines geistigen und nicht-physischen Elementes enthalten, das allen chemischen Elementen übergeordnet ist, zum mindesten der Untersuchung wert. Ja, sie sind sogar wertvoller, denn sie bieten jedem, der die vorausgehenden Bedingungen erfüllen und aufrichtig und geduldig in seinem Innern dafür arbeiten will, den Beweis, während kein Materialist, kein Wissenschaftler den entgegengesetzten Beweis — außer auf rein theoretische Weise — liefern kann.

Solange nicht ein Wissenschaftler ein menschliches Wesen schaffen und dadurch die Wahrheit der materialistischen Theorien demonstrieren kann, ist die hier dargebotene Erklärung — daß der physische Körper, als Auswuchs eines immateriellen Überselbst, diesem untergeordnet ist, und daß sich die physischen Empfindungen während der Lebensdauer des Körpers in selbständiger, unabhängiger Existenz von dem Hintergrund eines Zustandes unvergänglichen Bewußtseins abheben — mindestens derselben Achtung selbständiger Menschen wert wie irgendeine andere bis heute vorgebrachte Theorie. Überdies macht sich diese Theorie bedenkenlos anheischig, den naheliegenden Beweis zu liefern: Er findet sich im Geiste und Herzen jedes Menschen und wird dem offenbar werden, der die Übungen der in diesem Buch dargelegten Methode treulich befolgt.

Warum sollten wir uns also scheuen, der allgemeinen materialistischen Anschauung untreu zu werden, welche die Individualität des Menschen ausschließlich auf die bekannte physische Welt festzulegen sucht? Warum sollten wir die sichtbaren Zeichen und Winke, welche sowohl Natur wie Experimente uns liefern: daß das Fleisch nur eine Behausung, aber nicht das Ganze des Menschen sei, zurückweisen? Wer den Mut und die Geduld besitzt, seinem Denken unbeeinflußt durch die konventionelle Ideologie diesen Weg zu weisen, wird zuletzt durch die Entdeckung der ewigen Wahrheit über den Menschen belohnt werden. Sich mit den landläufigen wissenschaftlichen und philosophischen Theorien zu begnügen, die sich in ein paar Jahrzehnten vollkommen geändert haben können und werden, oder welche die nächste Generation als unvollständig oder irrig beweisen wird, hieße Trägheit und Feigheit in seinem geistigen Leben an den Tag legen. Die Wahrheit ist nicht für die Trägen oder die Furchtsamen.

Bin ich der Körper?

Wir müssen uns jetzt der letzten und höchsten Betrachtung dieser Frage zuwenden. Alle bisher gegebenen Argumente und Antworten können in der Tat fallen gelassen werden, denn man darf in das Gebiet des reinen Gedankens aufsteigen, von der Physik zu der Metaphysik, wo ein einziger wahrer Begriff genügt, um die Illusion, daß das Selbst sich nur im Körper und nirgendwo sonst aufhalte, zu vertreiben. Daß diese Auffassung nicht richtig sein kann, wird durch den Zustand des tiefen, traumlosen Schlafes und den der Bewußtlosigkeit (Ohnmacht, leere Trance) wunderbar erläutert, weil dann das Selbst gänzlich aus dem Körper entschwindet. Für jeden Menschen in diesem Zustand ist der gefühllose physische Körper völlig ausgelöscht und vergessen, und erst, wenn der Wachzustand, das Bewußtsein und die Erinnerung zurückkehren, wird er *wiederentdeckt*.

Der Fehler, den die westlichen Philosophen bei ihrer Forschung nach der Wahrheit des Selbstbewußtseins begehen, liegt darin, daß sie die drei Zustände des Wachens, Träumens und Tiefschlafes nicht auf gleicher Ebene betrachten. Vereinzelte

Tatsachen können nur unvollständige Resultate ergeben. Die Gesamtheit der Tatsachen allein ergibt die vollkommene Wahrheit. Die Psychoanalyse hat jedoch angefangen, mit ihrer Untersuchung über den Ursprung und die Bedeutung der Träume den richtigen Weg einzuschlagen, wenn auch die Resultate dieser Untersuchung noch ein stark umstrittener Gegenstand sind.

Bevor der Mensch «ich» sagen kann, befindet sich sein Leben im Embryonalzustand. Die Geistesverfassung des Embryos entspricht genau derjenigen eines Erwachsenen im tiefen Schlafe. In letzterem bleibt jeder Teil des physischen Körpers intakt, aber das *Ich* ist verschwunden, es besteht kein Gefühl mehr für das persönliche Sein, nichts wird mehr wahrgenommen, wenn wir auch wissen, daß das Selbstbewußtsein bestimmt mit dem Tag wieder erscheinen wird und daß sein Verschwinden nur vorübergehend ist. Wir empfinden, daß das geistige Bewußtsein, das sich durch das Ich kundtat, trotzdem im geheimen vorhanden sein muß und daß es unversehrt und unverändert wiederkehren wird.

Die ganze Persönlichkeit mit ihren gesamten Erinnerungen von Freude und Leid, ihrem aufgespeicherten Wissen, ihrem Ichbewußtsein, ist im Tiefschlaf abwesend. Das Ego ist so gänzlich aus dem physischen Körper entschwunden wie im Tode. Es besitzt nicht einmal mehr die Gestalt eines Traumkörpers. Dieses ist der wesentliche Punkt, den man sich jetzt vor Augen halten muß. Nicht die leiseste Spur von Selbstbewußtsein bleibt irgendwo im Körper oder Geiste übrig. Das Selbst hat sich auf seine geheimnisvolle Art vom Körper getrennt. Der Tiefschlaf offenbart also, daß der Körper keine absolut notwendige Grundlage für das Dasein des persönlichen Selbst des Menschen ist.

Hierin liegt der letzte Beweis — notwendigerweise ein metaphysischer, da wir ja die Grenzen des Physischen überschritten und sogar das Grenzland der Geister und die Region der Traumseele passiert haben —, *daß die Seele, die geheimnisvolle Essenz der Selbstheit, das Subtilste des Subtilen, im*

Tiefschlaf sich vom Körper absondert und in ihre hohe Heimat, in eine nichtmaterielle Seinswelt, zurückkehrt, eine Welt von solcher Feinheit, daß sie von dem Nervennetz, das über unsern Körper gebreitet ist, nicht erfaßt werden kann.

Die Antwort auf unsere Frage lautet daher, daß das Ich etwas für sich Bestehendes und vom Körper Verschiedenes ist.

Der Körper ist nicht das Selbst.

Was ist aber dann der Körper?

Er wird augenscheinlich zu einem Instrumente, mit Hilfe dessen man die objektive Welt erkennt, die von der inneren Welt der Selbstheit, mit der wir eins sind, grundverschieden ist. Wir fühlen, daß diese äußere Welt etwas ganz von uns Gesondertes ist. Die Empfindungen, die sich in unserm Geiste abzeichnen, sind unser einziges Bindeglied mit der objektiven Welt. Oder wie Bertrand Russell sich gezwungen sieht zu gestehen: «Was der Physiologe sieht, wenn er ein Gehirn untersucht, ist im Physiologen, nicht im Gehirn, das er untersucht.»

Der in der Philosophie weiter vorgedrungene Naturwissenschaftler kann die Ansicht von der scheinbar außen vorhandenen lebhaften Röte eines Gegenstandes aufgeben, da er weiß, daß dessen Farbe in Wirklichkeit seinem, des Sehenden, eigenen Geiste innewohnt. Desgleichen können wir, geistig gesehen, den äußeren Körper aus unserer Empfindung der Selbstheit streichen, denn wir wissen, daß diese in Wirklichkeit in den Tiefen des Geistes und Herzens gesucht werden muß, und daß es keinen anderen Ort gibt, wo sie gefunden werden könnte. Und sie ist ungefähr das einzige in der Welt, dessen wirkliche Existenz ohne Zweifel feststeht.

Andere Gedanken ähnlicher Art werden uns in den Sinn kommen, wenn wir uns dieser ungewöhnlichen Form der Selbstanalyse hingeben. Man gehe ihnen nach bis zu ihrer logischen Schlußfolgerung, und man wird den wirklichen Tatbestand völlig ungetrübt erfassen: Trotzdem wir uns gewohnheitsmäßig einreden, daß der Körper unser Ich sei, zeigt diese Selbstuntersuchung, daß das nicht der Wahrheit entspricht. Das fortgeschrittene Denken wendet das Gefühl des

«Ich» nach innen und beweist, daß das Selbst eine wirkliche, vom Fleisch gesonderte Wesenheit ist und daß unter den Worten «sich selbst» mehr gemeint ist als die körperliche Erscheinung. Moderne Entdeckungen und uralte Lehrsätze wirken zusammen, um diese Wahrheit zu bestätigen.

Womit begründen wir dann aber diese entgegengesetzte Ansicht? Und woher kommt es, daß die Menschen im allgemeinen anders denken und diese Wahrheit von sich weisen? Woher kommt es, daß fast jedermann sich gewohnheitsmäßig, aber zu Unrecht, mit seinem Körper verwechselt? Die Antwort ist nun klar. Das wahre «Ich» hat es zugelassen, daß ein Teil seines Selbst sich mit dem Körper verbindet und ihn belebt, daher setzt sich das «Ich»-Gefühl ganz naturgemäß im Körper fort.

Die Wahrheit ist immer erreichbar durch die wunderbare Kraft der Reflexion; nur müssen wir letztere auf eine bestimmte Weise wirken lassen. Aus all diesen Gründen — und ihretwegen allein — preßt sich unsere Seele gegen das Gefängnisgitter ihres Fleisches und verursacht uns unaussprechliche Sehnsucht und unerklärliches Verlangen. Denn keiner von uns möchte dazu verurteilt sein, kriechende Maden zu mästen oder zu bloßem Staub zu werden. Aber das ist ja auch nicht unser wahres Los, denn wir sind nicht vergängliches Fleisch.

4. Kapitel

Analyse des emotionalen Selbst

Nachdem wir uns einem Kreuzverhör unterworfen und die irdische Hülle des Menschen nach seinem Ego, nach der Wurzel seiner Persönlichkeit untersucht haben, haben wir gefunden, daß das Selbst den Körper nur als vorübergehenden Aufenthaltsort benützt. Es muß daher etwas wesentlich Immaterielles sein.

Wir sollten die bewußte Untersuchung nun auf das Selbst zurücklenken und sehen, ob dieser unsichtbare Gast nicht in jenem anderen großen Bestandteil der menschlichen Natur — in den Gemütsbewegungen — zu finden sei. Dabei müssen wir uns von neuem die Frage vorlegen, was wir eigentlich seien. Genau betrachtet, können die Gemütsbewegungen nicht ganz von den Gedanken getrennt werden. Beide entspringen einer gemeinsamen Wurzel: dem Geist in seinem weiteren Sinne. Der Unterschied zwischen beiden wird im gewöhnlichen Leben durch ihre immerfort wechselnde Vorherrschaft veranlaßt, aber beide sind beständig zusammen zugegen. Gemütsbewegungen könnten gar nicht außerhalb ihrer Fassung in Gedanken existieren. Für den Zweck einer genauen psychologischen Untersuchung dürfen wir sie jedoch getrennt behandeln.

Bin ich identisch mit meinem Gefühlsleben? Sind Liebe, Ärger, Verlangen, Leidenschaft, Furcht, Freude, die mich so oft bewegen, ich selbst? Dies ist die weitere Frage, die man sich stellen muß, wenn man in die geheimen Winkel seines Ego eindringen und sein Wirken beobachten möchte.

Gefühle jeder Art beherrschen uns zu verschiedenen Zeiten — von den himmlischen bis zu den dämonischen. Muradali, der indische Hofmusiker eines Herrschers von Delhi, schrieb den folgenden Gesang als unbewußter Sprecher von jedermann:

«O König, für dich geh' ich von Tür zu Tür,
Des Sanges Bettler, wehe Verzweiflung
Grüßt wie ein Schatten mich von jeder Hand.
O dahin
Die Herrlichkeit, und auf des Palastes Boden
Schweifen die Tiere. Doch wer nimmt hinweg
Die wilden Tiere, die an meinem einsamen Herzen
nagen.»

Wir werden abwechselnd von den verschiedensten Gefühlen regiert. Höchst auffallend ist in der Tat der Vergleich zwischen dem Körper und den Gefühlszuständen eines Menschen. Schließlich bleibt doch der Körper verhältnismäßig stabil und fest, während seine Erregungen, Wünsche und Leidenschaften im Zustande dauernder Bewegung sind. Der Körper ändert seine äußere Erscheinung nur langsam von Jahr zu Jahr, während die Gemütsbewegungen eines Menschen sich oft von Stunde zu Stunde ändern. Diese Unbeständigkeit, dieses rasche Fluktuieren der Stimmungen sind die Merkmale der gefühlsmäßigen Natur des Menschen. Die alten Seher verglichen ihre Ebbe und Flut mit dem Element des Wassers, während sie die Festigkeit des Körpers mit dem Elemente der Erde verglichen. Beide Vergleiche sind ebenso wahr wie zutreffend.

Man kann heute froh und zuversichtlich sein, morgen aber unglücklich und furchtsam. Man ist stets das Opfer dieses Flusses der Gefühle, der durch die Anziehungen und Abstoßungen, welche körperliche Erfahrung und mentale Tätigkeit hervorbringen, hierhin und dorthin getrieben wird.

Die Ausbrüche plötzlichen Ärgers oder das Aufwallen sexueller Begierde mögen uns zu Handlungen treiben, die wir später bereuen werden; daher das Gefühl, daß solche Handlungen nicht unser wahres Selbst darstellen, sondern es vielmehr fälschen.

Sogar die Hauptmasse unserer persönlichen Natur neigt dazu, sich in größeren Zeiträumen zu ändern, so daß die Persönlichkeit vor zwanzig Jahren vielleicht mit Scham zurückgewichen wäre vor Einflüsterungen, die ihr jetzt lockend erscheinen.

Die Befürchtungen, die uns heute quälen, mögen im Laufe einiger Tage oder Monate verschwinden, um vielleicht nie zurückzukehren; aber man weiß, daß das Gefühl der Selbstheit, des «Ich», nicht verschwindet. Es allein ist die dauernde Wirklichkeit unseres Lebens.

Gibt es unter diesen wechselnden und oftmals verwirrenden Gemütsbewegungen eine einzige stabile, die man festhalten und von der man versichern könnte: «Das bin ich»? Man mag die ganze Tonleiter der menschlichen Gefühle: Liebe, Haß, Eifersucht, Furcht, Schüchternheit, Mut, Trauer, Begeisterung, durchgehen — aber nicht eine einzige Gemütsbewegung ist da, von der man mit Recht erklären könnte: «Das bin ich selbst!» Denn man ist in Wirklichkeit gefühlsmäßig ein ebenso zusammengesetztes Wesen, wie man es physisch ist. Man erlebt diese vorübergehenden Gefühle und Erregungen; aber von keinem unter ihnen kann gesagt werden: «Dies ist das unveränderliche Selbst.» Was man jedoch zutreffenderweise sagen kann, ist: «Das Ich *erlebt* Haß, Liebe, Eifersucht usw.» Man kann zu verschiedenen Zeiten den Tiger, den Papagei oder den Affen in sich erkennen und zu andern Zeiten den Engel und Heiligen; aber solange diese Veränderungen nur solche des Gefühls sind, können sie nicht die Ichheit, d. h. das fundamentale Selbst, sein.

Wenn man eine Leidenschaft unterdrückt: wer ist es, der sie unterdrückt? Das tiefere Selbst, das hier hemmend wirkt, ist damit angedeutet. Andererseits weist die bloße Tatsache, daß man sagt: «Ich fühle dies» oder «mein Ärger» … statt «meine Gemütsbewegungen fühlen dies» oder «meine Gemütsbewegungen sind ärgerlich», unmittelbar darauf hin, daß das «Ich» ganz natürlich als etwas von den gewohnten Gefühlen Gesondertes charakterisiert wird; sie deutet es als Dasjenige, welches ein solches Gefühl erlebt. Anders kann es gar nicht sein; denn wäre der Mensch irgendeine besondere Gemütsbewegung oder sogar eine ganze Sammlung von Gefühlen *und nichts darüber hinaus;* leitete er den Begriff der Selbstheit von dem edlen oder unedlen Drange ab, der ihn zufällig gerade bewegt; wären die schwankenden Gefühle seine Grundnatur — so würde er seine Sprache dementsprechend ändern und sich nicht *im besitzanzeigenden Sinne* auf jene beziehen. Die Gefühle sind daher die meinen, aber sie sind nicht *ich.*

Ich bin glücklich, ich bin unglücklich, unwissend, erschöpft, ich sehe, das ist mein — diese und andere ähnliche Ideen überlagern das «Ich». Der Begriff des Selbst hat an ihnen allen teil, weil keine solche Idee jemals ohne den Begriff des ihr zugrundeliegenden «Ego» ersonnen werden könnte.

Immer, wenn er solche Redensarten wie die erwähnten gebraucht, *spricht der Mensch unbewußt die Wahrheit aus, daß das Ich in Wirklichkeit von seiner gefühlsmäßigen Natur unabhängig ist und sich unangetastet in ihrem Hintergrund hält.*

Die Tatsache, daß ich meiner Gemütsbewegungen gewahr werde, bedeutet nicht, daß sie mein Selbst ausmachen. Derjenige, der fühlt, und dessen Selbstgewahrwerdung sind zwei ganz verschiedene Dinge, die auseinandergehalten werden müssen. Es handelt sich hierbei um einen Unterschied von größter Bedeutung.

Gemütsbewegungen, die kommen und gehen, können nicht das dauernde Selbst sein. *Daß letzteres beständig und stets gegenwärtig sein muß,* wird durch die Tatsache angedeutet, daß niemals Zweifel über unsere eigene Existenz in uns aufstehen. Wäre es nicht immer zugegen, würde man vielleicht zuweilen eine solche Existenz bezweifeln.

So bleibt also hinter all diesen wechselnden Stimmungen das unveränderliche Gefühl des «Ich». Es ist das einzige

Ruhende unter ihnen. Dieses Gefühl der Selbstheit ist so stark im Menschen verankert, steckt so tief im eigentlichen Zentrum seines Wesens, daß er es als das einzig dauerhafte unter all seinen Gefühlen anerkennen muß. Seine Stimmungen kommen und gehen, aber das Gefühl der Selbstheit bleibt für gewöhnlich, im wachen Zustande. Alle Gefühle sind letzten Endes nur Bewegungen an der Oberfläche dieses Ozeans «Ich bin».

Hierfür kann man auch auf einem anderen Gebiete Bestätigung finden. Im Tiefschlafe fühlen wir weder Ärger noch Lust noch Freude; Hoffnung und Haß schwinden mit dem ganzen Haufen der Gemütsbewegungen, wenn man in diesen Zustand eintritt. Alle persönlichen Gefühle vergehen, als ob sie nie dagewesen wären. Man liebt nichts, haßt nichts, begehrt nichts. Wären die Gemütsbewegungen unser wahres Selbst, so würden sie dauernd bestehen. Sie würden notwendigerweise auch im tiefen Schlafe gefühlt und könnten nie aus dem Bewußtsein ausgelöscht werden. Solange das Leben ohne Unterbrechung weiterbesteht, wissen wir, daß das Selbst ebenso ununterbrochen fortdauern muß. Die Trennung von Gemütsbewegung und Selbstheit im Tiefschlaf beweist, daß sie im Grunde verschieden sind voneinander.

Die Gemütsbewegungen, die in mir entstehen, sind also ohne mich selbst, der sie empfindet, ohne ein Subjekt, dessen Objekte sie sind, gar nicht denkbar. Wohl hege ich diese Gefühle; aber auch wenn ich sie verbanne — in der Versenkung, in der Ohnmacht, oder im Tiefschlaf — bleibt das Selbst weiterhin bestehen. Deshalb sind nicht die Gefühle der wahre Anfang meines Lebens, sondern das geheimnisvolle, unfaßbare, tiefere Selbst, das der *Zeuge* meines Ärgers, meiner Liebe, meiner Furcht und meiner Hoffnung ist. Die Idee eines ihr zugrunde liegenden Selbst ist im Wesen jeder Gefühlsstimmung enthalten. Die Emotionen sind auf das Selbst aufgereiht, wie die Perlen auf eine Schnur.

Wir können uns dieses Resultat auch noch auf andere Art klarmachen: indem wir die Bilder, die auf eine weiße Filmleinwand projiziert werden, mit dem beständigen Auftauchen und Verschwinden der verschiedenen Gemütsbewegungen vergleichen. Das wahre Ich ruht bewegungslos in der Tiefe des Seins.

Weitere Beobachtungen könnten hier hinzugefügt werden; aber es ist unnötig, Analysen, die schon auf das physische Selbst angewandt wurden und die ebenso auch für das emotionale Selbst gelten, ausführlich zu wiederholen; sie brauchen nur kurz wieder erwähnt zu werden.

Solche metaphysischen Gedankengänge machen es uns möglich, zum Kern der Sache vorzustoßen; sie zeigen, daß die emotionalen Zustände — was immer sie auch als wechselnde Phasen der Erfahrung *innerhalb* des Selbst sein mögen — selbst weder einzeln noch in ihrer Totalität das wahre Wesen des Menschen sind. Die Überzeugung, die jeder Mensch von seiner persönlichen Identität besitzt, kann auch ohne jedes sie bestärkende Gefühl fortdauern. Seine Wesenseinheit bliebe also auch bei einem vollkommenen Fehlen aller Emotionen unangetastet, weil ihre Realität keine Grade zuläßt und nicht in Teile zerlegt werden kann.

Diese Feststellung ist mehr als nur ein Beweis: Sie ist ein Versuch, den Geist des Lesers auf die Spur einer genauen Analyse zu bringen, die in seinem Inneren eine veränderte Haltung gegenüber seinem eigenen Selbst herbeiführen wird. Sie bemüht sich, ihm die Vorgänge in seinem Inneren, in seinem Herzen und Geist, zu einem klareren Bewußtsein zu bringen. Wenn solche Reflexionen den Geist häufiger beschäftigen, in einer Reihe bestimmter, folgerichtiger Gedanken, die geleitet sind von der hohen Fähigkeit der Vernunft und erfaßt werden im Geiste ernsten Suchens, werden sie intellektuelle Werkzeuge zur Erlangung wahrer Selbsterkenntnis. Die außerordentliche Kraft der richtig durchgeführten und regelmäßig ausgeübten *tiefen* Reflexion ist derart, daß sie nicht nur die Ansichten eines Menschen in neue Bahnen lenken, sondern, was mehr ist, ihn von einem falschen Ausblick zu einem wahreren führen kann. Obgleich wir gesehen haben, daß der Mensch, analytisch betrachtet, in Wahrheit ein Wesen ist, das letztlich nicht im Gefühlsleben, sondern in etwas Tieferem wurzelt, benehmen wir uns im praktischen Leben gewöhnlich so, als ob das Umgekehrte wahr wäre. Wir halten unsere Gemütsbewegungen für unser wahres Selbst und lassen uns zuerst aus dem Gleichgewicht bringen und dann hierhin und dorthin treiben durch die wechselnde Ebbe und Flut ihrer Gewässer. Wir erlauben uns, in diesen Gefühlen, diesen uns täglich heimsuchenden Sympathien und Antipathien, aufzugehen, und kommen so dazu, sie — zumindest im täglichen Leben — als unser Selbst zu betrachten und sie gedankenlos als Kriterien tieferer Lebenswerte hinzunehmen. Ein Denken wie das hier angestrebte stößt den Dolch der Wahrheit in unsere selbstgefälligen Illusionen.

In bequemer Weise sitzend, schließt man die Empfindungen und Eindrücke seiner unmittelbaren Umgebung aus, die normalerweise den Geist während des Tages beschäftigen, und gibt sich daran, die innere Natur langsam Schritt für Schritt nach unserm Selbst zu erforschen. Dies ist der beste Yogaweg. Und wenn die Ergebnisse bisher insofern negativ waren, als durch einen Prozeß der Ausschließung zunächst die fünf Sinne, dann die körperlichen Organe und ihre Funktionen, und schließlich der Körper selbst, wie auch die ganze Reihe der Gefühlserlebnisse psychologisch nicht mehr zählten und nur das gefunden wurde, was das Selbst *nicht* ist, so bedeutet sogar das eine Vorbereitung von allergrößtem Werte, weil sie verzerrte oder falsche Vorstellungen beseitigt hat. Durch Ausschließen des Unwahren wird aber zuletzt das Wahre übrigbleiben.

Man wird nun fragen: «Soll diese intellektuelle Selbstanalyse Tag für Tag auf genau dieselbe Weise wiederholt werden?» Die Antwort lautet: «Keineswegs!» Der Schüler sollte nicht aus der täglich betrachtenden Analyse eine bloße Wiederholung der vorhergegangenen machen; er sollte sich vor allen Dingen bemühen, in seiner Beweisführung schöpferisch und originell zu sein und dem Prozeß der Selbsterforschung neue Gesichtspunkte hinzuzufügen.

Die hier dargestellte Methode introspektiver Selbstanalyse beabsichtigt nur, dem Leser eine breitere Grundlage für sein eigenes persönliches Denken zu liefern. Er muß sie seinem Temperament, seinem Wissen und seiner Erziehung entsprechend zu erweitern suchen und auf eigenen Füßen langsam und vorsichtig weitergehen. Hier wurde ihm nur die Richtung gewiesen; möge er sich nun in voller Unabhängigkeit des Denkens vorwärts bewegen und selber schöpferisch werden. Es ist deshalb nicht notwendig, dieselben alten Beweise immer von neuem zu wiederholen, wenn der Schüler fühlt, daß sie abgenutzt sind. Andererseits wird er sein Unterfangen selbst zunichte machen und in einem Mißerfolg enden, wenn er sich verfrüht zum Weitergehen anschickt, ohne schon in die volle Bedeutung und den wahren inneren Gehalt eingedrungen zu sein.

Wenn der Schüler diese Vorsichtsmaßnahme im Gedächtnis behält, kann er dazu übergehen, sich während seines Lesens und Nachdenkens selbst zu befragen und seine persönliche Struktur durch klar formulierte Gedanken zu analysieren, die er langsam entwickeln sollte, um ihnen ihre genaue Bedeutung und das nötige Gewicht zu geben. Dann sollten diese Gedanken miteinander verbunden werden zu einer Kette streng logischer Beweise.

Es wäre ganz verkehrt, wenn der Schüler blindlings dieser intellektuellen Formel der Selbstanalyse folgte. Das hier Aufgezeigte sollte seinem eigenen Denken einen Antrieb geben und eine Atmosphäre besonderer Art für ihn hervorrufen. Abgesehen davon sollte er selbst seine eigene individuelle Linie analytischen Denkens ausarbeiten.

Die Methode und Beweisführung, die hier und in dem früheren Buche «The Secret Path» [1] dargeboten worden sind, sollten nur eine Anregung geben. Sie sollen nicht blindlings

---

[1] Deutscher Titel «Weg nach Innen».

nachgeahmt werden, sondern sind nur dazu bestimmt, den eigenen Anstrengungen des Aspiranten eine Richtung zu geben und seinen Gedanken neue Ausblicke zu eröffnen. Sein Lesen muß zum Gegenstand inneren Erlebens werden, mit den dieses begleitenden hohen Spannungen und befreienden Lösungen. Er muß sich die Punkte selber ausdenken, das Problem seines «Ich» wieder und wieder gründlich durcharbeiten, bis dessen Struktur ihm durch diese geistige Zergliederung klarer und näher gebracht wird. Er muß sich bemühen, neue und eigene Argumente hervorzubringen, den Gegenstand durch seinen eigenen schöpferischen Beitrag zu erweitern und zu bereichern, und sich nicht bloß mit ihm allein zufrieden zu geben. Er muß auf seine eigenen täglichen Erfahrungen zurückblicken und aus ihnen die Lehren und Erklärungen schöpfen, die ihm bei seinem Ziel, sich selbst verstehen zu lernen, helfen können.

Denn der Zweck all dieses Denkens ist, eine Seelenstimmung, eine geistige Atmosphäre und sogar einen Gefühlszustand der Sehnsucht nach der Wahrheit in ihm zu wecken, die einen geeigneten Schauplatz für den Eintritt der Erleuchtung vorbereiten. Daher ist ein rein papageienhaftes Wiederholen des Gelesenen oder Gehörten nutzlos. Der Schüler muß eine ernste Anstrengung machen, tief nachzudenken und mit geschärftem Verstande in das eigentliche Herz seiner eigenen Natur einzudringen; die Beweise und Tatsachen anderer darf er nur als Leuchten auf dem Weg benutzen. *Er ist der Reisende, und er muß sich selbst vorwärts bewegen.*

Sein Streben muß deshalb dahin gehen, seinen Weg durch das Problem des Selbst zu denken, um zu der verborgenen Grundlage seines Wesens zu gelangen. Er muß ein unparteiischer Beobachter seiner eigenen Natur werden; seine eigene Persönlichkeit muß ihm beinahe wie ein Fremder gegenüberstehen, wenn er sich selber richtig einschätzen soll. Wie ist dies möglich, wenn er nicht versucht, sich von den fest eingewurzelten Überzeugungen des alltäglichen Lebens mit ihrer unphilosophischen und völlig ungeistigen Grundlage zu befreien? Wie kann er ohne solch unabhängiges Denken hoffen, von der Wahrheit, daß der Körper nur eine Wohnung des Selbst ist, wirklich überzeugt zu werden oder später zu entdecken, daß das «Ich» nur ein Tropfen im Ozean des Überselbst ist?

Der Schüler braucht sein geistiges Suchen nicht auf die Minuten zu beschränken, während denen er in seinem stillen Zimmer sitzt. Er kann sich auch die zufälligen Augenblicke während des Tages zunutze machen, in denen er sich — sei es auf Reisen, im Büro, in der Fabrik oder zu Hause — unbeschäftigt findet; auch in solchen Momenten kann er sich einzelne Punkte seines inneren Suchens ins Gedächtnis zurückrufen. Er braucht dann nicht die vollständige Beweisführung über die Behausung des Selbst zu wiederholen, sondern sollte nur eine rein fragende Haltung einnehmen, so, als ob er plötzlich zu sich selbst sagen würde: «Wer ist dies Wesen, das in diesem Körper geht oder in diesem Verstande denkt?» Dann sollte er sich nicht weiter um die Antwort kümmern und die Frage langsam aus seinem Gedächtnis weisen, ohne auf eine Erwiderung zu warten. Alles andere wird später, zur richtigen Zeit, aus dem Unterbewußten herbeigeführt werden.

Diese je nach Gelegenheit durchgeführte Übung ist sehr einfach, aber sehr hilfreich. Ihre Wirksamkeit liegt in ihrer Bezugnahme auf den unbekannten Faktor unserer eigenen Natur. Je mehr der Schüler seine Aufmerksamkeit den eigenen, subjektiven Prozessen zuwendet und sich gewohnheitsmäßig dazu bringt, diesen Faktor zu suchen, dieses unbekannte, geheimnisvolle Überselbst, und dessen Dasein festzustellen, desto wahrscheinlicher ist es, daß er mit ihm in Berührung kommt. Die Art der Frage kann verschieden, aber ihre Grundlage sollte immer die gleiche sein: nämlich eine nach innen gerichtete Selbstuntersuchung.

5. Kapitel

Analyse des intellektuellen Selbst

Die Zergliederung des Körpers und der gefühlsmäßigen Natur hat keine endgültige Spur unseres Selbst ergeben. Der Mensch, vom Fleische gelöst, wird Seele, Geist. Deshalb muß man nun dem Ich weiter nachspüren, sich bemühen, zwischen ihm und den Schleiern, die das wahre Ichbewußtsein bedekken, zu unterscheiden, den Geist auf analytische Weise *seiner selbst bewußt* werden zu lassen und ihn der beobachtenden Innenschau anheimzustellen. Dadurch wenden wir uns zu dem letzten Hauptbestandteil der menschlichen Natur: dem Intellekt. Es besteht eine Beziehung zwischen dem Verstand und seinem Inhalt, die nun enthüllt werden muß.

Zuallererst muß klargestellt werden, daß das Wort Intellekt hier nur angewandt wird, um die Summe der Gedanken, Ideen, Begriffe, Eindrücke und geistigen Empfindungen zu bezeichnen, die durch das Bewußtsein gehen. Es wird hier nicht gebraucht, um die viel höhere Fähigkeit der unterscheidenden und wählenden *Vernunft* anzudeuten, welche die Gedanken abschätzt und als Schiedsrichter auftritt, um über sie und ihren Wahrheitsgehalt zu urteilen.

Was bin ich? Bin ich der denkende Verstand? Diese Frage kann, richtig angewandt, gelöst werden durch Nachinnenwendung der Reflexion auf sich selbst; denn dadurch wird sie mit der Zeit zum Losungswort unserer Rettung, da wir durch das Denken der Wirklichkeit näherkommen.

Fast alle Beweise, die für den Körper und das Gefühlsleben benützt wurden, können ebenso hier angewandt werden.

Sehr wichtig ist jene Erwägung, welche auf den natürlichen, automatischen und instinktiven Gebrauch des besitzanzeigenden Sinnes hinweist, wenn man sich auf seinen Verstand beruft. Man wird niemals sagen: «Mein Gehirn denkt so und so» oder «Mein Gehirn macht eine Reise nach Los Angeles», sondern der richtige Instinkt zwingt uns zu sagen: «Ich denke so oder so» oder «*Ich* reise nach Los Angeles». Wenn man philosophisch beobachtet, *weshalb* man diese Ausdrucksformen gebraucht, so erkennt man, daß es das Bewußtsein eines lebendigen inneren Selbst ist — das wesentlich unabhängig vom Gehirn und daher immateriell ist —, welches sie als logische Notwendigkeiten vorschreibt. Die gründliche Erkenntnis dieses Punktes zeigt die Wirklichkeit des sogenannten Unterbewußten und hilft, es in das Bewußtsein heraufzuziehen.

Gedanken breiten ihre Flügel noch weiter aus, fluktuieren noch häufiger als die Gefühle und zeigen in ihrer Veränderlichkeit kein dauerndes Selbst. Ob die Gedanken aus objektiven Quellen entspringen und auf den durch die Sinne vermittelten Tatsachen fußen, oder ob sie aus subjektiven und letzthin unbewußten Quellen aufsteigen: Sie fallen immer unter das gleiche Gesetz der Vergänglichkeit, das die Gemütsbewegungen beherrscht, und offenbaren deshalb keine durchaus beständige Selbstheit.

Überdies ändert sich unsere intellektuelle Fähigkeit während des Tages von Zeit zu Zeit unter den wechselnden Einflüssen der äußeren Umgebung, und die Meinungen, die man dies Jahr aufrechthält, können im nächsten durch entgegengesetzte ersetzt sein. Keine Gedanken können als dauernd verbürgt werden. Nur der Gedanke «Ich» wird immer bleiben.

Dieselbe Eigenschaft dauernder Abwechslung, die wir in den Gemütsbewegungen fanden, ist ebenso augenscheinlich im Intellekt. Die quecksilberartige Beweglichkeit dieser Wechsel ist so rasch und so ununterbrochen, daß keine bestimmte Gedankenfolge einen Menschen darstellen könnte. Und dieses Weben und Ineinanderweben des Verstandes geht ganz automatisch vor sich. Ideen, Vorstellungen, Erkenntnisse, Einbildungen und Erinnerungen wirbeln fortwährend herum wie kreisende Räder in der Kammer des Gehirns, dieses wunderbaren Dinges in unserem Schädel. Also folgen unsere Gedanken bloß aufeinander und haben kein ununterbrochenes Dasein, wohingegen das Selbst, dem sie angehören, *fortdauernd* ist und die gleiche Beziehung zu all diesen veränderlichen Gedanken überall aufrechthält.

Dann wieder sagt man von sich selbst: «Ich denke!» und gibt dadurch unbewußt zu, daß jemand da ist, der abseits von diesem Prozeß existiert und den Gedankenvorgang leitet. Die in uns eingebettete Wirklichkeit, die Natur, gibt hierdurch die Bestätigung, daß der Intellekt ein bloßes Werkzeug oder Instrument ist, gebraucht von dem dahinter stehenden Denker «Ich». Man gewahrt dunkel ein Bewußtsein, das die endlose Reihe der Gedanken, Vorstellungen und Erinnerungen schafft und wieder entläßt, annimmt und wieder von sich weist. Diese Erfahrung kann keine Täuschung sein.

Es ist eine Gewißheit um den berühmten Satz Descartes': «Ich denke, darum bin ich», die ihn zu einer der unbestreitbaren Tatsachen des Lebens macht. Der Gedanke schließt die Voraussetzung eines Denkers ein.

Die Welt der äußeren Objekte ist etwas, das sich dem Bewußtsein darbietet ohne irgendeine Anstrengung von unserer Seite; sie ist etwas Gegebenes. Aber die Welt der Gedanken verlangt unsere tätige Gegenwart, Mitwirkung und Anstrengung. Und da der physische Körper zu diesen Objekten gerechnet werden muß, ist es augenscheinlich, daß er unter dieselbe Überschrift der unmittelbar beobachteten Dinge fällt. Die Bewegung des Gedankenvorganges vollzieht sich jedoch gewöhnlich unbeobachtet; aber sie könnte nicht vor sich gehen, wenn man nicht an ihr beteiligt wäre. Sobald man die notwendige innere Anstrengung macht und innehält, um darüber nachzudenken, und die Denkbewegung auf dieselbe Weise bewußt vergegenständlicht, wie man den Körper vergegenständlicht hat, fängt man an, sich in jenes tiefere Element einzufügen, das der Urheber des Denkens ist und das dessen Andersartigkeit verkündet. Denn alle Gedanken treten *innerhalb* des Selbstbewußtseins ins Dasein und können nicht vor diesem aufsteigen. Sie sind vergegenständlichte Offenbarungen seiner. Und mit dieser Erkenntnis, daß der Verstand etwas für sich Bestehendes ist, beweist man theoretisch das getrennte Dasein des Selbst. Aber derartige Erwägungen und Untersuchungen sind selten; unser Leben ist zu sehr angefüllt mit persönlichen und äußeren Zerstreuungen, um uns zu erlauben, *unseres Selbst in Wahrheit innezuwerden;* daher die gewohnte Unfähigkeit, das Selbst von der Tätigkeit des Denkens zu unterscheiden und einen wirklichen Einblick in unser Wesen zu erlangen.

Der nächste ist der bereits angewandte aber unwiderlegbare Beweis, daß im tiefen, traumlosen Schlaf, in der schweren Ohnmacht und tiefen Bewußtlosigkeit ebenso wie in dem selbst herbeigeführten Trancezustand des Fakirs die Denktätigkeit gänzlich erlischt. Sie ist tatsächlich während der Zeit vollkommen aufgehoben. Der Intellekt hört auf zu arbeiten und geht in einen Zustand leeren Nichtseins über. Doch wagen wir nicht zu behaupten, daß das Selbst auch vernichtet sei; denn der Lebensstrom arbeitet im physischen Körper weiter. Wäre man mit der Menge der Gedanken identisch, würde eine so völlige Auslöschung unmöglich sein, ohne auch das Selbst für immer auszulöschen; aber beim Erwachen erscheint das Ich als *erster* Gedanke wieder. Woher hat der Geist dieses Ichgefühl wieder aufgenommen, das während der Nacht gestorben war? Offenbar muß letzteres die ganze Zeit latent vorhanden gewesen sein. (Dies ist nur die Einschätzung der Erfahrung vom Standpunkt des *wachen* Bewußtseins und nicht von jenem der *Totalität* der drei Zustände des Wachens, Traumes und Tiefschlafes.) *Daher kommt man zu der Schlußfolgerung, daß das Selbst niemals wirklich verschwindet, selbst wenn alle Gedanken gänzlich verschwinden,* daher auch der Körper wie der Intellekt *innerhalb* des Selbst existieren. Kurz: die Antwort auf unsere Frage lautet: «Ich bin nicht der Gedanke, sondern stehe über ihm! Ich bin etwas, das denkt.» Daher ist das eigentliche Bewußtsein, welches denkt, das höchste Selbst, völlig unabhängig und autonom.

Kann der Verstand wirklich in Gebiete eindringen, die ihm bisher verschlossen waren? Kann er uns helfen, in das höchste und fundamentale Bewußtsein einzutreten? Birgt er ein unbekanntes Wahrnehmungsvermögen? Kein Problem ist so dunkel, daß nicht das Licht beharrlicher Konzentration es erhellen oder irgendeinen Weg finden könnte, um es völlig zu lösen. So kann auch das Problem des menschlichen Selbst durch beharrliche Konzentration gelöst werden — und wird es auch. Es wurde schon gesagt, daß dieser Weg mit einem intellektuellen, nach innen gerichteten Suchen beginnt, mit dem Gebrauch eines scharfen, doch in sich selbst vertieften Verstandes. Analytische Betrachtungen wie die vorausgehenden verschaffen nicht allein augenscheinliche Gewißheit über die geistige Natur des Ich, sondern bieten wirklich einen Weg, der den nachdenkenden Verstand zu der Realisierung seiner verborgenen Wirklichkeit führen wird.

Man sollte zunächst die Stellung, die der Verstand in unserer Natur einnimmt, richtig einschätzen; er ist das Werkzeug des Selbst, das Mittel, durch das es in Berührung mit der stofflichen Welt tritt. Das Auge könnte nicht sehen, wenn nicht das Denken als die eigentlich wirkende Kraft hinter ihm stände. Ebenso könnte der Verstand nicht arbeiten, wenn das lebendige Prinzip des Selbst nicht hinter ihm wäre, um sein Wirken mit Leben zu erfüllen. Der Verstand ist die niedere, die Vernunft die höhere Phase ein und desselben Denkvermögens. Gedankenstoff ist wirklich ein Medium, das Zwischenglied, welches das Selbst mit dem materiellen Körper und durch diesen mit der materiellen Welt verbindet. *Diese zentrale Stellung zwischen beiden Sphären ist es, die seine Wichtigkeit ausmacht und den Wert seiner vollständigen Beherrschung zeigt.* Ohne das Gedankenmaterial würde man seine äußere Umgebung nie gewahr werden, denn der Körper wäre dann gleich einem leblosen, bewußtseinslosen Leichnam, in dem keiner der fünf Sinne mehr arbeitete. Wenn daher die Macht des geisterfüllten Verstandes, den Menschen zur Wahrheit zu führen, gepriesen wird, so ist damit gemeint, daß er ihm die Richtung nach der Wahrheit zeigen kann, bis er an seine eigene Grenze kommt.

Ein Denken dieser Art wird sich nicht in einem falschen Kreise drehen, sondern dem Schüler wirklich helfen, bis an die Grenzen des Überselbst zu kommen, wie das dauernde Reiben eines Seiles gegen den Rand eines Brunnens schließlich den Stein aushöhlt. Es erfordert einen geschulten, kräftigen Geist, solche Wahrheiten zu erfassen. Geistig Unmündige können es nicht; doch gibt es leichtere religiöse Wege für sie.

Der menschliche Geist, wie wir ihn für gewöhnlich kennen, d. h. der Verstand, der sich mit der Routine des alltäglichen Daseins befaßt, der uns befähigt, zu rechnen, zu organisieren, anzuordnen, zu beschreiben, in einem Büro zu arbeiten oder etwas auf einer Hobelbank anzufertigen, Zeitungen zu lesen, unsere Ansichten auszudrücken oder sogar chemische Zusammensetzungen zu analysieren, kann diese täglichen Geschäfte mehr oder weniger gut bewältigen; er gerät aber aus der Fassung, wenn er Probleme, die weit über seinen Gesichtskreis hinausgehen, behandeln soll. Infolge seiner angeborenen Eitelkeit und Arroganz wird er aber diese Begrenzung nicht zugeben, sondern er gibt Urteile über geistige und psychische Probleme ab, die gänzlich grund- und wertlos sind. Wenn er bescheidener wäre, würde er einsehen, daß ein ungewöhnlicher Grad geistiger Kraft erforderlich ist, um der Erwägung solcher transzendentalen Probleme gewachsen zu sein, und er würde sich zunächst daran geben, diese Befähigung zu erlangen oder zu entwickeln, bevor er es wagte, solche Urteile abzugeben. Diese Befähigung fordert einen mutigen Gebrauch der Vernunft, die Weigerung, an irgendwelchem Punkte haltzumachen, der nicht die letzte Wahrheit ist, und eine Entschlossenheit, auf der Linie ungewohnter Gedanken vorwärtszugehen bis zu deren höchst ungewöhnlichen Schlußfolgerungen. Darüber hinaus verlangt sie ein Freisein von persönlichen Vorurteilen und weltlicher Verhaftung, das ungewöhnlich ist. Und endlich schließt sie eine Konzentrationsfähigkeit und eine Schärfe des Verstandes von rasiermesserartiger Feinheit ein, damit der Geist fähig wird, sich mit den feinsten Abstraktionen zu befassen. Der Wert *gewöhnlicher* Yogatechniken besteht darin, daß sie einem helfen, einen Teil dieser Eigenschaften zu entwickeln: Sie fördern Unpersönlichkeit, geistige Heiterkeit, dauernde Konzentration der Gedanken und die Fähigkeit, alle unwesentlichen Ideen, Gemütsbewegungen und Zerstreuungen fernzuhalten, so daß die Wahrheit des betrachteten Gegenstandes klar werden kann. Aber solche Techniken entwickeln nicht einen schärferen und durchdringenderen Verstand, noch die Fähigkeit andauernder analytischer Betrachtung. Hierfür wird eine naturwissenschaftliche, mathematische oder philosophische Schulung von größtem Werte sein. In der Verbindung der den Verstand schärfenden und beruhigenden Methoden werden die rechten Eigenschaften für die Entdeckung der Wahrheit entwickelt. Jede ist ohne die andere unvollständig und kann deshalb nur zu Teilwahrheiten führen. Das hier dargestellte System strebt danach, beide zu verbinden.

Durch ein Verfahren des Abschälens und Ablösens ist also die Analyse des Selbst bis zu dem Punkte der Erkenntnis vorgeschritten, wo das Ich als eine Einheit erkannt wurde, deren Kundgebungen eine geheimnisvolle Veränderlichkeit besitzen: eine Einheit, die leben, sich bewegen und ihr Wesen haben kann abseits vom physischen Körper, den Gemütsbewegungen und dem Intellekt — die letzteren immer vom Standpunkt des aller Inhalte und allen Ausdrucks baren Selbst aus gesehen. Wenn die Untersuchung auch ergeben hat, daß das gesuchte Selbst nicht in den Teilen des menschlichen Wesens wohnt, in denen wir es vermutet hatten, wenn es uns auch noch immer ausweicht, so wissen wir dennoch, daß es existiert; *wir fühlen, daß unser Sein wirklich ist,* viel wirklicher als irgend etwas anderes, das im einzelnen beschrieben werden kann.

Wir müssen unser Denken nun über den Bereich der gewohnten Erfahrung hinausgehen lassen und anfangen, die Möglichkeit ins Auge zu fassen, daß wir dieses Ich so, wie es wirklich ist, ohne irgendeine Vermengung mit Gedanken und Gefühlen und ohne Behinderung durch den fleischlichen Körper, untersuchen können. Wenige, wenn überhaupt irgend jemand, erwägen eine solche Möglichkeit jemals; und doch ist dies der Weg, auf dem wir die eigentliche Wahrheit über den Menschen finden können, wie auch die Befreiung von vielen Bürden, die unsere Seele infolge der Unkenntnis unserer wahren inneren Natur bedrücken.

Die Wirkung solcher analytischen Erwägungen, wenn sie bis zu diesem Punkte gebracht und nach genügender Zeit weitgehend verstanden werden, ist ein revolutionäres Erwachen im Geiste, ein Hervorgehen aus der Nacht in die frühe Morgendämmerung. Denn das Geheimnis des Selbst beginnt nun, sich in unbegrenzte Weiten auszudehnen. Die Möglichkeiten eines umfassenderen Lebens, die sich uns zu eröffnen scheinen, bringen ein Gefühl hervor, das einem Schauer von Ehrfurcht und Erwartung verwandt ist. Denn gewöhnlich ist der Geist an den Körper gefesselt, und nur wenn er von dieser Gefangenschaft befreit wird, kann die Hoffnung auf ein höheres Leben aufgehen.

Wieweit kann man sich nun diesem wahren Ich nähern? Es ist jenseits des Körpers, der Gefühle und Gedanken; doch es ist selbst nichts als ein einzelner Gedanke — der «Ich»-Gedanke. Der erste bewußte Gedanke im Geiste des Kindes, ist er auch der letzte im wachen Bewußtsein des Erwachsenen. Wenn alle anderen Gedanken und Erinnerungen abebben, wie unmittelbar vor dem Einschlafen oder vor dem Tode, kann er nur diesen «Ich»-Gedanken als letzten erleben. Und wie das Kind nicht an äußere Gegenstände oder Personen, sogar nicht an seine eigene Mutter denken konnte, bevor dieser erste Gedanke an das Selbst in ihm aufgetaucht war, so läßt der Erwachsene schließlich seine Gedanken an «ihn», «sie» und «es» fallen, bevor er in die Bewußtlosigkeit sinkt, die dem Schlaf oder Tode vorangeht, und der letzte von allen Gedanken, an denen er festhält, ist der Gedanke — «Ich».

Wer den Versuch macht, absichtlich diese psychologische Situation in sich selbst nachzubilden, wird bemerken, daß der *Gedanke* «Ich» von dem *Gefühle* «Ich» nicht zu unterscheiden ist, daß beide in Wirklichkeit ein und dasselbe sind. Das endgültige Gefühl der persönlichen Selbstheit könnte mit Recht als Gedankenemotion bezeichnet werden. Diese Gedankenemotion «Ich» ist es, die unverändert und unveränderlich unter der Ebbe und Flut unserer Erfahrungen fortbesteht und die in der Tat beiden zugrunde liegt. Jede Gemütsbewegung, die man erlebt, jeder Gedanke und jede Erinnerung, die aufsteigt, kommt im Umkreis dieser Gedankenemotion «Ich» zum Dasein. Hier, wenn irgendwo, ist der Mittelpunkt der Intelligenz und des Lebens: hier ist die Persönlichkeit.

Der persönliche Gedanke ist der Stamm, von dem zahllose andere Gedanken abzweigen. Das ganze Heer der Ideen besteht als unsere *eigenen* Ideen, die sich auf das persönliche Element, das ihnen zugrunde liegt, stützen. Das Ich ist in Wirklichkeit ein riesiger Kern von Erinnerungen und Vorstellungen; wenn es analysiert wird, werden diese auf ihre Wurzel zurückgeführt.

Weil alle andern Gedanken in diesem ersten Gedanken «Ich» wurzeln, ist ihr eigenes Dasein von ihm abhängig.

Hieraus folgt, daß der Intellekt selber nichts anderes ist als eine endlose Prozession von flüchtigen Wahrnehmungen, vorübergehenden Begriffen, und ein Name für eine Folge getrennter, zeitweiliger Gedanken, Bilder und Erinnerungen. Die sog. intellektuellen Fähigkeiten, wie das Gedächtnis, das Wahrnehmungsvermögen, die Gedankenverbindungen, sind einfach Gedanken. Es gibt in Wirklichkeit kein anderes persönliches Verstandesvermögen als diesen einen ursprünglichen «Ich»-Gedanken.

Daher die hervorragende Wichtigkeit des «Ich»-Gedankens — der Grundlage des Verstandes und aller Gedankenfolgen.

Selbst wenn man es im wirklichen Leben unmöglich finden wird, nur mit der Gedankenemotion «Ich» und keiner anderen zu existieren, selbst wenn man sie fortwährend mit irgendwelchen anderen Gefühlen oder Gedanken nähren muß; philosophisch betrachtet muß man zugeben, daß dieser Ichgedanke ein eigenes unabhängiges Dasein hat, weil er der einzige wirkliche und beständige Zug unseres Wesens ist, der all unsern aufeinanderfolgenden wechselnden Zuständen zugrunde liegt. Wir wissen nicht, wie lange irgendeine besondere Gemütsbewegung einen Teil unseres Charakters bildet, aber der «Ich»-Gedanke, in dem sie wurzelt, besteht so lange, wie das Selbstbewußtsein besteht.

Unsere Untersuchung verlangt daher, daß dieser «Ich»-Gedanke in den schärfsten Brennpunkt gerückt werde, zu genauester Prüfung und umsichtiger Beobachtung. Der Intellekt muß seinen Urheber suchen.

Wenn man den Versuch macht, diesen letzten Rückstand des Intellekts zu analysieren, so beginnt man etwas, das dem Verfahren der Schlange gleicht, die sich nach innen zusammenrollt und ihren eigenen Körper beobachtet, *aber niemals imstande sein wird, den Teil des Körpers, der ihr Gesicht ist, zu sehen.* Man muß nun die Aufmerksamkeit von der äußeren Umgebung zurückziehen und die wirklich wundervolle Fähigkeit der Selbst-Gewahrwerdung auf sich selbst einstellen, auf etwas in unserm Innern, das unsichtbar und unberührbar ist — auf einen einzigen Gedanken. Gedanken steigen nicht vor unsern Augen auf, um Form anzunehmen, wie alle Dinge in der materiellen Welt es tun. Dennoch hat jeder persönliche Gedanke ein eigenes Leben und Sein, wenn es auch viel flüchtiger und vergänglicher sein mag als das der meisten materiellen Gegenstände. Anscheinend ist die Anstrengung, den «Ich»-Gedanken zu überschauen, eine ebenso unmögliche, wie wenn man seinen eigenen Schatten fangen wollte. Der «Ich»-Gedanke ist das letzte unreduzierbare Minimum, das der Mensch, gestützt auf sein eigenes Ich, in seinem Innern erforschen kann. Das Wesen des «Ich»-Gedankens kann nur bestimmt werden, wenn man den Aufschluß beobachtet, den er über seine eigene Natur geben mag. Diese Aufgabe kann nur ausgeführt werden, wenn man ihn von allen anderen Gedanken absondert. Die Natur wird diesen Versuch vielleicht nicht länger als einen Augenblick gelingen lassen; aber dieser Augenblick sollte genügen, um uns einen Schimmer des wahren Selbst, des Selbst, wie es in seinem eigenen Lichte *ist*, zu geben.

Wenn man mit sorgfältig konzentrierter Aufmerksamkeit den Lauf seines inneren Lebens untersucht und das Entstehen eines Gedankens beobachtet, wie man es in Augenblicken geistiger Ruhe tun kann, wenn man sich so von der Haftung an den Intellekt löst, wird man finden, daß das, was dem Gedanken Wirklichkeit, Leben und Wert gibt, das aufmerksame Bewußtsein ist. Ohne die Fähigkeit, seine Aufmerksamkeit auf irgend etwas zu richten, könnte der Mensch in keiner Welt, weder in der physischen noch in der intellektuellen oder in der transzendentalen, ein bewußtes Dasein führen. Ihre Wichtigkeit kann man nicht hoch genug schätzen. In der Tat ist die Aufmerksamkeit die Seele des Denkens und die Wurzel jeder Wahrnehmung. Nach außen gekehrt, ermöglicht sie uns, der äußeren Welt bewußt zu werden, und beleuchtet ihre Gegenstände. Ohne die Aufmerksamkeit nach innen zu wenden, kann man niemals hoffen, das verborgene Reich jenseits der Gedanken zu gewahren — das Reich des geistigen Seins, des wahren Selbst.

Eine Änderung des Beobachtungsfeldes ist notwendig, wenn man diese Entdeckung zustande bringen will. Die Gewohnheit fesselt unsere Aufmerksamkeit gänzlich an das Gebiet der äußeren Dinge und der mit ihr verbundenen und aus ihr sich ergebenden mentalen Welt. Vorstellungen, die entweder direkt oder letzten Endes ihren Ursprung in diesem Gebiete haben, dringen so unaufhaltsam auf uns ein, daß sie das prüfende Selbst hindern, seiner eigenen Natur bewußt zu werden. Unsere Gedanken wandern immer. Aber wenn man der Aufmerksamkeit nicht gestatten würde, sich fortwährend in diesen mentalen Bildern aufzuhalten, und sie dadurch für das Studium seines Selbst frei machte, würde man sich automatisch von den Beschränkungen des Intellektes loslösen und höhere Horizonte wahrnehmen. Die Gewohnheit, die einen zu einer materialistischen Weltanschauung zwingt, lebt in uns selbst als dem Beobachter; wenn diese Gewohnheit aufgegeben werden könnte — und sie kann es —, dann würde ein geistiges Weltall imstande sein, sich unserer nach innen gekehrten Aufmerksamkeit zu offenbaren. So lange, wie die Menge der Gedanken uns in Anspruch nimmt, ist es unmöglich oder außerordentlich schwierig, das festzustellen, was *hinter* den Gedanken liegt.

Man muß das Wirken des Verstandes studieren, seine letzte Abhängigkeit von der Aufmerksamkeit erkennen und dann von diesem Wissen den besten Gebrauch machen. Welch besseren Gebrauch könnte man aber ausfindig machen als die Eroberung der Lücke zwischen den Gedanken und der Seele und die Gewinnung des wunderbaren Verständnisses, das eine solche Eroberung uns verspricht?

Die Eigenschaft der Aufmerksamkeit, die das Denken ermöglicht, muß notwendig von der äußeren Welt nach der inneren gerichtet werden, weil dies das einzige Mittel ist, um Zutritt zu unserem fundamentalen Selbst zu erlangen. Auf den innersten Punkt des Seins gelenkt, ermöglicht sie uns, unsere Bedeutung in dem Lichte, das diesem Selbst entströmt, zu betrachten. Aufmerksamkeit ist wirklich eine Offenbarung der Wesenheit des Menschen, jener Seele, die höher steht als Verstand, Gefühle und Körper. Wenn man nur seine Aufmerksamkeit so weit entwickeln könnte, daß man sie vollständig nach Willen beherrschte, so würde man keiner anderen Hilfe bedürfen, um die höchsten psychologischen und geistigen Wahrheiten zu entdecken, oder imstande zu sein, die Geheimnisse des Lebens, Schlafes und Todes zu lösen.

Der nächste Schritt ist dann, diesen «Ich»-Gedanken mit der ganzen Kraft seiner Aufmerksamkeit zu isolieren und ihn für eine Weile gefangenzuhalten. Man muß in sein Geheimnis eindringen und ihn zwingen, die Antwort auf die schwierige Frage: «Was bin ich?» auszuliefern.

Denn die Logik, die wir vom Erleben des Wachzustandes her anzuwenden gewohnt sind, kann uns der Lösung nicht näherbringen. Sie ist in eine *Sackgasse* geraten und kann nicht weiter vordringen. Die Beweisführung hat uns nur davon überzeugt, daß das Selbst über allen Beweisen steht, weil es auch über dem Verstand steht. Unser Suchen kann nur bei der direkten Wahrnehmung enden.

So ist der Leser, wie an einem dünnen Faden, durch die Welt des Verstandes bis an die Grenze jener strahlenden Herrlichkeit geführt worden, die in seinem innersten Kerne lebt. Es wurde ihm gezeigt — was er vielleicht bisher nicht vermutet hatte —, daß ebenso, wie die äußere Welt mit Hilfe der Sinnesorgane unseres physischen Körpers berührt werden muß, auch die innere Welt der Seele durch die Fähigkeit aufmerksamer Gewahrwerdung, die von der Tyrannei *wesensfremder* Gedanken, unbeständiger Gefühle und äußerer Sensationen befreit ist, berührt werden muß.

Aber den «Ich»-Gedanken loszulösen und ihm gegenüberzutreten, bedeutet nicht, über ihn nachzudenken. Es kann nicht zustande gebracht werden dadurch, daß man gedankliche Feststellungen oder beweisende Schlußfolgerungen über ihn macht. Wenn auch die Folge kritischer Selbstbeobachtungen und vernünftiger Beweise uns wesentlich geholfen hat, bis zu diesem Punkte zu kommen, würde es den Fortschritt nur vereiteln, wenn man sie weiter fortführte. Geistige Tätigkeit muß nun geistiger Ruhe weichen. Aber im Augenblick, in dem man anfängt, dieses Verfahren anzuwenden, wird man wieder auf ein Seitengeleise geschoben und stürzt von neuem in den immer wartenden Strom der unablässig fließenden Gedanken und Ideen, der einen mit den mannigfaltigsten Empfindungen überflutet und daran hindert, das Selbst zu erreichen.

Das einzige Mittel, durch das wir — auf dieser Stufe — in den Ich-Gedanken eindringen und ihn festhalten können, ist das Fallenlassen alles weitschweifigen Denkens über ihn. *Notwendig ist nur anhaltende Aufmerksamkeit, die auf das Feld einfacher Selbst-Gewahrwerdung beschränkt* und daran gehindert wird, über das «in sich ruhende Ich» hinauszugehen.

Denn es ist gezeigt worden, daß die Aufmerksamkeit die dem Gedanken innewohnende Seele ist, *und daß sie deshalb auf einer höheren Stufe steht als das Denken.* Konzentrierte, wachsame Aufmerksamkeit kann daher allein diesen Ich-Gedanken betrachten.

In Wirklichkeit kann der Gedanke sich nicht selbst ins Gesicht sehen, solange er nicht zu einem höheren Standpunkt aufsteigt. Gelingt ihm dies aber, so sollte er sein Wesen ändern und zur reinen Aufmerksamkeit werden.

Welchen Sinn haben all diese Behauptungen? Welche wichtige Folgerung liegt hinter diesen Beobachtungen des Denkprozesses, die ihrerseits wieder das Ergebnis aufmerksamer Betrachtungen der alten Seher und Weisen waren? Es ist dies: Die Denktätigkeit erfüllt sich selbst im höchsten Grade, wenn sie diesen Punkt erreicht, an dem sie dem Ich-Gedanken gegenübersteht und das Ich entschlossen festhält, aber ihren gewohnten Lauf vernunftmäßiger, logischer Bewegung nicht länger fortsetzt. *Doch die Kraft, den Strom der Gedanken zu beherrschen, muß erst erlangt werden, bevor man sich dem «Ich»-Sinn nähern und ihn unverhüllt durch die Menge mentaler Wellen wahrnehmen kann.*

Das eigentliche Schicksal des Denkens ist erfüllt, wenn es hier innehält und zu der Einsicht kommt, daß es selbst nun überwunden werden und der subtilen Fähigkeit reiner Aufmerksamkeit Platz machen muß, die sich ausschließlich auf das Ich beschränkt, auf ein stetiges Gewahrwerden, das sich nicht von einer Idee zur andern bewegt, sondern sich unwiderstehlich an den ursprünglichen Gedanken des Menschen heftet.

Daher müssen alle unwesentlichen Gedanken verschwinden, bevor man irgendwie weiter in die Natur des Selbst eindringen kann. Darnach dürfen wir mit Recht erwarten, daß das verborgene Selbst sich uns spontan enthülle. Wir brauchen uns nicht vorzustellen, daß dieses Selbst irgendeine Erdichtung metaphysischer Einbildungskraft sei. Im Gegenteil: Weil es das innerste Zentrum ist, das in und hinter unserm Denken, Fühlen und Handeln vibriert, muß es die höchste Kraft unseres persönlichen Lebens sein.

Gerade dieses Ringen um das *Gewahrwerden* jener geheimnisvollen Quelle, der der Gedanke entspringt, hilft den Zustand vorbereiten, in welchem dieses Gewahrwerden allein möglich ist — den einer gespannten inneren Wachsamkeit, die dem Bewußtsein versagt, sich auch nur für einen Augenblick in seine gewohnte Denktätigkeit einzulassen.

Wir müssen unsere Gehirntätigkeit zu einem nadelspitzfeinen Punkte von Konzentration bringen, und dafür ist es nötig, sie zu beruhigen. Wenn alle Gedanken schweigen und der Verstand gestillt ist, kann er sein eigenes Selbst mit vollem Bewußtsein betrachten, aber nicht eher.

Unser Denken hat sich also nach innen gewandt und auf sich selbst konzentriert. Es konnte das nicht gleich zu Anfang unseres Suchens tun. Es mußte zunächst vom Körper gelöst werden und sein Leben im Körper als etwas außerhalb Liegendes betrachten. Dann mußte es sich seiner emotionalen Natur zuwenden, um auch diese als von sich gesondert zu erkennen. Endlich stand es sich selbst gegenüber und lernte die Menge der Gedanken als etwas Objektives ansehen. Das Geheimnis des Eindringens in das tiefere Selbst schließt also die Umlenkung der Aufmerksamkeit von der äußeren Welt nach der inneren ein. Genau gesprochen, kann das Selbst unmöglich hinter uns leben, sondern vielmehr in uns.

Es besteht keine Gefahr, in ein Gebiet purer Phantasie zu geraten, solange man richtig geführt wird; denn nichts könnte näher, intimer und wahrer sein als unsere eigene Selbstheit.

Als Mohammed von seinem Verwandten Ali gefragt wurde: «Was soll ich tun, um meine Zeit nicht zu vergeuden?», antwortete der arabische Prophet: «Lerne dich selbst kennen!» Dieser Rat war unschätzbar. Warum? Möge Mohammed selber mit den Worten, die im Koran niedergeschrieben sind, antworten: «Wer sich selbst verstanden hat, hat seinen Gott verstanden.»

Denn die biblische Behauptung, daß der Mensch nach dem Bilde Gottes geschaffen wurde, ist wahr; nur *ist dieses Bild in seinem Innern.* Dies ist keine mystische Absurdität. Gott ist immer im Menschen, wie der Mensch immer in Gott ist. Man kann diesen Gedanken mit gelangweilter Zustimmung annehmen — wie es jene tun, die nicht fähig sind, seine Folgerungen zu erkennen; etwas anderes aber ist es, wenn man ihn als lebendige Wirklichkeit, als eine göttliche Kraft, erfühlt. Die Zeit, die dem Studium der Zusammensetzung unseres Wesens gewidmet wird, ist nicht vergeudet. Wir beschäftigen uns so eifrig damit, eine Unmenge von Problemen zu lösen, die durch unsere äußerlichen Tätigkeiten entstehen — deren Zahl endlos ist —, daß das größte aller Probleme: Was bin ich? unbeantwortet bleibt. Doch wenn wir darangehen, unsere eigene Seele zu suchen, werden wir von einer höheren Macht, der uns innewohnenden Göttlichkeit, inspiriert, die gleichfalls die beste Bürgschaft für unseren endlichen Erfolg ist. Wir haben in uns ebensoviel göttliches Feuer wie jene Weisen und Heiligen, die in der Geschichte leuchteten; aber sie waren sich seiner bewußt, während wir schlummern. Und weil jenes eine wirkliche Tatsache und keine metaphysische Erfindung ist, ist es erfahrungsgemäß feststellbar, und zwar in seinem an nichts gebundenen Zustande, d. h. getrennt vom physischen Körper, den Gemütsbewegungen und sogar von den Gedanken. Die praktische Methode dieser Entschleierung wird im zweiten Teile genau erörtert werden; inzwischen muß der Leser einsehen, daß diese einleitenden mentalen Analysen einen ebenso wesentlichen Teil des Systems bilden wie die nun folgenden Übungen.

6. Kapitel

Über die Zeit hinaus zu der Ewigkeit

Die vorausgegangene psychologische Analyse des Menschen hat uns zu dem Ergebnis gebracht, daß das Selbst den Verstand überschreitet und daß ein wirkliches Wissen über sich selbst nur möglich sein wird, wenn man den Verstand bewegen kann, sich bei voll aufrechterhaltener Aufmerksamkeit freiwillig seiner gewohnten Tätigkeit zu enthalten. Es ist möglich, daß dies nur für eine Minute gelingen wird; aber dieser kurze Zeitraum würde genügen, um uns einen Schimmer jener Wirklichkeit zu geben, die sich hinter den Gedankenbildern verbirgt.

Ein solches Ergebnis ist aber so überraschend, daß es den Verdacht hervorruft, daß irgendein Fehler in der Gedankenfolge, die zu ihm geführt hat, sein könnte. Tatsächlich ist diese introspektive, analytische Methode so merkwürdig persönlich, tatsächlich ist ihre Forderung, daß jeder Ausübende in schöpferischer Weise seine eigene Ideenfolge selbst für sich ausdenken solle, völlig unabhängig von der Kultur seiner Zeit, so unerbittlich, daß ihre Wahrheit nicht erfaßt werden wird, wenn man nicht wirklich jede Phase ihres Fortschreitens selbst durchlebt hat.

Dennoch ist es ratsam, sich der gleichen Schlußfolgerung noch von einem andern Gesichtswinkel aus zu nähern, um zu sehen, ob sie auch dann noch richtig bleibt. Zwei solche Gesichtspunkte stehen uns zur Verfügung: Der erste ist wissenschaftlich, religiös und halb philosophisch und soll im folgenden erklärt werden; der andere ist von besonderer menschlicher Erfahrung hergeleitet und wird im nächsten

Kapitel besprochen werden. An erster Stelle haben wir nun die Frage der Zeit zu erwägen, aber nicht eigentlich, wie sie von der letzten philosophischen Wahrheit aus erkannt wird. Ein so hoher Standpunkt kann in dem jetzigen Werke nicht eingenommen werden, er erfordert einen weit größeren Raum als das einzige Kapitel, das ihm hier gewidmet werden kann. Nichtsdestoweniger ist dieses Buch eine Vorbereitung auf ihn. Yoga muß erst seine Jünger befreit haben, bevor diese in den inneren Schrein geführt werden können, worin die höchste Gottheit entschleiert wird. Schon die folgenden Gedanken zu konkretem Dasein auf dem Papier zu bringen, ist eine ungeheure Aufgabe.

Das vergangene halbe Jahrhundert brachte ein allmähliches Erwachen zu der Erkenntnis, welch wichtigen Raum die Zeit in den Beziehungen des Menschen zu dem ihn umgebenden Universum einnimmt. Von den interessanten, aber fruchtlosen Andeutungen C. H. Hintons und den scharfsinnigen, jedoch unvollständigen Analysen Prof. Bergsons vor ungefähr fünfzig Jahren bis zu der berühmten Darlegung der Wahrheit über die Relativität durch Dr. Albert Einstein ist die Zeit ein Problem von zunehmender wissenschaftlicher Dringlichkeit geworden, und eines, das es verdiente, von den bedeutendsten Geistern des Westens behandelt zu werden. Natürlich waren die älteren Theorien, die sich mit ihm beschäftigten, aus dem Zeitalter Sir Isaac Newtons, in den Schmelztiegel der Zeit geworfen worden.

Es könnte sonderbar scheinen, daß unsere Verfolgung des Selbst irgend etwas mit diesem Problem zu tun haben sollte; aber wenn wir uns erinnern, daß jede Beobachtung der äußeren Welt *innerhalb* der Zeit gemacht und jede Reflexion unseres Verstandes in gleicher Weise durch die Zeit bedingt wird, wird es uns vielleicht weniger so vorkommen. Wenn die Zeit unsere Gedanken und Beobachtungen auf irgendeine Weise beeinflußt, wäre die eigentliche Wahrheit über diese Gedanken und Eindrücke — und schließlich über unser Selbst, das beiden zugrunde liegt — schwer erkennbar, wenn man nicht die Natur dieser Beeinflussung untersuchte und die Zeit als das, was sie ist, enthüllte. Daher sollte man die Zeit verstehen, wenn man das Selbst verstehen möchte. Genau gesprochen kann die Zeit nicht von ihren Verwandten, Raum und Ursächlichkeit, getrennt werden; aber weil wir hier in den Menschen und nicht in das Universum eindringen wollen, muß die Betrachtung der beiden letzteren fortfallen.

Die Haltung des Durchschnittsmenschen der Zeit gegenüber geht nicht so weit, daß er sich um ihre genaue Analyse kümmert — in Wirklichkeit ist sie ein zu tiefes und schwieriges Rätsel für ihn —, und die unaufhaltsamen Schritte ihrer fliehenden Fersen, die einander mit bedauerlicher Schnelligkeit folgen, sind die hauptsächlichsten Dinge, die er beklagt. Aber in dem Sinne, daß die Jahre die Verletzungen des Körpers oder der Seele heilen, muß die Maxime Sir Francis Bacons, daß die Zeit der Freund des Menschen sei, diesem Gedanken zur Seite gestellt werden.

Die Dinge, die mit dem Eintritt der Zeit in unser Dasein gekommen sind, sind geeignete Freunde jener alten Hexe, deren trauriges Antlitz und schleppende Füße wie ein Fluch erscheinen, der über das Menschengeschlecht ausgestoßen wurde. Alles, was uns dazu bringt, die Hände zu ringen, und was dem Leben die Annehmlichkeit nimmt, die es haben sollte, ist die dunkle Gabe, die sie uns ins Antlitz schleudert zum Lohn für die Knechtschaft, die wir ihr geschenkt haben.

Es ist vieles in den Gewohnheiten des Ostens, das niemals nach dem Westen herüberfließen wird, wo der Spruch: «Zeit ist Geld» als heiliger Wandtext in dem Büro manches geplagten Geschäftsmannes hängt. Wenn die Orientalen einen geringeren Glauben an den Wert der Zeit haben und die Realität der Ewigkeit höher einschätzen und wenn ihr tropisches Klima diese Schätzung durch die ganze allgemeine Haltung dem Leben gegenüber noch betont, werden wir im Westen wohl nie solche Ansichten uns so tief zu eigen machen, wie sie es tun. Wir fühlen zu stark die flüchtige

Unbeständigkeit des Augenblicks. Wir würden z. B. nie den Standpunkt jenes freundlichen, dicken Hindu-Geldverleihers erreichen, dem der Verfasser vor einigen Jahren in Lahore in Nordindien begegnete. Er rühmte sich: «Wenn ich eine Verabredung mit einem Kunden für 10 Uhr morgens habe, komme ich regelmäßig um 2 Uhr.» Auf die Erwiderung des Verfassers, daß dies doch nicht gut sein könnte für das Geschäft, sagte er lachend: «Wenn ich um 10 Uhr erschiene, würde mein Kunde um 2 Uhr kommen!»

Kronos, der Herr der Zeit, trifft uns alle mit seiner unentrinnbaren Sichel. Menschen, Tiere, Pflanzen und sogar Planeten fallen unter seinen Schlägen. Wird seine Tätigkeit niemals enden? Was ist jenes geheimnisvolle Element, dessen Fluß die endgültigen Schicksale der Welten und ihrer Bewohner bestimmt?

Diese Prosa möge durch die Verse eines begabten Freundes, Hesper Le Gallienne, bereichert werden:

> Es sammelt Schönheit mancher auf,
> Verzweiflung der und jener Glück,
> vom Wege, der in dunkler Windung
> durch endlos-lang, verworr'ne Jahre
> zur Himmelsleiter hin sich zieht.
>
> Doch durch das Labyrinth der Zeit
> weht stets die Ewigkeit des Seins:
> in langer, langer Karawane
> eilt jener sonderbare Zug
> der Lebenden und Toten hin.

Auf Grund des Maßes der Umbildung radioaktiver Substanzen wurden die Geologen zu der Annahme gezwungen, daß es in der Erdkruste Felsen gebe, die 1200 Millionen Jahre alt sind. Und doch ist das Alter unserer eigenen Erde jung neben dem anderer Sterne und Sonnen. Astronomen haben Zeitzyklen berechnet, die «Vergangenheiten» und «Zukunften» von schwindelnder Länge enthalten; aber selbst diese sind armselig gegenüber der Unendlichkeit des kosmischen Kalenders. Man wagt nicht, sich hinzusetzen und über die endlose Dauer dieses immer fließenden Stromes der Zeit nachzudenken, dieses fortwährende Erscheinen und fortwährende Verschwinden wirbelnder Welten; denn die Aussicht auf so unbegrenzte Veränderungen und Wechselfälle hat etwas Erschreckendes für die menschliche Phantasie und macht das Herz erschauern. Es scheint ein ungeheures Geheimnis hinter dem endlosen Fluß aller Dinge zu liegen, so daß man, wenn man darüber nachsinnt, zuletzt ebenso entsetzt ist über die Aussicht auf ein universales Leben, das in Ewigkeit durch Myriaden vergänglicher Formen unerbittlich weiterfließt, wie über die Aussicht auf ein allgemeines Sterben und Auflösen! Solche Betrachtungen rauben einem Menschen den Atem und bringen ihn dazu, sich erleichtert an die Zeitabschnitte anzuklammern, die, durch die Drehung der Erde und die wiederkehrenden Umläufe von Sonne, Mond und Sternen verursacht, ihm ermöglichen, seine eigenen kurzen Ziele auszudenken. Diese astronomischen Phänomene liefern ihm Intervalle, die sich regelmäßig auf die gleiche Weise wiederholen und ihn von der Anstrengung befreien, das Unbegreifliche zu begreifen.

Unser Verstand ist begrenzt und endlich; er kann nicht mehr als die Sekunden, Minuten und Tage des Zeitbewußtseins messen, das unaufhörlich durch seine physischen Organe pulst.

Sobald man versucht, in eine innere Beziehung zu der Zeit einzutreten, erkennt man, daß man ständig in der Gegenwart lebt. Vergangene Erinnerungen, zukünftige Erwartungen gleichen unwirklichen und körperlosen Geistern, die wieder in das dunkle Nichts versinken; denn die Gegenwart ist unentrinnbar und verschlingt jede Minute.

Die Gegenwart fließt immer weiter und bewegt sich ohne Umkehr in einer einzigen Richtung auf eine Zukunft hin, die sich ebenso in ihr auflöst, wie ein Nebenfluß sich in den

Strom, den er speist, auflöst. Aber selbst diese Analogie ist schwach und teilweise falsch; denn es gibt keine eigentliche Bewegung durch den Raum: Man kann nur sagen, daß die Bewegung der Zeit eigenartig ist. Auf diese seltsame Weise sind wir für immer untrennbar an das Reich der Gegenwart gebunden, als dem Kern unseres Daseins. Die Vergangenheit ist nur Erinnerung und die Zukunft Vorausahnung; aber der gegenwärtige Augenblick ragt hervor wegen seiner *Wirklichkeit.*

Überdies ist der gegenwärtige Augenblick der Mittelpunkt zwischen den beiden Extremen der Vergangenheit und Zukunft. Dies wird für den Zweck unserer Analyse genügen, und es besteht keine Notwendigkeit, daß wir uns in diese großartig sich ausdehnende Weite verlieren, die sich ins Endlose ausstreckt, sobald man rückwärts oder vorwärts sieht.

Denn jedes vergangene Ereignis war ein gegenwärtiges, als es sich tatsächlich ereignete. Ebenso wird jedes zukünftige Ereignis zu seiner Zeit nur als gegenwärtiges Ereignis erfahren werden. *Vergangenheit und Zukunft werden daher durch die Analyse als Offenbarungen der gegenwärtigen Zeit erkannt, die gänzlich auf ihr beruhen und kein eigenes, unabhängiges Dasein besitzen.* Hierin liegt der Kern der ganzen Frage.

Mit andern Worten: Die Zeit ist eine ununterbrochene Kette, die nur durch die aufeinanderfolgenden Glieder gegenwärtiger Ereignisse gebildet wird. Sie kann nicht in eine absolute Vergangenheit und eine absolute Zukunft gespalten werden, da sie selber unteilbar ist; sie ist ein immerwährendes *Nun.* Die Beziehung, die zwischen der Vergangenheit und der Zukunft besteht, ist durch die vereinheitlichende Kraft des menschlichen Gedächtnisses hervorgerufen; sie besteht im Menschen und nicht in der Zeit.

Weil also die Gegenwart sowohl der Vergangenheit wie auch der Zukunft *als deren wahre Natur* innewohnt, ist alles Streben, beide zu verstehen, in sie hineinzuschauen und sie zu entwirren, *bevor* man die wahre Natur der Gegenwart begriffen hat, ebenso töricht und sinnlos wie der Versuch, die Zahlenreihe herzusagen, ohne mit der Eins, als der führenden Einheit, anzufangen. Die Eins ist nicht nur die erste und wichtigste Zahl, sondern sie ist auch in jeder andern Zahl als deren Basis enthalten.

Wenn man daher versucht, den wahren Charakter des gegenwärtigen Augenblicks zuerst festzustellen, wird dies die richtige, vorbereitende Methode sein, um schließlich auch zu dem Verständnis der Vergangenheit und der Zukunft, d. h. der Zeit in ihrer Totalität, zu gelangen.

Es ist sicher eine seltsame Wahrheit, daß man unabänderlich an den gegenwärtigen Augenblick gebunden ist, daß das Geheimnis der Zeit nur in ihm lebt.

Alles und jedes, was man in früheren Jahren getan hat, und alles, was man in kommenden Jahren noch tun wird, ist in der ewigen Gegenwart niedergelegt.

Die Gegenwart allein ist die *wahre* Zeit.

Man darf den gegenwärtigen Augenblick nicht verwechseln mit dem mathematischen Punkt auf einer Linie, die in diesem ihren Anfang hat und sich in die Unendlichkeit ausdehnt. Er ist nirgendwo im Raume; denn er ist unzertrennlich von der menschlichen Art, die Welt zu betrachten. Er ist etwas, das dem Menschen oder, genauer gesagt, seiner bewußten Aufmerksamkeit, innewohnt.

Weil nun die Gegenwart selbst nicht als etwas Objektives betrachtet werden kann, muß sie notwendig subjektiv, d. i. im Bewußtsein des Beobachters sein.

In letzter Analyse bezieht sich die Zeit immer auf irgendein Objekt oder Ereignis, das sich wiederum aus Objekten zusammensetzt. Es erfordert Zeit, einen Blick auf einen Gegenstand zu werfen — ungeachtet der winzigen Kürze eines solchen blitzartigen Aufnehmens —, da der Gegenstand eine gewisse Ausdehnung besitzt und die Augen von einem Rande zum andern wandern und den Blick infolgedessen gabeln müssen. Nichts erscheint wirklich in einem einzigen Augenblick, sondern immer in einer Zeitfolge. Nur durch eine solche Absonderung im Raume nimmt jeder Gegenstand seine Form für den Beobachter an. Aber wer kann die Zeit messen, welche dieser Vorgang innerhalb des gegenwärtigen Augenblicks braucht? Wo fängt der gegenwärtige Augenblick an, und wo hört er auf? Es ist unmöglich, zwischen diesen Punkten zu unterscheiden; denn in dem Augenblick, wo ein Punkt festgelegt ist, gehört derselbe Augenblick schon der Vergangenheit an. Daher können wir uns keine absolut korrekte Idee von der Gegenwart bilden.

Wissenschaftlich gesprochen, kann die Gegenwart nicht beobachtet werden, sie ist infolgedessen unerkennbar. *Sie besitzt keine Dauer und ist deshalb der Zugang zu einem zeitlos Absoluten.* Kurz: Wenn isoliert, ist sie wirklich eine abstrakte *Idee,* die in unserm Verstand existiert. So kommen wir zu der merkwürdigen Lage, daß «in der Zeit zu sein» bedeutet: «in der Gegenwart zu sein», und letzteres wiederum bedeutet: «in der Zeitlosigkeit, d. i. der *Ewigkeit,* zu sein». Das Gefühl der Wirklichkeit, das wir im gegenwärtigen Augenblick im⌁ ⌁finden, stammt von der verborgenen Wirklichkeit des ⌁ernden Lebens her, die ihm zugrunde liegt. Ein tiefes Geheimnis ist also in der gewohntesten Seite unseres alltäglichen Lebens enthalten. *Daher leben wir hier und jetzt in der Fülle wahren ewigen Lebens; nur sind wir uns dessen nicht bewußt. Gewännen wir dieses Bewußtsein wieder, so würde unser Leben eine völlige Umgestaltung erfahren.* Dies ist ein Punkt von großer und entscheidender Bedeutung.

Er hebt sofort den ganzen Begriff der Zeit aus der materiellen Welt in ein nichtmaterielles oder geistiges Gebiet empor. «Ach, nicht die Zeit, sondern wir, wir bewegen uns weiter!», schrieb ein feinempfindender französischer Dichter. *Da wir ferner alle unsere Erfahrungen immer nur in der Gegenwart durchleben, ergibt sich daraus, daß wir die Zeit nur als eine Form des Selbstbewußtseins kennen können.*

Das Thema kann auch vom wissenschaftlichen Standpunkt

aus erläutert werden. Einige Anomalien in der Wissenschaft der Optik brachten Dr. Einstein zu der Entdeckung, daß zwei verschiedene Individuen verschiedene Ideen über die durch die Uhren angezeigte Zeit haben und daß trotzdem beider Ansichten gleicherweise gültig sein könnten. Die Bemessung der Zeiteinheiten war nämlich abhängig von der Position und dem Maßstab des Beobachters. Überdies lenkte Einstein die Aufmerksamkeit auf die Tatsache, daß es Sterne gibt, deren Licht die Erde noch nicht erreicht hat. Im Hinblick auf die riesige Entfernung der Sterne von unserer eigenen Erde würden Ereignisse, die vor Jahrhunderten auf dieser Erde stattgefunden haben, von einem anderen Himmelskörper aus — wenn man sie überhaupt sehen könnte — als eben jetzt sich abspielende gesehen werden.

Ferner: Wenn die Schnelligkeit der Umdrehung unserer Erde sich änderte, würde auch unser Zeitsinn sich entsprechend ändern. Zum Beispiel rotiert der Mond in $27\,^1/_3$ unserer Tage. Wenn es einem Bewohner dieser Erde gelänge, in einem Moment zum Monde zu gelangen, würde ihm die Zeit dort sehr lange vorkommen, weil ihr Lauf so erheblich verlangsamt wäre, daß sein Mondtag $27\,^1/_3$ mal länger sein würde als der, den er gewohnt war. Daher hat jeder Mensch seine eigene persönliche Ansicht über die Zeit, die eine Form des Prinzips der Relativität darstellt. Endlich, wenn wir uns vorstellen könnten, daß wir selber mit genügend riesiger Geschwindigkeit reisten, würden wir nach einigen Minuten zurückkehren, um mit Erstaunen zu entdecken, daß unser Planet um einige Jahrhunderte älter geworden wäre.

Diese vier Beispiele zeigen, daß die Zeit keine absolute Existenz hat. In Wirklichkeit gibt es kein absolutes Maß für die Zeit, sondern nur unseren mentalen Eindruck von ihr: Die Zeit ist, wie wir sie uns *denken*.

Das Gesetz der Relativität ist nicht nur auf die Phänomene der Natur anwendbar, sondern ebenso auf den Intellekt, der diese Phänomene beobachtet. Dieser Intellekt kann nicht anders, als sich auf die Ideen der Vergangenheit, Gegenwart und Zukunft zu beziehen; alle seine Begriffe werden sich unvermeidlich innerhalb dieses Rahmens bewegen.

Die neue wissenschaftliche Auffassung von der Zeit hat sich zu dem Geständnis bequemen müssen, daß keine bildliche Darstellung der Zeit möglich sei; sie kann nicht vergegenständlicht und deshalb auch nicht wissenschaftlich untersucht werden wie andere Dinge in der Natur. Sie kann nur aus sich heraus verstanden werden.

Man kann sie zum Beispiel nicht durch einen Kreidestrich auf einer Wandtafel darstellen, wie man irgend etwas anderes in der Natur, vom kleinsten Atom bis zum großartigsten Sonnensystem, symbolisch darstellen könnte. Denn der Beobachter, sein Akt der Beobachtung und die gezogene Linie sind alle selbst so sehr an die Zeit gebunden, daß eine normale wissenschaftliche Untersuchung von vornherein verfälscht sein würde. Alle äußeren Dinge *werden vom gegenwärtigen Augenblick aus* beobachtet; aber da letzterer nicht etwas Äußerliches ist, kann er selbst nicht als Gegenstand des Denkens beobachtet werden.

Um deshalb das letzte Gebot der Wissenschaft zu erfüllen und einen tieferen Einblick in die Gegenwart zu gewinnen, als der oberflächliche Begriff, den man gewöhnlich als menschliches Erbe aufrechterhält, ihn geben kann, muß man die Zeit nun als einen rein psychologischen Faktor betrachten — nicht als etwas, das von astronomischen Messungen abhängt. Man muß die Schwelle seines inneren Wesens überschreiten, was gar keine so merkwürdige und außerordentliche Leistung ist, wie es den Anschein hat.

Eine solche Analyse mag uns ungewohnt und fernliegend vorkommen; aber sie ist von großer Bedeutung. Hier ist ein Studium, das, wenn es geduldig verfolgt wird, uns sicher von der Oberflächlichkeit befreien wird, die das Geheimnis der Zeit unterschätzen möchte.

Im vorhergehenden Kapitel wurde das Verständnis dafür erreicht, daß das Selbst auf einen einzigen, dauernden Grundgedanken zurückgeführt werden kann, der unauflöslich mit den nie endenden Gedankenreihen verknüpft zu sein scheint, die in ihrer Gesamtheit Intellekt genannt werden. Da man auf diese Weise in eine dauernde geistige Tätigkeit verwickelt ist, hat man normalerweise nie die Gelegenheit, den Ichgedanken abseits von dieser Bewegung zu beobachten. Man ist im eigentlichen Sinn der Sklave dieser andauernden mentalen Bewegung, dieses unaufhaltsamen Stromes äußerer Eindrücke und innerer Ideen.

Wir sind auch dazu gelangt, eine absolute Gegenwart vorauszusetzen, obgleich wir nicht imstande sind, sie uns vorzustellen. Es soll nun ein Weg gezeigt werden, auf dem diese Untersuchung bald zu einer erstaunlichen Höhe geführt werden kann. Die Idee der Zeit ist unzertrennlich mit der Idee der Bewegung verbunden. Sie ist eine Empfindung der Folge. So besteht also eine Bewegung von Vorstellungen und Wahrnehmungen innerhalb des Verstandes, von denen eine der andern folgt wie die Momentaufnahmen eines kinematographischen Films — ein Vorgang, der während des ganzen Tages andauert. Gleichzeitig findet auch eine Bewegung des physischen Körpers von Stunde zu Stunde wenigstens, wenn nicht von Minute zu Minute, statt.

Dieses Haften an einer Folge mentaler Eindrücke und physischer Empfindungen und an Ereignissen, während sie durch unser Bewußtsein ziehen, ist es, das unser Zeitgefühl und unsere persönlichen Erinnerungen hervorruft, weil es keine Bewegung ohne Zeit gibt. Dieses ewige Versinken der Aufmerksamkeit in *andere Gedanken als den Ichgedanken* hindert uns daran, unserem wirklichen Selbst so nahe zu kommen, daß wir ihm sozusagen Auge in Auge gegenüberstehen. Hieraus folgt, daß ein Zusammenhang zwischen diesen beiden Faktoren dasein muß, und daß so lange, wie man unfähig ist, die Aufmerksamkeit von diesen Gedanken und Erinnerungen zu befreien, man auch in dem Gefühl des Fließens der Zeit gefangen gehalten wird.

Die Unfähigkeit, dieser dauernden Bewegung zu entrinnen,

erklärt, warum wir uns normalerweise nicht bewußt sind, daß die gegenwärtigen Augenblicke einander in einem zeitlosen Absoluten durchdringen und sich nicht nebeneinander ausdehnen, wie schon gezeigt wurde. Wenn wir mit Bewußtsein zwei vollkommen gleiche Augenblicke *erleben* könnten, wäre keine Übertragung der Erinnerung vom ersten Augenblick auf den zweiten da; denn es würde notwendigerweise ein Sinken in das Absolute stattfinden.

Eine einfache Analogie wird das Verständnis hierfür erleichern. Man stelle sich vor, daß man in dem Abteil eines Zuges sitzt, der auf einer Station hält und auf das Ein- und Aussteigen der Passagiere wartet. Wenn man auf der dem Bahnsteig abgewandten Seite aus dem Fenster schaut, sieht man einen anderen Zug, der ebenfalls hält. Dann gibt der Zugführer das Signal, und wir fühlen, daß unser Zug sich in Bewegung setzt. Mit jeder Minute steigert sich seine Geschwindigkeit, während die Fenster des nebenanliegenden Zuges immer rascher an unserem Auge vorbeiflitzen.

Aber wenden wir uns nun nach der andern Seite, wo der Bahnsteig bald unsern Blicken entschwunden sein wird, so entdecken wir mit Staunen, daß die ganze Länge desselben noch da ist und unser Zug noch neben ihm steht wie zuvor.

Wieder ein Blick quer durch das Abteil zurück belehrt uns, daß es der andere Zug war, der den Bahnhof verlassen hat, weil er nicht mehr da ist!

Es ist also die ganze Zeit der andere Zug gewesen, der fuhr, währenddem wir und unser Zug vollkommen stillstanden!

Wir nennen dies eine optische Täuschung; aber man sollte sich erinnern, daß diese einfache «Illusion» eine mentale Erfahrung bewirkt hat. An Stelle der richtigen Empfindung, daß sich ein Gegenstand vor unseren Augen bewegt habe, verursachte sie das Gefühl, daß man sich selbst bewege.

Dies entspricht genau der Lage des Durchschnittsmenschen. Er glaubt ganz vernunftgemäß, daß sein Leben bloß in einer Bewegung durch die Zeit bestehe, durch abgemessene Augenblicke, Tage, Wochen und Jahre.

Die eigentliche Tatsache aber ist, daß er, sein wahres Selbst, d a s , was hinter dem Verstande liegt, sich überhaupt nicht bewegt, sondern unbeweglich in der Ewigkeit verankert bleibt.

Hier steht der Mensch vor einer psychologischen Täuschung. Es gibt nur einen Weg, um sie zu zerstreuen, und dieser ist, seinen Kopf nach der entgegengesetzten Richtung zu wenden, wie man es im Zuge getan hat. Diese Umkehr wird psychologisch dadurch bewirkt, daß man die Aufmerksamkeit von außen nach innen wendet und den Geist zu seiner eigenen Quelle zurückführt.

Die relative Natur der Zeit ist eine unausgesprochene Einladung, nach dem absoluten Werte der Ewigkeit zu suchen, die ihr zugrunde liegt, und die hier im *Jetzt,* nicht in irgendeiner fernen Zukunft ist.

Die Fakire, die «lebendig begraben» wurden, deren Fälle wir in einem früheren Kapitel behandelt haben, berichten von dem gänzlichen Fehlen jeglicher Gedankenfolge und ebenso jedes Zeitgefühls während dieses gewagten Experiments. In der Tat, wenn das Denken nicht mehr für sie existiert, ist auch das Zeitgefühl nicht mehr da. Wenn der Geist gestillt ist, schweigt auch die Zeit.

Wegen dieser Zwischenpause, in der das Zeitgefühl aussetzt und er in einen seligen, tiefen, traumlosen Schlaf fällt, gibt der Fakir gewöhnlich seinem Geist im voraus den Befehl, zu einer bestimmten Zeit wieder zu seiner normalen Tätigkeit zu erwachen, und es tritt fast immer ein, daß er auch genau in dem Augenblick erwacht. Hier folgt der Zeitungsbericht eines neueren Falles, der in Nordindien wohlbekannt ist:

«*Yogi taucht nach 40 Tagen aus Samadhi (Trance) auf.*

Ein bemerkenswerter Fall von Samadhi, d. h. der vollständigen Absorbierung der Gedanken — der achten und letzten Stufe des Yoga —, ist in Rischikesch, dem heiligen Wallfahrtsort in der Nähe von Hardwar, im Dehra-Dun-Distrikt, vorgekommen, wo der abgezehrte Körper eines jungen Hinduyogi aus einem eigens für den Zweck vorbereiteten Grabe kürzlich in Gegenwart von Tausenden von Zuschauern hervorgeholt wurde.

Am 10. Oktober 1935 ging er in einem gemauerten Gewölbe, das kaum 16 Quadratfuß in der Bodenfläche und ungefähr 4 oder 5 Fuß hoch war, in den Trancezustand über. Der Eingang wurde mit Steinen verschlossen, die auszementiert wurden, sobald der Yogi hineingegangen war. Eine Wache wurde davor aufgestellt, um ihn zu beobachten. Das Grab des ‚lebenden Toten' wurde dann mit einer Mauer umgeben, und während sechs Wochen warteten große Mengen Hindus ehrfurchtsvoll außerhalb, während er diese höchste Form der Buße vollbrachte. Die ganze Zeit hindurch nahm er weder Nahrung noch Wasser zu sich. Beim Hineingehen in das Grab hatte der Yogi, der schon mehrere Tage gefastet hatte, die Anordnung hinterlassen, daß man ihn am 45. Tage nach seinem Eintritt, zwischen 7 und 10 Uhr morgens, wenn man ihn das heilige Wort ‚Om' aussprechen hören würde, herausnehmen und seinen Körper mit Öl massieren sollte.

Dies ist da dritte Mal, daß der Yogi dieses Tranceerlebnis durchgemacht hat. In seiner ersten tiefen Versenkung wurde eine seiner Hände teilweise von weißen Ameisen zernagt.»

Der letzte Satz ist bedeutungsvoll und liefert unbewußt eine vielsagende Antwort an die Kritiker, die in *allen* Taten der Fakire bloße Zauberkunststücke sehen. Dieser Fall illustriert, wie das Anhalten der Gedanken auch das Anhalten des Zeitgefühls mit sich bringt. Jedoch ist das Umgekehrte ebenso richtig, daß, wenn die Reihenfolge mentaler Erlebnisse sich verlangsamt oder beschleunigt, auch der Maßstab der Zeit sich dementsprechend ändert. Eine kurze Untersuchung wird dies bestätigen.

Nur wenig Menschen wissen aus persönlicher Erfahrung, daß ein Ertrinkender in dem blitzartigen Aufleuchten, das der vollkommenen Bewußtlosigkeit vorausgeht, sein ganzes vergangenes Leben an seinem geistigen Auge vorüberziehen sieht. Die Hauptereignisse jedes Jahres, von der Kindheit bis zur Reife, zeigen sich und werden nicht nur gesehen, sondern wieder durchlebt, zusammengefaßt und verstanden. Ein Zeitraum von fünfzig Jahren wird so innerhalb weniger Sekunden wiedererlebt.

Aber sogar im wachen Zustand findet man häufig, daß Leiden unsere Stunden verlängern, während Freude sie allzu kurz werden läßt. Eine schmerzhafte Krankheit zieht ihren müden Lauf mit langsamen, peinigenden Schritten durch unser Leben, während ekstatische Tage wie ein Wirbelwind vorübereilen. Zwei feurig Liebende, die nur für eine Woche getrennt sind, haben die Empfindung, daß mindestens ein Monat vergangen sei. Daher halten wir nur das *Gefühl* für die Schnelligkeit oder Langsamkeit der Zeit, aber kein mathematisches Zeitmaß für sie in Händen, weil wir sie als etwas gänzlich Subjektives erleben: nämlich innerhalb des wahrnehmenden Verstandes und bedingt durch diesen.

Derart sind die Streiche, die das wechselnde Bewußtsein dem Zeitsinn des Menschen spielt! Ebenso kann man während des Schlafes in wenigen Minuten eine Anzahl Traumereignisse erleben, die in wachem Zustand mehrere Stunden ausfüllen würden. Es gibt gewisse Träume, in denen unser Zeitsinn beschleunigt ist, weil der Verstand dann unbehindert ist durch das langsamere Arbeiten des physischen Gehirns; ebenso wie die elektrischen Kräfte in einem physischen Atom schneller und intensiver vibrieren würden, wenn sie von ihrem beengenden materiellen Rahmen befreit wären, wird auch die Zeitempfindung beschleunigt, wenn der Geist des Wahrnehmenden vom Fleische befreit ist.

Die Seereise von Bombay nach San Franzisko kann drei Wochen in Anspruch nehmen, wenn man sie in wachem Zustand zurücklegt, nur fünf Minuten aber im Traum. Daraus müssen wir die Folgerung ziehen, daß die Zeit selber ein rein mental bedingter Zustand ist. In diesem besonderen Zusammenhang ist der Beweis durch den Traum ebenso wertvoll wie Beweise des Wachzustandes, weil die Empfindung wirklichen Erlebens in jenem keineswegs vermindert ist. Der Träumer bildet sich seine eigene mentale Welt und lebt in ihr, während er im Wachzustande ebenso in einer mentalen Welt lebt, da das einzige, was er von der äußeren Welt wissen kann, seine mentale Erkenntnis ihrer Erscheinungen ist. Bis die Sinneseindrücke zum Gehirn gelangt und in *mentale* Eindrücke umgewandelt worden sind, kann weder er noch irgend jemand anders sich der materiellen Welt bewußt werden.

Ein außergewöhnlicher Beweis, daß ein Wechsel in der Zusammensetzung nervöser Empfindungen und der aus ihnen sich ergebenden mentalen Eindrücke den menschlichen Zeitsinn verändert, wurde durch einen kürzlich erschienenen Bericht der «Morning Post», eines angesehenen Londoner Blattes, geliefert. Er lautet:

«Lebhafte Erinnerungen über die Verlängerung der Zeit wurden von den Opfern eines elektrischen Schocks geschildert. Ein Mann, der nach empfangenem elektrischem Schock einen Radfahrer beobachtete, der mit ziemlicher Geschwindigkeit vorbeifuhr, behauptete, daß er jede Speiche des Rades erkennen könne und daß es ‚sich ihm kaum zu drehen scheine'. Derselbe Mann behauptete, daß er jede Umsteuerung des Wechselstromes in einer Rate von sechzig vollständigen Zyklen per Sekunde fühlen könne.»

Aufeinanderfolgende Empfindungen ziehen durch unser Wahrnehmungsfeld. Wenn sie mit normaler Geschwindigkeit hindurchziehen, rufen sie die normale Zeitempfindung hervor. Wenn aber, wie in diesem besonderen Fall — da, wie sich in anschaulicher Weise zeigte, die Wirksamkeit der Zeit ruhte, zwar nicht im äußerlich-physikalischen Universum, wohl aber innen im menschlichen Geist — das Gehirn abnorm beeinflußt ist, können diese Empfindungen verzögert werden und langsam durch das Bewußtsein ziehen, ähnlich wie bei einem verlangsamten Film.

Es ist bekannt, daß bei Personen, die während einer Operation unter Narkose sind oder die unter dem Einfluß einer betäubenden Droge stehen, das Zeitgefühl bis zu phantastischen Grenzen steigen oder fallen kann.

Diese Fälle lehren, daß der Zeitsinn im Geiste selber liegt, in den Wahrnehmungen und Vorstellungen, die er hervorbringt. Die Zeit ist daher nicht außerhalb, sondern innerhalb des menschlichen Organismus. Sie ist eine Idee, nicht ein Gegenstand, der beobachtet wird, sondern eine Vorstellung des Denkens und ein Nebenprodukt des Bewußtseins. Sie besitzt kein unabhängiges und eigentliches Dasein abseits vom Verstande, der sie erdenkt und sich vorstellt. Ihre Weiterbewegung ist eine der wesentlichen Bedingungen des gewöhnlichen Bewußtseins.

Jede äußere Erfahrung, die in einem besonderen Augenblick anfängt, eine gewisse Zeit dauert und schließlich in einem besonderen Augenblick wieder endet, bemißt sich selber auf dem feinen Instrument unseres Bewußtseins. Eine wesentliche Veränderung innerhalb dieses Bewußtseins wird notwendig solche Messungen beeinflussen und sie zu abnormer Schnelligkeit steigern oder zu abnormer Langsamkeit herabmindern.

Die Zeit ist etwas Fundamentales, das dem gewöhnlichen Denken zugrunde liegt.

Der deutsche Philosoph Kant, einer der größten westlichen Denker, stellte mittels seiner außerordentlich weitläufigen, aber wunderbar genauen Beweisführung die Tatsache fest, daß die panoramische Prozession der Gedanken und Gefühle durch das Bewußtsein den Zeitsinn mit sich bringe. Er schloß, daß die Zeit — mit andern Worten — einfach eine Form des Bewußtseins sei. Er erfaßte jedoch noch nicht als praktische Möglichkeit die ergänzende Tatsache, daß der Mensch zu einem gedankenfreien, eindrucksfreien und erinnerungsfreien Bewußtsein gelangen könnte — nicht als eine entfernte Hoffnung, sondern als eine gegenwärtige Wirklichkeit. Er setzte schließlich auseinander, warum er glaubte, daß die modernen wissenschaftlichen Methoden uns niemals einem Verständnis der Wirklichkeit jenseits der Dinge, und der Ewigkeit jenseits der Zeit, näherbringen würden. Eine völlig andere Methode wäre erforderlich, aber er sähe nicht die Möglichkeit, sie zu schaffen.

Was sein Verstand des achtzehnten Jahrhunderts nicht sehen konnte, wird dennoch von einigen Menschen dieses zwanzigsten Jahrhunderts wahrgenommen werden. Eine Methode zur Erlangung höherer Wahrnehmung wird auf diesen und andern Seiten aufgezeigt, wie sie früher den Wahrheitssuchern des Altertums durch die Seher Indiens gezeigt worden ist.

Die Grundlagen unseres Glaubens an die Wirklichkeit der Zeit, wie sie gewöhnlich verstanden wird, wurde durch neuere Denker einigermaßen erschüttert, welche die Zeit verächtlich als eine Illusion erklären. Sie wären genauer, wenn sie die Zeit als eine Idee bezeichneten.

Unser Zeitsinn ist weniger illusorisch als relativ. Er erscheint uns wahr und richtig; wir fühlen, daß wir die Zeit durchwandern — aber sie ist niemals wirklich absolut. Alles in unserer Betrachtung der Natur ist nur eine Sache des Standpunktes, weil es sich immer auf den Beobachter bezieht. Ein Reisender, der einen Berg besteigt, kann etwas wahrnehmen, das hoch über seinem Kopfe liegt, aber für den Bewohner der Ebene ganz unsichtbar ist. Derselbe Reisende kann aber auch die Ebene wahrnehmen, die er verlassen hat, wenn er nur seinen Blick abwärts richtet. Vom Standpunkt des nicht weiter nachdenkenden Menschen ist die Zeit eine unleugbare Tatsache. Von einer höheren Ebene betrachtet, kann sie als eine reine Idee bezeichnet werden, die innerhalb des Verstandes existiert und verschwinden oder nicht verschwinden könnte, ohne unser ewiges Dasein zu berühren. Sie kann mit einem Kinobilde verglichen werden, das einen Augenblick über den weißen Schirm der Ewigkeit flackert und dann fort ist. Jedenfalls ist es einleuchtend, daß sie eine Projektion auf die äußere Welt ist, eine Projektion von Bedingungen, die sich in uns selbst finden; daher ist sie rein relativ, da jene erscheinen, verschwinden und wiedererscheinen, entsprechend unserem eigenen inneren Zustand.

Es wurde somit gezeigt, daß die Zeit eine Schöpfung des menschlichen Gehirns ist, etwas, das an der psychologischen

Ordnung teilhat. Sie kann eine mentale Vorstellung genannt werden, eine Form des Bewußtseins, eine subjektive Bewegung oder ein Nebenprodukt des Denkens, das aber ohne die Mitwirkung des bewußten Seins offenbar nicht existieren könnte.

Solange wir uns mit den Gedanken identifizieren, wird auch die Zeit unser Leben bedingen. Das allein kann die Zeit überschreiten, was auch den Verstand überschreitet. Aber es ist ja bereits gezeigt worden, daß das wahre Selbst wirklich über ihn hinausgeht. Wie sollte die endliche Zeit in einem Reiche existieren können wie dem des Überselbst, das die Bewegung des Denkens weit übersteigt?

Die Analyse kann nun zu ihrem höchsten Aufschwung gebracht werden: Wenn diese mentalen Bewegungen im wahren Selbst nicht existieren und, wie gezeigt worden ist, gesammelte Aufmerksamkeit zurückbleibt, wenn sie verschwunden sind, wird das Bewußtsein des gegenwärtigen Momentes sich fortsetzen in jenem hohen Reich, ungebrochen durch darin sich abspielendes Tun oder Denken, denn jenes Selbst *ist* ungebrochenes Selbst-Erkennen. Die Empfindung des «*Nun*» wird als etwas Absolutes, Unveränderliches und Unendliches — kurz gesagt: Ewiges — fortbestehen, da keine Folge, keine Bewegung und keine Erinnerungen im Bewußtsein des Überselbst sein werden.

Das gedankenfreie, zeitlose Selbst muß für immer *sein*. Es muß, wie der gegenwärtige Augenblick, innerhalb und hinter aller Zeit leben, aber selbst paradoxerweise zeitlos bleiben. Das Bewußtsein, aus dem Absoluten niedersteigend, um sich als Gedankenbewegung im menschlichen Hirn zu offenbaren, wird von dort in das gewöhnliche, fleischliche Ich zurückgestrahlt und in die endliche Zeit verwickelt. Von dieser Gedankenbewegung befreit, wird es sich seiner Beschränkung durch das Endliche entledigen und sein wahre, ewige Natur wiedergewinnen.

Solange man sich irrigerweise mit dem physischen Selbst *identifiziert,* solange man, ebenso fälschlicherweise, sich mit dem Verstande und den Erinnerungen an das Ich identifiziert, wird man notwendig als zeitgebundenes Geschöpf leben, das in vergangenen Erinnerungen, augenblicklichen Geschehnissen und zukünftigen Hoffnungen und Befürchtungen gefangen ist. Sobald aber durch richtige Innenschau und genaue Analyse die Wahrheit über die Zeit erkannt und *festgehalten* wird, währenddem die Aufmerksamkeit auf die Quelle der Zeit in einem selbst gerichtet ist, wird man zu der bleibenden Einsicht kommen, daß der unbekannte Inhalt seines innersten Selbst die Zeit überschreitet, daß er ewig und sorgenfrei ist. Sein Ursprung liegt bei den Engeln; denn er ist göttlich. Dieses Selbst kann niemals durch etwas, das der Zeit angehört, berührt werden, obgleich das Ego fortfahren mag, *innerhalb* derselben zu funktionieren. Es ist das Selbst, das wir auf diesen Seiten gesucht haben, und das der Verfasser in früheren Werken wiederholt erwähnt hat als das «Overself» (Überselbst). Das Wort ist bis jetzt noch in keinem Wörterbuch der englischen Sprache vorgekommen und wurde von ihm selbst geprägt, um etwas auszudrücken, das an das Unaussprechliche grenzt, da keines der Wörter, die gewöhnlich gebraucht werden, um den göttlichen Zustand, der das Ziel dieses Weges ist, zu bezeichnen, ganz zufriedenstellend war. Wörter wie Gott, Geist, Seele usw., die von ältester Abstammung sind, haben viele theologische Nebenbedeutungen um sich aufgehäuft, die nicht das besagen, was der Verfasser zu übermitteln wünschte. Es war darum notwendig, ein neues Wort zu finden, das genauer und weniger verwirrend die Bedeutung wiedergäbe, die er mitzuteilen suchte. Und wenn er sich schließlich für das Wort «Overself» entschied, so war auch dieses nicht so restlos befriedigend, wie er gewünscht hätte. Es scheint die Vorstellung zu vermitteln, daß dieser göttliche Zustand etwas sei, das wie eine Wolke über unsern Köpfen schwebe. Aber, obgleich die beglückende Wirklichkeit gewiß gänzlich den persönlichen Zustand des Menschen überschreitet und ihm ein Bewußtsein von Universalität gibt, existiert sie seltsamerweise gleichzeitig und geheimnisvoll im tiefsten Innern seines Wesens. Der Verfasser hoffte jedoch, daß die Gegenüberstellung der beiden Wörter «over» und «self» das Paradoxon der transzendenten und immanenten Göttlichkeit des Menschen widerspiegeln würde. Genau gesprochen wäre es notwendig gewesen, *zwei* Wörter zu prägen, von denen das eine *Overmind*, «Überseele», lauten würde, aber es war damals nicht beabsichtigt, so weit zu gehen. Die geheimnisvollen, okkulten Kräfte des seelischen Teiles der menschlichen Natur erfordern jedoch diese Überseele in jeder genauen Erklärung ihres wahren Ursprungs. *Denn die Seele existiert nicht im Menschen, sondern der Mensch existiert im Gegenteil innerhalb der einen Überseele.* Immerhin war die Schwierigkeit, ein neues Wort zu prägen, geringer als die, welche entstanden wäre, wenn man eine der alten Bezeichnungen gebraucht hätte, die häufig Bedeutungen nahelegen, die sich nach verschiedenen Personen und Gedankensystemen ändern.

Das Überselbst wohnt also im Element der Ewigkeit. Damit ist nicht gesagt, daß seine ganze Aufmerksamkeit sich notwendig gleichzeitig über Vergangenheit, Gegenwart und Zukunft erstrecken muß. Dies ist eine falsche Vorstellung, obwohl sie in bezug auf die Überseele richtig ist.

Die Ewigkeit kann nicht eine gleichzeitig vorhandene Folgenreihe sein, die sich zwischen zwei Punkten in der Zeit ausdehnt, wie unendlich weit diese auch von einander entfernt sein mögen. Sie ist auch nicht die Gesamtsumme der Übergänge von der Vergangenheit in die Gegenwart und von dieser wieder in die Zukunft — eine derartig verzerrte Ansicht ist ein falscher Schluß, der das ewige Leben mehr zu einem Schrecken als zu einem Segen machen würde, da der Unglückliche, der ihrer teilhaftig würde, dadurch einer Unmenge trauriger Erinnerungen, schrecklicher Vorahnungen und Gedankenbilder unterworfen wäre, die sich in seinem Innern häufen und ihm keinen Frieden lassen würden! Die Ewigkeit kann nur eine unabhängige Daseinsform sein, die alle Vorstellungen von «dann», «jetzt» und «nachher» gänzlich überschreitet. Sie ist ein ununterbrochenes Ganzes, ein unendlich sich ausdehnendes, erinnerungsloses Bewußtsein, nicht eine arithmetische Sammlung von Zeitformen. Sie ist die Quelle, aus der Vergangenheit, Gegenwart und Zukunft 'entspringen und in die sie wieder münden, *die aber, ob diese entstehen oder nicht, in sich selbst ruhend fortdauert*, weshalb die Frage nach der Zusammenrechnung der Zeit sich gar nicht erhebt. Die Ewigkeit ist der Hintergrund, der Himmel, über den die Zeit wie ein Blitzstrahl zuckt; keine arithmetische Summe von Blitzen aber wäre je groß genug, den ganzen Himmel auszumachen. Streiche die Zeit aus, und die Ewigkeit wird immer noch da sein.

Die Menschheit hat einen Teil der kosmischen Zeit zu praktischen Zwecken in Zeitabschnitte von Tagen, Monaten und Jahren eingeteilt, weil die Gedankenvorgänge, da sie aufeinanderfolgen, auch geteilt werden können. Die Ewigkeit aber, die einer tieferen Dimension angehört als der Gedanke und daher die Zeit überschreitet, kann nicht geteilt werden. Sie erlebt keine Folgen, sie ist niemals neu und erfährt nie die Übergänge von «dann» zu «jetzt» und «nachher». Die Ewigkeit ist *immer* hier; sogar in diesem gegenwärtigen Augenblick ist sie um uns; auch in ihm ist sie enthalten. Sie ist statisches Sein, während die Zeit das bewegliche Filmbild des Werdens ist.

Tief im Innern eines jeden Sternes ist eine Gegend, in der die Energie ihre Richtung verliert und wo das, was die Physiker «thermodynamisches Äquilibrium» nennen, herrscht. Aber das hindert den Stern nicht, seinen Kreislauf durch den Raum zu vollenden. Während das in Form ständiger Aufeinanderfolge sich vollziehende Leben der Gedanken einen Zeitsinn voraussetzt, ist dieser in dem bewegungslosen, statischen Leben des in der Ewigkeit ruhenden Überselbst aufgehoben; trotzdem aber handelt es sich dort nicht um «totes Sein». Es muß im Gegenteil *wirkliches* Leben sein, weil es der wahre Kern der Selbstheit und das eigentliche Wesen des Bewußtseins ist. Selbst und Leben sind sinnverwandte Begriffe; denn in einer Leiche wäre kein Erleben des Selbst möglich.

Überdies ist dieses Leben unvergänglich und geistig, da es nicht den Wechseln der materiellen, begrenzten Formen unterworfen ist.

Nebenbei gesagt, ist der endlose Streit zwischen den Verteidigern der Lehre von der Freiheit des Willens und denen der Lehre von der Unabänderlichkeit des Schicksals gegenstandslos und wird niemals entschieden werden können, da sowohl der Wille wie das Schicksal des Menschen schließlich aus dieser gleichen Region des Überselbst stammen. Das Dilemma ist gänzlich vom Menschen geschaffen und existiert nicht in der Natur. Die Ereignisse erscheinen in unserm Leben als die Folgen einer zweifachen Ursache, die selber endlich in einer Einheit aufgeht.

So ist also die *bewußte Teilnahme* an dem immerwährenden Leben des Überselbst die glorreiche Möglichkeit, die sich unserm Blick eröffnet — ein Leben, welches das Leiden in seiner Quelle vernichtet und die Wurzel des Irrtums entfernt.

Die Frage, die zunächst auftaucht, ist nun: Wie kann dieses Leben realisiert werden? Auf welchem Wege gelangt man in die höhere Dimension des Seins?

Dieser Weg soll auf den folgenden Seiten in den Analysen, den Vorbereitungen und Übungen und endlich in der höchsten Vollendung freiwilliger Selbsthingabe an das Überselbst entwickelt werden. Das Hauptmerkmal dieser Übungen wird der rechte Gebrauch der geistigen Stille sein; sie stellt den Schlüssel dar, der das Tor der Ewigkeit öffnet.

Der gebildete Europäer wird nicht imstande sein, die Grenzen der Zeit zu überschreiten — das Reich sterblicher Dunkelheit für das Reich geistigen Lichtes zu verlassen —, wenn er nicht bereit ist, Ideen zu begreifen und Übungen aufzunehmen wie jene, die ihm hier eröffnet werden, und in Ermangelung deren das tägliche Denken meistens den Denker nicht in die verborgene Wahrheit einzuführen vermag.

Es ist gezeigt worden, wie die ununterbrochene Bewegung des Verstandes den Zeitsinn hervorruft und unsern Eintritt in das zeitlose Absolute aufhält.

Demnach sollte man durch Überwindung dieser Bewegung auch die Tyrannei der Zeit überwinden können.

Der Gegensatz der Bewegung ist Ruhe. Der Gegensatz der Zeit ist Ewigkeit.

Man muß daher suchen, diesen Zustand der Ruhe zu pflegen, der seelischen wie der physischen, wenn man die Zeit überwinden möchte. Bewußtsein als mentalisierte Bewegung = Zeit; Bewußtsein, das in sich selbst verharrt, in einer Ruhe so tief wie eine tiefe, von Wellen nicht bewegte See = Ewigkeit.

Wenn man den Kreislauf des Intellekts anhalten, alle Gedanken auf den ursprünglichen Ichgedanken zurückführen und diesen in mentale Stille auflösen könnte, würde man sogleich von der Verhaftung an die Zeit befreit sein. Ein Hauch von Unsterblichkeit würde seinem ganzen Wesen anhaften.

Wenn man das Suchen und die Beobachtung des Verstandes *nach innen* auf diesen selbst richten würde und ihn auf seinen *eigenen* Ausgangspunkt, den Ichgedanken, zurückverfolgte, würde man in die daraus erfolgende Stille hineinleiten und so dieses Ziel erreichen.

Somit haben wir den Schlüssel gefunden. Aus der Stille, der der Gedanke entsteigt, erhebt sich die erste mentale Vorstellung — «Ich». Wir müssen diesem Faden folgen, wie ein Hund seinem fernen Herrn mit dem Geruchsinn folgt und ihn unfehlbar findet. Wir müssen nun unsere ganze Aufmerksamkeit aufbieten und sie auf diesen Ichsinn, diesen Ichbegriff, konzentrieren und entschlossen die Annäherungsversuche aller andern Gedanken und Erinnerungen zurückweisen. Wenn wir dies richtig ausführten, würde der Versuch uns schließlich in die Stille zurückführen, und wir würden dort das unfaßbare, geheimnisvolle Überselbst entdecken.

Die eigentliche Anstrengung, die Gedanken zu unterdrücken, setzt voraus, daß jemand da ist, der sie unterdrückt, das aber kann nicht der Intellekt selbst sein. Das

Ich liegt deshalb zweifellos in einer tieferen Schicht als das Denken.

Das Denken ist nur ein Schritt auf diesem Wege. Es ist hier ähnlich wie bei einem Postwagen, der den Reisenden in das weit ausgedehnte Land des Wissens von irgendeinem unbedeutenden Dorfe aus zu der nächsten Eisenbahnstation bringen soll. Wenn der Reisende erst bequem in einem Eisenbahnabteil sitzt, hat er keine Verwendung mehr für den Postwagen. Ebenso ist es bei der Suche nach dem Überselbst: Wenn die Arbeit des Gehirns den Menschen zu einem bestimmten Punkte seines Ausblicks und seiner Haltung dem Leben gegenüber gebracht hat, ist er zu dem weiteren Schritte bereit, das Denken ganz und gar aufzugeben und sich einer andern Art von Bewußtsein zuzuwenden. Das Denken hat dann seinen Zweck erfüllt, und es über diesen Punkt hinauszuführen, würde nicht nur ein rein negatives Verfahren sein, sondern den weiteren Fortschritt tatsächlich verzögern.

Jeder, der seine Analyse mit Konzentration und Festigkeit bis zu diesem Punkte bringt und gewillt ist, die besonderen, in den folgenden Kapiteln beschriebenen Übungen aufzunehmen, die über ihn hinausführen, kann tatsächlich die Selbstheit in ihrem tiefsten Sinn als eine Wirklichkeit erleben, die von den Schwankungen der Laune, der Emotion und des Intellekts gänzlich geschieden ist. Die Möglichkeit wird dann zur Wirklichkeit, wenn auch nur für einen Augenblick. Aber einmal erlangt, kann diese Erfahrung immer von neuem wiederholt werden, bis die innere Harmonie eines solchen Lebens eine neue Sicht schafft. Und dieser wunderbare neue Zustand wird enthüllen, wie falsch jene theologische Auffassung ist, die das ewige Leben des Himmels in eine unendliche und grenzenlose Ausdehnung endlicher Zeit umkehrt. Der Himmel flatternder Engel und singender Einwohner ist eine an die Zeit gebundene Kombination. Denn die Zeit setzt Bewegung voraus — entweder des Bewußtseins, des Denkens oder physischer Tätigkeit —, während das höchste Merkmal der Ewigkeit gänzliche Stille ist. Alle andern Vorstellungen dieses Zustandes sind falsch. Und dieses ewige Leben kann auf der vertrauten Erde gefunden werden; denn der menschliche Geist beherbergt sowohl die Zeit wie ihren Gegensatz.

Die Macht, diesen Weg zu verfolgen, liegt in uns allen. Der Strom des menschlichen Denkens kann dazu gebracht werden, sich seiner erhabenen Quelle wieder zuzuwenden. So kann man über den Styx hinübergesetzt werden, der zwischen der Welt der Zeit und der Welt der Ewigkeit fließt.

Wenn die stillschweigenden Folgerungen dieser Methode und noch mehr die erstaunlichen Ergebnisse, die sie in der Psychologie des zwanzigsten Jahrhunderts hervorbringen wird, voll erfaßt und verstanden sein werden, werden wir eine Revolution des Denkens erleben, nicht weniger epochemachend als die, welche die Relativitätstheorie Prof. Einsteins in der Physik des zwanzigsten Jahrhunderts verursachte. Wir stehen sozusagen schon auf dem Gipfel materiellen Wissens; aber der Eintritt in diese neue Methode wird uns *eine ganze Welt vernachlässigter Wahrheit offenbaren, die das Universum als seltsames Paradoxon Gottes und den Menschen als Gottes geheime Ausstrahlung zeigen wird.*

Viele Philosophen vergangener Zeiten haben unnötigerweise und willkürlich den Geist in enge Grenzen eingeschlossen, während andere nicht wußten, daß der Achilles des Intellekts eine verwundbare Ferse hat.

Ein neuer Horizont geht uns auf, wenn wir diese Tatsache verstehen lernen, wenn wir einsehen, daß ein zeitloses Dasein, d. h. ein *ewiges Dasein*, durch die innere Regulierung des Denkens erreicht werden kann. Zugegeben, daß die Aussöhnung zwischen einem zeitlos Absoluten mit der Welt der durch die Uhr markierten Zeit außerordentlich schwierig ist und daß nur ein Meister des Yoga *wirklich* dazu imstande ist. Aber es ist die Möglichkeit, die der Menschheit durch ihre größten Lehrer aufgezeigt wurde, und ihr Geheimnis liegt in dem Verständnis, daß der gegenwärtige Augenblick die Ewigkeit als dauerndes Grundmotiv enthält, und im Erfassen der Tatsache, daß hinter dem beweglichen Intellekt immerfort die große Ruhe liegt.

Der Intellekt arbeitet wie eine Maschine, die fortwährend unser Bewußtsein in eine endlose Reihe einzelner Gedanken und Empfindungen trennt. Er spaltet unsern inneren Sinn des Seins in verhältnismäßig kleine Abschnitte von Jahren, Monaten und Tagen und macht uns so zu Gefangenen der Zeit, während wir in Wirklichkeit Kinder der Ewigkeit sind. Was er auch erfaßt, wird unter dieser Begrenzung und durch das Mittel der Zeit erfaßt. Es ist wichtig, zu verstehen, daß diese abgetrennten Teile im wirklichen Selbst enthalten sind und vom Bewußtsein des Überselbst während jedes Augenblicks der Gegenwart wahrgenommen und durchdrungen werden, und daß, *wenn es anders wäre, die Menschheit sich nie dieser Verschiedenheiten von Gedanken und Eindrücken bewußt werden könnte.*

Wenn wir unser Gefühl, in der Zeit zu sein, lähmen könnten, würden wir ohne Schwierigkeit zu dem Gefühl, in der Ewigkeit zu sein, erwachen. Jene erhabenen, schweigenden Augenblicke, in denen wir die Ketten der Zeitlichkeit abwerfen und in Verehrung vor dem Überselbst sitzen, könnten so in die Unendlichkeit ausgedehnt werden.

Da die Zeit ein Produkt des Verstandes ist und nicht von irgend etwas außer uns Liegendem, ist der Weg, um ihre Begrenzung zu lähmen, auch der, *zuerst* den Intellekt zu lähmen und den Geist absolut *still* zu machen. In dem Augenblick, wo wir uns über die Tätigkeit des Denkens erheben, erheben wir uns in eine übernormale, x-dimensionale Region, in der unsere Vorstellungen der Gefangenschaft durch die Zeit verschwinden.

Es ist die geheimnisvolle Region, die Vergangenheit, Gegenwart und Zukunft gleicherweise verschlingt! Hier allein kann «*das Ewige Nun*» des Hinduweisen gefunden werden.

Viele werden geltend machen, daß eine solche Gedankenkontrolle unmöglich sei und daß diese Begriffe eines göttlicheren Lebens des Menschen rein illusorisch seien. Ihre Behauptungen sind richtig genug von ihrem begrenzten Standpunkt aus; aber warum sollte man solche Beschränkungen annehmen? Warum sollte man in einem Kerker bleiben, wenn einem ein Schlüssel in die Hände gelegt ist, der Schlüssel, der das Tor des Geistes öffnet und ihn in die weiten Räume der Freiheit einläßt? Der Mensch sollte sich nicht durch landläufige Doktrinen hypnotisieren lassen. Ideen, die heute im Umlauf sind, werden oft die zurückgewiesenen von morgen sein, und nur die Menschen, die sich im voraus von ihrer eigenen Epoche emanzipiert haben, können anderen helfen, dasselbe zu tun.

Der menschliche Geist muß sich gegen sich selbst auflehnen, wenn er eine vollständige und nicht bloß teilweise Einsicht in die Natur der Dinge erlangen möchte. Die gewohnte egozentrische Haltung ist natürlich; aber sie ist nicht der letzte Standpunkt, der dem Menschen offensteht. Die Ewigkeit ist nur dem höheren «Ich» offen. Der Preis, den wir zahlen müssen, um sie zu finden, ist der, das niedere «Ich» aufzugeben — jenes Ich, das die Sekunden und Monate zählt und sich gänzlich mit dem Körper identifiziert. Geistige Stille ist das Mittel hierzu. Die Wurzel dieses höheren «Ich» ist in uns; das innere Hindernis liegt ebenfalls dort.

«Du kannst nicht über den Ozean reden mit einem Brunnenfrosch — dem Geschöpf einer engeren Sphäre. Du kannst nicht über den gedankenfreien Zustand reden mit einem Pädagogen; sein Horizont ist zu beschränkt», bedauerte der einsichtige Chinese Chuang-Tse.

Der Versuch, die Möglichkeit eines gedankenfreien, zeitlosen Daseins jemandem anzudeuten, der keine Vorstellung oder Erfahrung außerhalb der Grenzen der Zeit besitzt, ist mit größten Schwierigkeiten verbunden. Eine solche Welt ist dem Durchschnittsmenschen wirklich ganz unvorstellbar, der sonderbarer-, aber natürlicherweise annimmt, daß, weil er in der überwältigenden Mehrzahl ist, er auch der normale Mensch sein müsse, der Mensch, wie die Natur ihn haben möchte. Aber der Versuch trägt seinen Wert in sich; denn er zieht die, welche ihn beachten, zu schlummernden Regionen ihres Geistes. Gerade ihre Anstrengungen zu begreifen, die scheinbar anfangs so eitel und vergeblich sind, gebären die dämmernde Intuition. Denn unsere eigene Natur enthält sowohl die Fesseln, die uns an unvollständige und falsche Meinungen binden, als auch die Mittel, uns von diesen Fesseln zu befreien. Wer sich ernsthaft darum bemüht, den ganzen Inhalt dieser Behauptungen zu erfassen, wird zu gegebener Zeit feststellen können, daß eben diese Anstrengungen einen magischen Wert besitzen; sie werden mitwirken, einen neuen Sinn in ihm zu wecken.

Um darauf zurückzukommen: Es gibt die Ewigkeit. Doch der Preis, den wir zahlen müssen, um sie zu erkennen, ist die innere Herrschaft über die immer fließenden Gedankenströme. Der Verstand schafft die Zeit; das Überselbst absorbiert sie, wenn immer es den Verstand absorbiert.

Man muß sich eine neue Art, die Dinge zu betrachten, aneignen und eine neue Gewohnheit: nämlich die zeitloser, innerer Ruhe. Man muß lernen, zwischen vorübergehenden Empfindungen und dauerndem Leben zu unterscheiden, *selbst während beide gleichzeitig in uns existieren.* Der Geist sollte befreit werden von dem Zurückblicken auf die verstaubte Vergangenheit oder dem Vorausschauen in die versiegelte Zukunft und sich nicht durch den flüchtigen Augenblick fortreißen lassen. Er sollte lernen, wirklich intuitive Gedanken zu verstehen, die das Empfinden der inneren Stimme des Absoluten sind. Obgleich man die Idee der Ewigkeit nicht direkt mit dem Verstand erfassen kann und notgedrungen seine Zuflucht zu einem bildlichen Ausdruck nehmen muß, kann man sie dennoch indirekt verstehen, wenn man den Verstand als Sprungbrett benutzt. Wenn der Sprung gelingt, wird die Ewigkeit unzerstörbar im Herzen verbleiben, weil man mit ihr eins geworden ist.

Diesen höheren Ausblick muß man erreichen und im Ewigen leben, in jener inneren Gelassenheit, die gestern, heute und morgen die gleiche bleibt und durch keine Wechselfälle berührt wird. Das bedeutet keine Weigerung, aus den Lehren der Vergangenheit Nutzen zu ziehen, und es bedeutet auch nicht, sich achtlos durch die Gegenwart zu bewegen. Es ist damit eine *immerfort* zugrunde liegende Stetigkeit im Mittelpunkt unseres bewußten Seins gemeint, die weder die Erinnerungen der Vergangenheit noch gegenwärtige Taten vorübergehender Natur erschüttern können — eine Stetigkeit, die sich der Rückschau oder Voraussicht hingeben kann, ohne das Opfer einer der beiden zu werden. Aber meistens wird ein solcher Mensch nicht mehr über die Ereignisse nachgrübeln, sobald sie vorüber sind. Ihre mentalen Eindrücke werden von ihm abfließen wie das Wasser von dem Rücken einer Ente. Denn es ist besser, gleichgültig gegenüber der Zukunft zu sein, wenn der Lohn ewiges Leben ist; es ist vorteilhafter, die Vergangenheit zu vergessen, wenn der gleiche Lohn folgen wird. So kann man weitergehen, unbeeinflußt durch Selbstvorwürfe und unerregt durch spekulative Hoffnungen.

Das Studium seiner selbst löst sich also schließlich in das Studium seines Intellekts und dieses wieder in das des Bewußtseins auf, und das Bewußtsein seinerseits wird zuletzt als die seraphische und geheime ewige Ausbeutung der Gegenwart ersichtlich, als die Verschmelzung jedes Augenblicks mit der Ewigkeit. Dies ist das göttliche Leben, das uns über die Zeit hinausträgt.

Es bleibt schließlich noch die religiöse Seite der Zeit übrig. Bietet sie eine Bestätigung dieser Ideen? Betrachten wir zunächst das Alte Testament.

Als sich Moses in der Gegenwart Jehovas, seines Gottes, befand, fragte er, was er dem Volke Israel sagen sollte, wenn er als ihr Führer zu ihnen zurückkehrte. «Siehe, wenn ich zu den Kindern Israels komme und spreche zu ihnen: ‚Der Gott eurer Väter hat mich zu euch gesandt', und sie mir sagen werden: ‚Wie heißt sein Name?' — was soll ich ihnen sagen?» war die erste seiner Fragen, und Gott antwortete Moses aus etwas, das wie ein brennender Busch erschien: «*Ich bin, der ich bin»*, und weiter: «Also sollst du zu den Kindern Israels sagen: ,*Ich bin* hat mich zu euch gesandt'.»

Nun bekunden Vergangenheit und Zukunft Veränderung, *Zeit*, während «Ich bin» die ewige Gegenwart bezeichnet. Daher wird in diesem kostbaren Ausspruch Jehovas die Gegenwart gebraucht; denn sie *allein* — wenn sie in ihrer ganzen Tiefe verstanden wird — deutet auf die Ewigkeit hin. Bei Gott gibt es keine Zeit. Daher auch die weitere Erklärung: «... welcher ist, welcher war und welcher kommen wird, der Allmächtige». Wir können sogar noch tiefer in diesen geheimnisvollen Satz eindringen. Denn «Ich bin, der ich bin» bedeutet letzten Endes einfach: ich. *Es ist eine Art zu sagen, daß das «Ich» des Menschen das göttliche Element in ihm und folglich ewig ist.*

Weiterhin im gleichen Buche sagt der Psalmist: «Sei stille und wisse, daß ich Gott bin.» Gott wohnt für immer in der unveränderlichen, stillen Ewigkeit.

Daher wird die Herrschaft über sich selbst durch die Stille einen in das Reich der Ewigkeit mit Gott führen: Man wird dann an seinem ewigen, vor der Zeit gesicherten Leben teilhaben.

Dann können wir in das Neue Testament blicken, wo das 10. Buch der Offenbarung seine höchsten Flüge nimmt, wenn der mächtige Engel, der *vom Himmel* herabkam, erklärt: «daß hinfort keine Zeit mehr sein soll».

Was kann der in diesem Satz angedeutete Zustand sein, wenn nicht der der Gewahrwerdung immerwährenden Seins?

«Jetzt ist der Tag des Heils», drängte der Apostel Paulus in seiner Epistel an die Korinther. Er wußte, daß man nicht bis zum Tode auf das ewige Sein zu warten braucht.

Wir können auch die Worte Jesu selber lesen.

Er erklärte den Juden, die sich hochmütig rühmten, daß sie die Nachkommen Abrahams seien: «Abraham, euer Vater, war froh, daß er meinen Tag sehen sollte; und er sah ihn und freute sich.» Da sprachen die Juden zu ihm: «Du bist noch nicht fünfzig Jahre alt und hast Abraham gesehen?»

Jesus sprach zu ihnen: «Wahrlich, wahrlich, ich sage euch: *Ehe denn Abraham ward, bin ich.*» Er sagte nicht: «war ich», sondern *«bin ich»*. «War ich» bezieht sich auf die Zeit; aber *«bin ich»* stellt die unveränderliche Wirklichkeit dar.

Und der tiefe Sinn des Rates, den Christus seinen Jüngern gab: «Es ist genug, daß ein jeglicher Tag seine eigene Plage habe» ist ebenso eine Einschärfung, außerhalb der Zeit zu leben, den Gedanken zu entrinnen, die uns gefangenhalten, wie sein anderes Gebot: «Darum sorget nicht für den andern Morgen, denn der morgige Tag wird für das Seine sorgen.» Die Sorgen für die Zukunft hinter sich zu lassen, aufzuhören, vorwärts oder rückwärts zu schauen, bedeutet: in ein neues Leben zeitloser Wirklichkeit einzutreten und den Geschmack wahrer Unsterblichkeit zu fühlen. So allein erhält der Weltprozeß seinen wahren Wert.

Das richtige Verständnis dieses Themas liefert uns den Schlüssel zu einem rätselhaften Aspekt der biblischen Schöpfungsgeschichte. Eine Anspielung darauf könnte in den «Konfessionen» des heiligen Augustinus gefunden werden, in denen er voraussetzt, daß die Schöpfung nicht *in* der Zeit begann, sondern *mit* der Zeit; d. h. es gab keine Zeit vor der Schöpfung.

Aber Tausende von Jahren, bevor der Finger des Christentums das Buch der Geschichte berührt hatte, lebte im alten Ägypten jene bemerkenswerte Religion, die sein Vorgänger war. Dieser entschwundene Kult verhielt sich nicht schweigend zu dem gleichen Thema. Seine heiligste Schrift, das *«Buch der Toten»*, welches Formeln so gemischten und mystischen Charakters enthält, daß die allerwichtigsten Stellen nur durch Beziehung auf die Lehre und Ausübung der Mysterien eigentlich verstanden werden können, sagt von dem «dahingeschiedenen» Eingeweihten, der mit Osiris vereint, d. i. geistig wiedergeboren war, daß er bezeugt:

«Ich bin gestern, heute und morgen. Ich bin die göttliche, verborgene Seele!» Ein solcher hatte das Bewußtsein ewigen Seins erlangt. Und ebenso bedeutungsvoll ist der hieroglyphische Satz, der, auf einem Papyrus geschrieben, seinen Weg über das Mittelmeer in das Louvremuseum in Paris fand, und welcher aussagt, daß Gott, die Erste Ursache, nicht nur die «Güte selbst», sondern auch «Herr der Zeit» ist, «der die Ewigkeit führt». Wenn man ferner in das frühe Ägypten gereist wäre, wie es der junge Plato einst tat, würde man über dem innersten Heiligtum des riesenhaften Tempels der Isis eine Inschrift gefunden haben, welche die bemerkenswerten Worte enthielt: «Ich bin das, was war, was ist und was kommen wird. Kein Sterblicher hat je meinen Schleier gelüftet.» Der Sinn des letzten Satzes ist nicht, daß ein ewiges Dasein nicht gefunden werden könne, sondern daß der Suchende zuerst das, was ihn an die Sterblichkeit bindet, d. i. sein vergängliches persönliches Ich, überwinden müsse. Und dies vermag er nur dadurch, daß er seine Gedanken überwindet. Und wenn der Reisende bis in das Heiligtum der Gottheit selbst hätte eindringen können, würde er sie dargestellt gefunden haben mit einem Hakenkreuz in ihrer rechten Hand, dem Symbol immerwährenden Lebens, und dem Schlüssel zu den Mysterien, in ihrer linken Hand ein viereckiges Bootssegel, Symbol des Atems und daher eine Entsprechung des Äthers, haltend, und das Haupt selbst mit ihrem Hieroglyphen, einem Throne, gekrönt. So würde Isis sich ihm dargestellt haben als die in ewigem Sein Thronende.

Auch im Hinduismus finden wir die gleiche Wertschätzung des Geheimnisses, «das die Zeit verbirgt». So sagt ihre heilige Schrift, der Veda: «Dieser höchste Geist war, ist und wird sein.» Doch untersuchen wir noch weiter diese tausendjährigen Palmblatttexte der Veden: «Ewig und unveränderlich ist der höchste Geist», erklären sie, und für den, der noch einen Zweifel über diesen Gegenstand hegen könnte, behaupten sie einfach: «Was den Raum und die Zeit überschreitet, ist der höchste Geist.»

Wir können noch in ein anderes heiliges Werk der Hindu hineinschauen: in das berühmte Handbuch der Yogis, *Des Erhabenen Gesang* (Bhagavad Gita). Darin spricht Krischna, der Hindu-Christus, zu seinem vor Ehrfurcht erschauernden Jünger Arjuna und erzählt, wie er diese Wahrheiten geistigen Wissens die Weisen, die vor langen Jahrhunderten lebten, gelehrt habe, und setzt dann auseinander, daß dies möglich war, weil «ich der Ungeborene bin, die Seele, die nicht stirbt».

Die mathematische Figur der Unendlichkeit bilden zwei miteinander verbundene Kreise: ∞. Die Schriften der Hindus und andere uralte Schriften stellen die Ewigkeit unter dem uralten Symbol einer Schlange dar, die in ihren eigenen Schwanz beißt und so einen vollkommenen Kreis bildet. Wenn die Zeit sich auf sich selbst zurückwendet, wie die Schlange, wird sie zur Ewigkeit. Könnte in der Tat ein besseres Symbol für die Zeit ohne Beginn und Ende ersonnen werden als eine Linie, die zu ihrem Ausgangspunkt zurückkehrt, eine Linie, die sowohl ohne Anfang als auch ohne Ende erscheint, die, selbst unendlich, einen Teil endlicher Zeit einschließt? Vergangenheit, Gegenwart und Zukunft bilden einen vollständigen Kreis, den wir von irgendeinem beliebigen Punkte aus bereisen dürfen, ohne wirklich einen Anfang oder ein Ende feststellen zu können.

Sehr geistreich war jene Bemerkung des Mahatma Ramalingam, eines südindischen Adepten des 19. Jahrhunderts: «Die Zeit ist eine Erfindung des Verstandes», sagte er, «um seine eigene Tätigkeit, sein Rennen und Fliehen zu berechnen.»

Wenn wir endlich noch weiter nach dem Osten wandern und das dünne, klassische Buch des einst so berühmten, nun aber herabgekommenen Kultes des Taoismus durchblättern, das *Buch vom inneren Leben in der Tätigkeit* (Tao Teh King), mahnt uns dessen Prophet Lao Tse:

«Ruhe wird das Gesetz der Wiederkehr genannt,
Das Gesetz der Wiederkehr wird Ewigkeit genannt.
Die Ewigkeit zu kennen, wird Erleuchtung genannt,

159

Die Ewigkeit zu mißachten, heißt Unglück auf sich herab-
ziehen,
Die Ewigkeit zu kennen, heißt von großer Seele sein.»

So bestätigt der chinesische Prophet in weisen Worten,
daß das Wissen um die Ewigkeit möglich ist; er deutet an,
daß der Mensch nicht dazu verurteilt sei, in diesem zeitlichen
Leben gefangen zu sein, noch geistig so verarmt, daß das
Königreich des Himmels vor ihm verschlossen bleibe. Die den
bloßen Begriff der Ewigkeit mit Unbehagen betrachten und
meinen, daß das Leben eines Weisen, dessen Augen auf das
Ewige gerichtet sind, eine unendliche Langeweile bedeute,
sollten ein paar Monate in seiner Gesellschaft verbringen —
wenn sie so außerordentlich glücklich wären, einen solchen
unter seinem bescheidenen Äußeren zu erkennen. Die Erfahrung würde ihren Fehler korrigieren und ihre Unwissenheit
wiedergutmachen.

Das zeitlose Überselbst ist die unvergängliche Gottheit in
uns. Wir sind von königlicher Abstammung, finden uns aber
heute in die Lumpen eines Bettlers gehüllt. Wir könnten
wahrhaft unsterblich werden, die Jahre abwerfen und der
Zeit trotzen, wenn wir zu der Erkenntnis dieser Wahrheit
gelangen würden. Die Zeit, dieses Wissen zu erlangen, ist
jetzt, und der Ort ist hier.

7. Kapitel

Die Entstehung des Genies

Es gibt ein geistiges Phänomen, einen Zustand, in dem die höhere geistige Kraft, die geheimnisvoll über unserem bewußten Verstand im Überselbst wirkt, und die wirklich die eine, allumfassende Überseele ist, entschiedener zum Menschen zu sprechen und ihn in der Tat unter ihren direkten, wenn auch nur zeitweiligen Befehl zu nehmen scheint. Dieser Zustand kann mit Recht Inspiration genannt werden; er kann im Verborgenen und statisch bleiben, oder er kann sich dynamisch in einer bestimmten Form oder Schöpfung sichtbar offenbaren, wie in einem schillernden Werke der Kunst. Die Inspiration kann einen Menschen so zu religiöser Ekstase erheben oder ihn zu großen Leistungen führen oder ihn in einen schöpferischen Künstler verwandeln.

Wenn jemand die Grenzen der Mittelmäßigkeit auf irgendeinem Gebiete erfolgreich überschreitet, betrachten wir ihn im allgemeinen als eine inspirierte Persönlichkeit, als ein Genie.

Alle große Kunst, alle überlieferte geistige Offenbarung, jedes wirklich schöpferische Werk, alle neueren materiellen Erfindungen — soweit sie den Stempel der Genialität tragen — sind das Ergebnis eines spontanen Zustandes, in dem der Engel der Inspiration den Menschen bei der Hand faßt.

Wir sehen an dieser Einordnung, daß nichts außerhalb des weiten Rahmens der Inspiration liegt. Wir können nicht sagen, daß dieses oder jenes Ding zu materiell sei, um Gegenstand einer inspirierten Offenbarung zu werden. Die Inspiration ist ein lichtvoller Zustand, der sich allen Dingen gleicherweise zuwenden kann: dem höchsten Aufstieg des Geistes sowohl wie den genauesten Untersuchungen der materiellen Möglichkeiten unserer Erde.

Worin besteht genau genommen dieser seltene und bewunderte Zustand, der von so vielen angestrebt und von so wenigen erreicht wird? Untersuchen wir zunächst, wie er im Menschen zustande kommt, um später die in diesen Vorgängen enthaltene Philosophie zu suchen. Wenn wir den Fall eines großen Erfinders nehmen, der die Lösung eines technischen Problems sucht, und sein Leben einer psychologischen Prüfung unterziehen, werden wir feststellen, daß er wieder und wieder angstvoll und gequält über seinem Problem brütet und nachsinnt, bis die rechte Lösung, die ihm bisher ausgewichen war, zuletzt blitzartig in seinem Verstande aufleuchtet und dann seine Seele während ihrer Verkörperung vollständig umklammert hält. Mit anderen Worten: Er gerät durch seine Bemühungen und Anstrengungen in einen Zustand zeitweiliger Selbstkonzentration von immer schärferer Aufmerksamkeit und gesteigertem Interesse, bis seine Versunkenheit so tief wird, daß man wirklich sagen kann, er habe sich selbst und seine Umgebung über seinem Problem vergessen. Gewöhnliche Wahrnehmungen bleiben unbeachtet, und die Uhr hat aufgehört, für ihn zu existieren. Der Erfinder, der sich nicht zu seinen Mahlzeiten locken läßt, wenn er sich der Lösung seines Problems nähert, ist eine den Lesern von Biographien vertraute, wunderliche Erscheinung. Es ist bekannt, daß Erfinder sich oft während einer solchen Schwangerschaftsperiode in ihrem Laboratorium oder ihrer Werkstatt einschließen und sich weigern, irgend jemand zu sehen oder sich irgendwelchen andern Gegenständen zu widmen. Die Geburt ihrer Erfindung ist im Begriffe stattzufinden, und sie suchen die Einsamkeit auf in gleicher Weise, wie ein weibliches Tier einen einsamen Platz aufsucht, um seinem Kinde das Leben zu geben. Dies ist ein bemerkenswerter Beweis für den Grad der Vertiefung, in den diese Menschen ganz natürlich versinken, wenn sie um eine Offenbarung ringen, die über die gewöhnliche Reichweite des Verstandes hinausgeht. Sie sind vollkommen beherrscht durch etwas, das wie eine höhere Macht erscheint. Die wunderbarsten materiellen Erfindungen sind auf diese seltsame Weise gemacht worden.

Wir dürfen solche Versunkenheit nicht als einen Zustand übermäßiger Beschäftigung mit sich selbst betrachten und annehmen, daß der Erfinder bloß in seinen kleinen persönlichen Angelegenheiten mit Ausschluß alles andern aufgehe. Im Gegenteil: Je weiter er in seinem Geiste auf das Ziel zuschreitet und je mehr er darüber nachsinnt, desto weniger ist er mit Gedanken an sein persönliches Ich beschäftigt, obschon er paradoxerweise mehr in sich selbst zurückgezogen scheint. Der Preis, den er für die Lösung seines Problems zahlen muß, ist gerade der Preis absoluten Selbstvergessens. Er wird mit seinem Problem eins — so vollkommen ist seine Konzentration —, und während er das wird, löst er sich von seinem eigenen Ich. Ist aber die Entdeckung einmal gemacht und vollendet, so springt sein Geist mit um so größerer Kraft in das alte Geleise zurück, und der vorherige Zustand inspirierter Unpersönlichkeit verschwindet. So können wir sagen, daß der Zustand der Selbstvergessenheit eine höchst wichtige Bedingung der Inspiration sei.

Ähnliche Beweise für diese Wahrheit können wir unter den Genies auf den Gebieten der Kunst finden. Der Komponist, der sich darum müht, die Echos jener unendlichen Schönheit, die wie eine herrliche Sinfonie auf die Erde herabflutet, in sich selbst zu vernehmen, sucht ganz natürlich zu solcher Zeit die Einsamkeit auf. Nicht selten weist er Nahrung und alles übrige zurück, in der konzentrierten Aufmerksamkeit, die notwendig ist, um diese Echos aufzufangen. Es ist hier von wirklicher Musik die Rede, wie sie aus dem innersten Herzen des Menschen hervorgeht und es berührt, und noch lange dort verweilt, nachdem die letzte Note gehört worden ist, wie etwa jene letzten Viertel von Beethovens «Kreutzersonate». Der Komponist, der seiner Berufung treu ist, der seine Aufgabe ernst nimmt, wird sich nie durch die zahlreichen Zerstreuungen der Welt verlocken lassen, wenn er den Wink der Inspiration fühlt. Ja, es kann statt dessen geschehen, daß er einen ausgesprochenen Widerwillen gegen weltliches Tun in sich fühlt und für eine Zeit so streng und asketisch entsagend lebt, wie es nur irgendein alter Eremit je getan hat.

Was geht mit ihm vor in der Stille seines Zimmers während der göttlichen Augenblicke, in denen die Inspiration seine mühevolle Arbeit belohnt? Könnte man nicht sagen, daß er so gespannt darauf aus ist, jene leisen Töne uneingeschränkt zu vernehmen, daß er zum bloßen Instrument geworden ist, das von einer andern Macht gespielt wird? Kann man nicht ebenso feststellen, daß er seine eigentliche Persönlichkeit, seine Familie, seine Freunde oder seine Pflichten vergessen hat durch diese absolute Hingabe an die Musik, die in ihn hineinflutet, und in die er *sich selbst verloren* hat? Was ist dies alles, wenn nicht ein Aufgeben des hemmenden Ich?

Die wirklich talentierte, geistvolle Tänzerin wird die gleiche hingerissene Versunkenheit in ihren graziösen, spontanen Bewegungen enthüllen, die das Kennzeichen ihres Genies sind. Je vollständiger sie ihre bewundernden Zuschauer vergißt, desto tiefer erfaßt sie ihre wahre Mission als Trägerin der Schönheit, die symbolisch auf die letzte Schönheit hinweist, nach der jene unbewußt suchen.

Wenden wir uns dem Werke des Malers und Bildhauers zu, so können wir dasselbe auffallende Phänomen beobachten. Ein wirklich inspirierter Maler, der, seine halbfertige Arbeit studierend, stundenlang mit dem Pinsel in der Hand vor der Staffelei steht, hin und wieder rasche Pinselstriche auf die Leinwand macht, die er mit den farbigen Verkörperungen seiner Phantasie und Beobachtung bedeckt hat, ist sich der verfließenden Zeit nicht bewußt, noch der Geräusche und Vorgänge außerhalb seines Ateliers. Jeder Maler, der über die Natur der Kunst, die er ausübt, nachgedacht und geurteilt hat, wird zugeben, daß er in solchen strahlenden Augenblicken tief und glücklich lebt — um so glücklicher und tiefer, je absorbierter er ist. Solche Stunden der Eingebung sind der eigentliche Lohn des Künstlers; denn sie schenken ihm eine milde, aber tiefe Ekstase, für die öffentlicher Beifall oder hohe Protektion nur ein schwacher Ersatz sind. Die eigentliche Freude an seinem Werke stammt unbewußt aus dem zeitweiligen Vergessen seiner selbst.

Es ist notwendig, daß der Künstler sich ganz in sein Thema hineinwirft und wie auf den Fluten eines Stromes fortgetragen wird. Um dies wirklich zu erreichen, muß er alles andere vergessen. Er muß alle jene Forderungen an Zeit und Gedanken, die den andern Bezirken seines menschlichen Lebens entstammen, zum Schweigen bringen und in einen Zustand geistiger Stille eingehen. Solche Ruhe, solches Schweigen seines persönlichen Ich führen ihn zu der Quelle, aus der alle Kunst entspringt, und die ihm erlaubt, ein großes Kunstwerk zu schaffen. So konnte Carlyle seine schroffen Sätze mit einer kleinen Stilblüte wie dieser schmücken: «In allen wahren Werken der Kunst wirst du die Ewigkeit wahrnehmen, die durch die Zeit hindurchblickt als das sichtbar gewordene Göttliche.» Das Lächeln einer Madonna, wie es auf dem bekannten Bilde von Raphael dargestellt ist, mag mehr überzeugen als ein Dutzend theologischer Predigten. Wer weiß, wie viele Skeptiker sie mit einer neuen Ahnung von dem Wert der Religion beunruhigt hat?

Wir müssen hier zwischen Talent und Genie unterscheiden. Das Genie allein ist inspiriert und schafft mit triumphierender Spontaneität der Produktion; das Talent ist etwas, das durch die Meisterung der Technik entwickelt wird. Die Technik seines Handwerks muß der Künstler selbstverständlich in seinen jüngeren Jahren erworben haben, was ihn bis zu einem gewissen Grade zum Eingeweihten der von ihm gewählten Ausdrucksform macht; doch das ist nur die Vorbereitung. Die Technik ist für die materielle Ernährung aller Kunst notwendig. Der große Künstler hat es nicht weniger nötig, sie im Griff zu haben als seine Nachahmer. Genie und Talent müssen sich vermählen, um der hungrigen Welt ein Festmahl zu bereiten. Das Genie, das nie die Technik seiner Kunst studiert hat, kann kein gutes Werk hervorbringen; aber anderseits wird auch der talentierte Mensch ohne innere Quelle der Inspiration kein überragendes Kunstwerk schaffen. So ist es, wenn wir uns einen Augenblick der Betrachtung der Literatur zuwenden, für einen gewandten Schriftsteller leicht, seine Abschnitte kräftig mit Rot zu färben und sein Buch dann auf dem Altar des Olymps dem Genius zum Opfer darzubringen. Aber die Götter verachten die falsche Gabe und schleudern sie in die Welt der Menschen zurück, wo, wenn sie auch begeistert aufgenommen und von tausend Stimmen begrüßt worden war, ihr Leben schließlich wie eine zerrinnende Kerze aufflackern und verlöschen wird. Geschicklichkeit allein genügt nicht — schöpferische Erleuchtung ist ebenfalls nötig.

Ein bekannter französischer Maler sagte den Schülern seines Pariser Ateliers: «Lernen Sie Ihre Technik beherrschen, und dann vergessen Sie alles, was damit zu tun hat.» Er wußte, daß, was für eine künstlerische Arbeit man auch aufnehmen mag, man zuerst alle sie betreffenden Regeln und Einzelheiten meistern muß, bis sie tief in das Unterbewußtsein gesunken sind. Ist das geschehen, muß man sich nach innen wenden und nach der Inspiration trachten, die erscheinen und durch die formale Technik hindurchleuchten muß. Wenn man die Regeln seines Handwerks nicht vergißt und ängstlich wieder und wieder an sie denken muß, wird man nur ein talentierter Mensch, aber kein Genie sein. Wenn jemand sich fortwährend auf die Regeln der Technik beziehen muß, um ein Kunstwerk zu schaffen — mag Gott ihm helfen! Inspiration ist das Wesentliche. Sie versetzt den Künstler in einen Zustand schöpferischer, aber stiller Ekstase. Sie befreit ihn von den engen Begrenzungen der Nerven und des Gehirns.

Der inspirierte Künstler wird sich seine eigene Vorstellung von einem Gegenstand bilden, die wahrer sein wird als die stereotypen Produkte der Kunstschulen, während seine Erzeugnisse auffallend überlegener sein werden.

Die Japaner eines weniger kaufmännischen Zeitalters als das jetzige besaßen in ihrer Sprache einen bezeichnenden Ausdruck für die Idee der künstlerischen Erhebung: das Wort *fu-in*, das wörtlich «Windinspiration» bedeutet. Wenn ein künstlerisches Werk unter dem Einfluß dieser Inspiration erfolgreich ausgeführt worden war, wurde gesagt, daß es *kokoromochi* besäße, was wörtlich «herzenthaltend» bezeichnet. Sie meinten mit diesen Ausdrücken eine Erhebung, die das Resultat göttlicher Manifestation sei, etwas, das dem Künstler durch den Schöpfer mitgeteilt worden sei. Sie behaupteten, daß eine solche künstlerische Inspiration weder auf einen andern Menschen übertragen noch durch Fleiß und Anstrengung erworben werden könne; denn sie werde durch göttliche Gnade und auf keinem andern Wege verliehen. Sie war die Eigenschaft, die sie in ihren am höchsten geschätzten Kunstwerken suchten, in ihren anmutigsten Malereien, deren Schönheit wie aus Regenbogenfäden gesponnen schien. Heute ist leider diese Haltung geschwunden; sie sind viel weniger kritisch geworden und mehr geneigt, glänzenden Flitter statt echte Zeugnisse der «Windinspiration» anzunehmen.

Bei den Hindus gibt es überlieferte Schriften, die «Silpa Shastras», die praktische Regeln zur Verwirklichung des Ideals geistiger Schönheit durch die Ausübung der technischen Künste und Kunsthandwerke vorschreiben. Die ersten Künstler und Kunsthandwerker, die in früheren Zeiten an den Tempeln angestellt waren, übten ein Yogaverfahren aus, bevor sie ihre Arbeiten an diesen Gebäuden ausführten. Erst nachdem sie ihren Geist in die geeignete Verfassung intensiver Konzentration gebracht hatten, war es ihnen erlaubt, mit ihrer Malerei oder Bildhauerei anzufangen. Die Inspiration war der Faden, auf den diese schöpferischen Künstler die Perlen ihrer hervorragend schönen Werke aufreihten.

Wir können uns nun den Bedingungen der Inspiration auf dem Gebiete der Dichtkunst und Literatur zuwenden. Jedes Land kann seinen Beitrag inspirierter Dichtungen liefern und zeigt dadurch, daß diese Eigenschaft universal ist, dem Menschengeschlecht innewohnt und weder das Produkt westlicher Zivilisation noch gescheiter Neuzeit ist. Im Orient stehen hundert Titel zur Verfügung, deren jeder an der Spitze wirklich inspirierter Werke steht. Die weisen und witzigen Gedichte Sadis, die ekstatische Prosa des *«Lawaih»* von Jami, die lyrischen Gesänge des stämmigen Sikh Bhavir Singh, die mystischen Erzählungen des «Mathnavi» und der kostbare *«Rubáiyát»* von Omar Kayyám, ebenso wie die musikalisch-rhythmische Übersetzung von «Des Erl.abenen Sang» (Bhagavad Gita) von Sir E. Arnold bieten einige auserwählte Beispiele, welche von erleuchteten dichterischen Bildern überfließen, die die eigentliche Sprache der Seelenwelt sind.

Das gleiche Verlangen nach Abgeschlossenheit ist auch hier sichtbar, wie im Falle des technischen Erfinders und des Komponisten. Es bedeutet, daß ein Prozeß psychologischer Nachinnenwendung stattfindet, und der geniale Schriftsteller, der eine zeitlose Feder zu führen sucht, wird jedes Eindringen in seine Einsamkeit während eines schöpferischen Zeitraumes, da die Gedanken ihm zuströmen, unbedingt übelnehmen. Balzac schloß sich während solcher Zeiten in sein Zimmer ein, arbeitete Tag und Nacht und ließ seine Mahlzeiten vor der Türe hinstellen, damit er diese nachher aufschließen und seine Nahrung ungestört durch die Gegenwart anderer zu sich nehmen könne.

Man braucht nur ein so außergewöhnliches Gedicht wie Coleridges Meisterwerk, «Rime of the Ancient Mariner», zu lesen, um zu fühlen, daß ein mystischer Einfluß sich nach und nach in seine geistige Atmosphäre stiehlt, und zu verstehen, in wieviel stärkerem Maße der Dichter selbst von dieser geheimnisvollen Inspiration erfüllt gewesen sein muß während der Zeit, da er das Gedicht schrieb. Ein andermal schlief er beim Lesen eines Buches ein. Als er erwachte, fühlte er, daß er während seines Schlafes zwei- bis dreihundert Zeilen gedichtet hatte und daß ihm nichts mehr zu tun übrigbliebe, als sie niederzuschreiben; denn die Bilder standen vor ihm auf, als ob sie Dinge wären, die ihren wörtlichen Ausdruck automatisch und augenblicklich hervorriefen, ganz ohne seine eigene Mitwirkung. Er nahm seine Feder und schrieb die seltsame fragmentarische Dichtung «Kubla Khan». Dies beweist, wie leicht wirklich ein Werk entstehen kann, wenn der bewußte Verstand in einem Zustand der Schwebe ist.

Solche Schöpfungen scheinen nicht aus dem gewöhnlichen Verstande des Menschen, sondern aus etwas Höherem zu kommen, aus etwas, das imstande ist, ihn vollständig zu beherrschen, während er seine Rhythmen schreibt. Er muß seine kleine Persönlichkeit ausliefern und sich von diesem höheren Verstand, dieser Allseele, ganz in Besitz nehmen lassen. Wenn dies wirklich geschehen und der geistige Akt mit einer vollkommenen Technik verbunden ist, empfängt die Welt das Werk eines hervorragenden Genies. Während der Augenblicke vollkommener unpersönlicher Losgelöstheit zieht er aus seinem Innern ein geistiges Element, das er in sein Werk legt, und das dieses zu einem inspirierten macht.

Daher kommt es, daß ein Schriftsteller nicht immer nach seinen Büchern beurteilt werden kann. Nicht selten ist der gewöhnliche Zustand seines Geistes und Charakters dem Niveau seiner Schriften unterlegen. Manchmal mag er weiser und besser sein als seine Werke; aber manchmal sind sie weiser und besser als er. Tennyson bekannte nachträglich, daß «In memoriam», sein langer Siegesgesang auf das Überleben nach dem Tode, der Ausdruck einer Wahrheit gewesen sei, die er selbst nicht hinreichend erfaßt gehabt habe, bevor er sie niederschrieb. «Er ist optimistischer als ich bin», sagte er zu einem Freunde.

Denn während die Inspiration vorherrscht, erhebt sie einen Menschen vorübergehend über seine gewohnte Ebene; doch wenn das letzte Wort geschrieben ist, fällt er für eine Zeitlang wieder in den allgemeinen Zustand zurück. Daher mögen einige seiner Werke funkelnde Sterne, Produkte der Inspiration sein, während andere die Erzeugnisse seiner uninspirierten Stimmungen sind; einige mögen unvergängliche Meisterwerke von höchster Qualität und andere geradezu schlecht sein. Wenn wir dies als eine psychologische Tatsache erkennen, werden wir verstehen, warum ein großes Genie manchmal auch weniger Wertvolles hervorbringt und warum einige seiner Schwäne nur Gänse sind. Wir können nicht erwarten, in jeder Strophe eines Dichters poetische Inspiration zu finden, noch immerfort schimmernde Wahrheiten wie Edelsteine aus seiner Feder fallen zu sehen.

Man hört oft, daß die Inspiration unbeständig sei, und jeder Dichter klagt, daß er sein inneres Genie nicht in der Gewalt habe, noch sein Kommen herbeirufen könne. Er arbeitet wechselnd und marktet um Stimmungen. Er vollbringt oft nur einen Teil des Gewollten, Ideen versagen sich ihm; er kann seine Komposition nicht vorwärtsbringen, die Worte fallen leblos aus seiner Feder. Seine leichtbeschwingte Muse kommt und geht nach eigener Laune, nicht nach der seinen, und kann nicht auf Verlangen gerufen werden. Wie oft sitzt er niedergeschlagen vor einem leeren Blatt Papier! Schöpferische Stimmungen setzen aus. Die Inspiration ist nicht dauernd; zusammenhängendes Denken ist dem Menschen möglich, aber nicht zusammenhängende Inspiration. Die Blumen des Genies haben plötzliche Blütezeiten, welken aber rasch.

Man braucht keine Theorie zu erfinden, um diesen wechselnden Rhythmus zu erklären: Die Tatsachen erklären sich selbst. Die wesentliche Bedingung der Inspiration ist nicht vorhanden — das ist alles. Diese Bedingung ist, wie wir gesehen haben, intensive geistige Versenkung, da man gewohnt ist, in äußeren Tätigkeiten und persönlichen Erinnerungen zu leben. Es ist nicht leicht, diese menschlichen Gewohnheiten aufzugeben. Daher lebt das Genie, das danach ringt, große Dinge zu schaffen, ungleichmäßig und gelegentlich mit seinem eigenen Ich im Kriege. Manchmal stört es blind und unbewußt die Inspiration, die es umwirbt, und bringt selbst manche seiner Hindernisse hervor.

Körperliche Anstrengungen halten seinen Geist im Bereich der Tätigkeit gefangen; leblose Worte schließen es ein, und es kann sie nicht aneinanderreihen, wie in seinen lichteren Augenblicken. Sein gewöhnlicher Verstand hält es an seine Begrenzungen angepflöckt, deren eine — und nicht die geringste — die leere Einbildung auf seine eigene schöpferische Kraft ist. Gelehrsamkeit, wie glänzend sie auch sein mag, ist kein Ersatz für flammende Überlegenheit. Aber wenn es diesen Verstand sich durch Konzentration in sich selbst vertiefen läßt, kehrt die Inspiration zurück, und der schöpferische Strom fließt ungehindert von neuem. Es sollte lernen, eine Weile zu entspannen, Körper und Atem still werden zu lassen, den Verstand durch starke Konzentration nach innen zu wenden, und die göttliche Eingebung wird von neuem herabsteigen.

Sein persönliches Ich verläßt sich auf seine eigene Fähigkeit, mit allen Schwierigkeiten fertig zu werden und alle Probleme behandeln zu können; aber nur wenn es das Persönliche vergißt und sich gänzlich im Unpersönlichen verliert, wird die höchste Möglichkeit der Weisheit, Schönheit oder Macht wirklich im Aszendenten seines Horoskops aufsteigen. *Diese Selbstvergessenheit, dieses zeitweilige Verlieren des persönlichen «Ich» ist die wahre Ursache der Seligkeit, die den schöpferischen Zustand begleitet.* Denn wir können das zarte Gewebe unsterblicher Kunst nur wirken mit den leuchtend orangenen Fäden göttlicher Freude. Wo ist ein Mensch, der beiseitestand und beobachtete, wie seine Hand und sein Geist für das ewige Wunder künstlerischer Schöpfung benutzt wurden, ohne daß er gefühlt hätte, wie alles Dunkel, das sich durch seine tägliche Berührung mit der grauen Welt in ihm angesammelt hatte, von seinen Schultern glitt bei den ersten Regungen des göttlichen Impulses?

In Wahrheit ist die Persönlichkeit nur ein Gefäß oder ein Kanal, und wenn sie unser Bewußtsein gänzlich aufsaugt, hindert sie das Gefühl göttlicher Selbstheit in uns und hindert auch das schöpferische Element, das sich beim Genie so deutlich durch sie offenbart.

«Dichter sind manchmal Echos von Worten, deren Macht sie nicht kennen — die Trompete, die zur Schlacht ruft, die aber selbst nicht fühlt, wen sie inspiriert», schrieb der englische Dichter Shelley. Es ist ein sonderbarer Umstand, daß manche Schriftsteller und Künstler nicht im voraus wissen, was sie hervorbringen werden, und daß manchmal die weitere Entwicklung ihrer Werke einen andern Lauf nimmt als den, den sie erwartet hatten. Jean Sibelius, der Komponist, sagte in bezug auf seine beiden letzten Sinfonien zu einer Zeit, wo sie noch nicht vollendet waren, daß die Pläne möglicherweise geändert würden entsprechend der Entwicklung der musikalischen Ideen. «Wie gewöhnlich bin ich der Sklave meiner Themen und unterwerfe mich ihren Forderungen.» Dies zeigt augenscheinlich, daß die Inspiration durch das Aufgeben der Persönlichkeit empfangen wird. Wenn sie vom persönlichen Willen abhinge, würde jeder Komponist alle Phasen seines Werkes genau vorher entwerfen können. Daß die Inspiration ihrer eigenen Natur nach etwas Spontanes ist und jedes inspirierte Kunstwerk deshalb als ein vollständiges und ganzes geliefert wird, noch bevor die erste Bewegung der Hand oder des Kopfes gemacht wurde, ist durch manche Beispiele erwiesen. Mozart, das musikalische Wunderkind, berichtete einmal über den Prozeß des Komponierens seiner Musik: «Vorausgesetzt, daß ich nicht gestört werde, erweitert sich mein Gegenstand, nimmt klare Formen an, und das Ganze steht beinahe vollständig und vollendet vor meinem Geiste, so daß ich es wie eine schöne Statue mit einem Blick überschauen kann. Aus diesem Grunde geschieht die Übertragung auf das Papier dann leicht, denn alles ist ja, wie gesagt, schon vollendet.»

Arnold Bennet, der Romanschriftsteller, berichtete, wie er gewöhnlich die Flaute der verlorenen Inspiration überwinde. Anstatt sich den ganzen Tag den Kopf zu zerbrechen, pflege er sich genau umgekehrt zu verhalten. Er gehe in das South-Kensington-Museum in London, betrachte Wandteppiche und Bronzen, oder er schlendere in Paris an der Seine entlang und treibe sich unter den alten Bücherständen umher. Während er so seinen Geist zerstreue und sein Problem vergesse, indem er ihn von dem Gegenstand ablenke, nach dem er vergeblich getastet habe, komme die gesuchte Inspiration plötzlich über ihn. Die Gedankenprozesse hätten das ihrige getan und ihre Grenze erreicht. Um auf ein Seitengeleise gebracht zu werden, müsse *das bewußte persönliche Ich* von dem bewußten Werke gelöst werden, was dem tieferen, unterbewußten Teile des Geistes, d. i. der Allseele, die Gelegenheit gebe, ins Spiel zu treten.

Nun ist es wichtig, festzuhalten, daß, wenn Bennet nicht mit einem Buche beschäftigt gewesen wäre und so seinen Verstand an das Thema gewandt hätte, das Mittel nicht wirksam gewesen wäre. *Der arbeitende Verstand hat seinen eigenen Beitrag zu liefern; doch danach sollte er sich mit Anstand zurückziehen und dem tieferen Geiste gestatten, durch sein menschliches Werkzeug zu wirken, und erst dann sollte er zu seiner Tätigkeit — der Durchsicht und ferneren Überarbeitung — zurückkehren, wenn alles vollendet ist.* Wenn der erste Funke in den bewußten Geist fällt, muß er durch Selbsthingabe angefacht werden. Verharrt jedoch, wie es bei den meisten intellektuellen Menschen geschieht, das Ich hartnäckig auf seiner Herrschaft, so vereitelt es seinen eigenen Zweck und verhindert das Einfließen der Inspiration.

Der Verstand eines Schriftstellers hat die Pflicht, zuerst durch eine längere Anstrengung intensiver Konzentration das besondere Thema, das bearbeitet werden soll, in seinem Bewußtseinsfelde festzuhalten. Wenn dies hinreichend geschehen ist und das Bewußtsein das Einströmen der glühenden Inspiration fühlt, die durch das Vergessen des eigenen Ich herbeigeführt wird, muß es sich selber ganz aufgeben in einem Zustande absoluter Passivität, aber doch so alert und bewußt bleiben wie immer. Dann muß es die subtile

Botschaft in Gedanken auslegen und in die richtigen Worte fassen.

In der Rede inspirierten Ursprungs ist der Vortragende sich häufig vorher über den Inhalt oder sogar das Thema der bevorstehenden Rede gar nicht bewußt. Bei allen Zugeständnissen an die Vollendung der Technik und die Vollkommenheit des Sprachorgans bleibt etwas übrig, das die Zuhörerschaft gefangen nimmt und mit Scheu erfüllt, etwas, das wie eine Atmosphäre weder greifbar noch mitteilbar ist.

So hielt der verstorbene Sir Sahabji Maharaj, der Führer der Radhasoami-Yoga-Kolonie in Dayalbagh bei Agra, in Indien, während mehrerer Jahre vor zwei- bis dreitausend Zuhörern bemerkenswerte allnächtliche religiöse Ansprachen, jede Nacht einen andern Gegenstand wählend. Nicht nur bereitete er keine Notizen vor, sondern er teilte auch dem Verfasser mit, daß er vorher nicht wisse, worüber er am Abend sprechen würde.

Sokrates bekannte, daß, wenn er an die tiefste Wahrheit der Dinge komme, es nicht mehr er sei, der spreche, sondern die Stimme seines «daimonion» in seinem Innern. Was anders konnte diese Stimme sein als die seines inspirierten Geistes?

Wenn wir uns der religiösen und geistigen Inspiration zuwenden, finden wir hier die gleichen Gesetze und charakteristischen Merkmale der künstlerischen Schöpfung wirksam, wenn auch außergewöhnlich stark hervortretend. Die alten, die mittelalterlichen und die modernen Heiligen des Christentums, die Fakire des Islams und die indischen Yogis haben alle ihre leidenschaftlichen Erfahrungen religiöser Natur gehabt durch Prozesse, in denen das Phänomen künstlerischer Inspiration deutlich zu erkennen war. Die Künstler, Schriftsteller und Erfinder müssen notgedrungen ihre Botschaften durch das Mittel eines materiellen Instruments übertragen; doch der inspirierte Heilige unterliegt dieser Beschränkung nicht; er stellt in sich selbst die psychologischen Veränderungen dar, die er durchgemacht hat.

174

Denn der ernsthafte religiöse Mystiker erläutert durch seine Sehnsucht, sich gänzlich seinem Gotte hinzugeben, das Wirken der Grundprinzipien der Inspiration. Wenn es ihm gelingt, dies durch eifriges Gebet und tief empfundene Sehnsucht zu verwirklichen, versinkt sein persönliches Ich in stummes Schweigen, während die höhere Macht, die er anbetet, von ihm Besitz zu ergreifen scheint. Er mag und er wird wohl auch sein heiliges Erlebnis mit Hilfe von Bildern, Symbolen und Lehren, die seinem besonderen religiösen Glauben angehören, darstellen; aber seine eigentliche Erfahrung ist die eines Einströmens, eines Aufgehens in einen Zustand, in dem das gewöhnliche Ich anscheinend aufhört zu wirken und eine freudige, ekstatische, heilige Harmonie sein Wesen überwältigt. Wenn das Erlebnis seinen Höhepunkt erreicht, wird er wahrscheinlich in Versenkung übergehen, einen Zustand, in dem alles von Gott durchdrungen zu sein scheint. Der Preis für wahre Inspiration ist bezahlt worden: das Fallenlassen des persönlichen Selbst bis zu einem verebbenden Rhythmus, damit es versenkt werde in ein unsagbar erhebendes Gefühl.

Der Hindu-Yogi, der seine Gedanken durch unbarmherzige Konzentration in die Enge treibt und sie dann durch eine höchste Anstrengung gänzlich aus seinem Geiste verbannt, kommt ebenfalls zu einem Zustand inspirierten Seins, in welchem der denkende Verstand nicht länger das Einfließen des Friedens, den er sucht, verhindert. Auch er kann auf dem Höhepunkt seines Suchens, ähnlich dem Heiligen, in tiefe Versenkung übergehen. Obwohl sein Weg der der Gedankenbeherrschung war, während der Heilige den Weg höchster Gemütsbewegungen ging, ist die Macht, die beide in den ekstatischen Zustand hinein- und aus ihrer kleinen Persönlichkeit und ihrem begrenzten Verstande herauszieht, die gleiche. Sie sind zufrieden, sich der Seligkeit der Vereinigung mit jener Macht zu erfreuen, und versuchen nicht, diese edle Blüte durch irgendein materielles Mittel, wie Kunst, Erfindung oder Beredsamkeit, zu übermitteln oder darzustellen;

beiden zugrunde liegt jenes höhere Element, das seinen Mantel über sie breitet. Es ist der Art und Qualität nach dasselbe wie jenes, das auch von dem Genie Besitz ergreift. Musik, Skulptur, Dichtkunst und Architektur waren in den Augen der Alten heilig und durften im frühen Ägypten, Griechenland, Indien und China nur durch besondere Priester aus den Tempeln oder begabte Eingeweihte der großen Mysterien ausgeübt werden.

Es ist wichtig, zu beobachten, daß die konzentrative Tätigkeit und das darauf folgende Einströmen genau derselben Art sind wie bei den inspirierten Malern und Dichtern; nur die Offenbarung ist verschieden, denn wo der Künstler einen intensiven Drang empfindet, seine Vision oder Idee mitzuteilen, und zu der äußeren Welt zurückkehrt, um seine Erfahrung auszudrücken, ist der Mystiker zufrieden, sich in Kontemplation zu verlieren. Die Kunst ist eine Form der Meditation, ein Weg zu jenem friedvollen Zustande, den die Mystiker Gott nennen; nur nennt der Künstler seine Gottheit Schönheit.

Die Gnade Gottes, deren Kommen das Sehnen des Mystikers belohnt, findet ihr Gegenstück in der Inspiration, welche die Anstrengungen des Künstlers belohnt. Beide stammen aus derselben Wurzel. Wenn intensive Konzentration das persönliche Ich in der unpersönlichen Allseele auflöst, steigt gütige Gnade auf den Mystiker oder Yogi herab und schöpferische Inspiration auf den Künstler.

Jene, die sich in künstlerische Schöpfungen irgendwelcher Art so vertiefen, daß sie sich und ihre Umgebung darüber vergessen, kommen wirklich zu einem inneren Zustand, in dem sie der Allseele einen Zugang öffnen, der nicht sehr verschieden ist von dem, der von den Suchern nach Gott in ihren Trancezuständen erfahren wird. Der wichtige Unterschied ist, daß der Yogi nach innen auf sich selbst eingestellt ist, auf seinen innersten Geist, und seinen Körper unbeweglich bleiben läßt, während der Künstler seinen Körper aktiv betätigt, indem er einem Mittel, sei es Papier, Leinwand oder

Stein, die leuchtenden Bilder oder Gedanken überträgt, die seinen Geist verzaubert halten; der Grad der seelischen Vertiefung kann in beiden Fällen der gleiche sein. Denn der Künstler wird nicht weniger leidenschaftlich durch die Bilder, die er übermittelt, ergriffen und festgehalten, als der Yogi es durch das Licht ungeteilten Bewußtseins ist, das er erlebt, wenn alle Gedanken gestillt sind. Beide werden sich des Vorübergehens der Zeit nicht mehr bewußt, wenn sie diese höchste Inspiration erlangen, die sie von der gleichen heiligen Quelle nährt; sie beweisen dadurch unbewußt, daß die Zeit wirklich nur eine Vorstellung ist.

Und selbst Menschen, die weder Künstler noch Erfinder, Heilige oder Yogis sind, haben manchmal Erfahrungen dieser Art, wenn auch in geringerem Grade, in denen sie die Macht der Heimsuchungen des konzentrierten, vertieften Geistes fühlen. Warum sollte das Genie sich nicht in einem mit Schreibpulten gefüllten Bureau, im vollgehäuften Warenhaus oder im Gedränge der Börse manifestieren? Ist es so eng umgrenzt, daß es verschmähen müßte, in einer Großstadt zu erscheinen unter denen, die manche der wesentlichen Tätigkeiten der Menschheit ausüben? Geschäftsmagnaten, die Organisationen von gewaltigem Ausmaß beherrschen, haben nicht selten neue Verfahren entdeckt, die von größtem Werte für sie waren, während sie in einem seelischen Zustande tiefer Entrückung auf ihre Geschäfte und deren Probleme konzentriert waren. Die Erleuchtung, die über sie kam und sie vielleicht auf den Weg auffallenden Erfolges führte, kam nach tiefer Konzentration. Dieser Akt, ihre Gedanken mit großer Zähigkeit auf einen einzigen Punkt zu konzentrieren, brachte sie schließlich, wenn auch nur für einen Augenblick, durch eine sonderbare Rückwirkung in einen inspirierten Zustand von Selbstvergessenheit und geistiger Abstraktion von ihrer Umgebung. Doch dieser Augenblick genügte, um ihnen die gewünschte Enthüllung eines neuen Fabrikationsplanes oder Verkaufsverfahrens zu geben.

Überdies wird die Inspiration, die den Geschäftsmann mit

einem prophetischen Blick für das beschenkt, was er erreichen kann, ihn unter Umständen nicht wieder ganz verlassen, sondern ein längerer, erhebender Einfluß wird zurückbleiben, der ihm helfen wird, das Werk von Anfang an richtig durchzuführen. Die Inspiration gibt nicht nur die Vision, sondern auch die Kraft, das Ziel zu erreichen. Wer diesen inneren Einfluß erkennt und ihm nachgibt, wird finden, daß das Ergebnis immer seine Führung rechtfertigt. Er stellt während der ersten berauschenden Augenblicke der Selbstvertiefung ein gewisses Streben oder Ziel vor Augen, drängt den Menschen innerlich dazu hin, quillt wieder und wieder mit zwingender Erleuchtung empor und trägt das inspirierende Gefühl, die positive Gewißheit des Erfolges oder des Richtigen, zu dem er den Erleuchteten führt, mit sich.

Die Parallele zwischen all diesen verschiedenen Offenbarungen des inspirierten Genius, vom religiösen bis zum weltlichen, ist klar. Ein einziges Prinzip, ein gleicher Ursprung liegt diesen verschiedenen Phänomenen zugrunde. Tief in uns birgt sich ein wundervoller und unendlicher Vorrat an Wissen, Weisheit, Macht, Schönheit und Harmonie. Der Genius kann diese Eigenschaften hervorrufen und sie benutzen, um sein Werk, seine Gedanken und sein Wesen zu inspirieren. Wenn man ein Advokat ist, so wird man ein noch besserer Advokat werden und nicht weniger, sondern mehr Vertrauen verdienen, weil man inspiriert ist. Wenn man ein Lehrer ist, so wird man ein tieferes psychologisches Verständnis für die Seelen seiner Schüler gewinnen und sie wirksamer zu behandeln wissen, weil man ihre verschiedenen persönlichen Standpunkte erkennen wird. Niemand kann sein eigenes tieferes Selbst berühren, ohne ein Gefühl der Harmonie und Sympathie mit andern zu entwickeln. Die Schranke zwischen Lehrer und Schüler wird dann verschwinden, und die Anlagen des Schülers werden bessere Gelegenheit haben, sich zu entwickeln.

Das Zusammenwirken einer vollkommenen Technik und Inspiration ist notwendig, um das wirkliche Genie hervorzubringen. Wenn letzteres Phänomen unter uns so außerordentlich selten ist, so kommt das daher, weil wir beinahe alle ziemlich gemischte und ungleichmäßige Wesen sind. Selbst unsere anerkannten Genies können sich nicht immer auf ihrem höchsten Niveau auswirken; wenn sie auch immer die Technik zu Gebote haben, können sie doch nicht immer der Inspiration gebieten. Der Mensch hat nur die Hoffnung, den Zauber seiner glühenden Inspiration eine kurze Zeit lang festzuhalten, um sie dann dahinschwinden zu sehen. Damit ist jedoch nicht gesagt, daß die Möglichkeit, in eine dauernde Beziehung zu der Inspiration zu kommen, nicht eines Tages verwirklicht werden könnte. Diese Möglichkeit bedeutet, daß, wenn wir die Quelle der Inspiration ausfindig machen und studieren, und wenn wir dann anfangen, die Bedingungen ihrer Offenbarung zu verstehen, es vielleicht möglich würde, zu entdecken, wie man ihr erhabenes Aufquellen häufiger hervorrufen und eine Methode ausarbeiten könnte, durch die wir diese Inspiration dauernder festzuhalten vermöchten.

Der Verfasser glaubt, daß dies geschehen kann, daß, wenn ein Mensch die Technik seiner Kunst oder seines Geschäftes so vollkommen wie möglich beherrscht und ebenso seinen Geist in Selbstversenkung übt, diese Verbindung unfehlbar das Genie in höchster Blüte hervorbringen muß. Ein solcher Mensch könnte immer und ohne Ausnahme inspirierte Werke hervorbringen. Während unsere anerkannten Genies nur in einigen Stunden ihres Lebens erfüllte Genies und in anderen bloße Techniker sind, kann nur eine solche Verbindung wie die hier angedeutete eine dauernde Offenbarung und Darstellung der noch fernen Möglichkeiten des echten Übermenschen liefern.

Alles hängt somit von dem Grade des Selbstvergessens ab, den man durch vollständige Konzentration erreichen kann. Während der alltäglichen Beschäftigungen ist man zu sehr in den Interessen des persönlichen Ich gefangen, dem man erlaubt, sein Bewußtsein zu umgrenzen, als daß man noch den Versuch machen könnte, sich selbst zu vergessen. Und doch ist dieses Ich, das man für so wichtig hält, schließlich nur ein winziges Fragment des Daseins innerhalb des unendlich viel weiteren Daseins der Menschheit und der Welt. Es wirkt wie eine trennende Wand, die das Gewahrwerden der höchsten Wirklichkeit, des Überselbst, das unser Leben nährt, ausschließt, denn es ist ja nichts anderes als ein Gemisch unbeherrschter Gedanken. Nur dadurch, daß man diese Wand niederreißt, kann man in das transzendentale Wissen, die Kräfte und Möglichkeiten des Überselbst eindringen. Alle Dinge sind aus dieser Wirklichkeit hervorgegangen, alle Dinge sind möglich mit und durch ihre Hilfe, alles Wissen liegt wie eine zusammengerollte Schlange in ihrer Umarmung. Das, was den Menschen hindert, dieses wunderbar weite Erbe, das wirklich das seine ist, anzutreten, ist allein dieses enge Ich, dieses winzige Fragment bewußten Seins, das er wie einen Gefängnishof um sich aufgebaut hat, und aus dem herauszugehen er sich eigensinnig weigert.

Mit dem Schluß dieses Kapitels schließt auch der erste Teil dieses Werkes, der die Darlegung dieses analytischen Systems enthält. Bis hierher wurde der Leser auf einem vorbereitenden Wege geführt. Es wurde ihm das Material für die intellektuelle Analyse geliefert, und wenn er seinen Anteil ernst und gewissenhaft ausgeführt hat, wird er für den mittleren Pfad genügend vorbereitet sein. Dieser besteht in einer Gruppe geistiger Übungen, die bestimmt sind, den Abgrund zwischen irdischen Erfahrungen und mystischer Wirklichkeit zu überbrücken. Auf diesem zweiten Wege wird er angeleitet, die geistigen Wahrheiten, die vielleicht bisher nur dämmernde, verstandesmäßige Erkenntnisse waren, in seinem eigenen Leben zu verwirklichen.

Er wurde dazu geführt, das Dasein seines unbekannten Selbst, des Überselbst, zu erkennen, das sich in seiner innersten, tiefsten Seele wie eine schimmernde Perle in einer Austernschale verbirgt. Er wurde die wahre Bedeutung der Zeit gelehrt, und der geheime Wohnsitz des ewigen Lebens wurde ihm offenbart. Er lernte, wie man die Quelle der wertvollsten Inspirationen, die das Menschengeschlecht je gesegnet haben, zum Fließen bringt.

Endlich wurde ihm von verschiedenen Punkten höherer menschlicher Erfahrung aus gezeigt, daß die Wand, die ihn von der Gewahrwerdung des Überselbst ausschließt, nichts anderes ist als sein eigenes persönliches Ich und sein eigenes Unvermögen, seine Gedanken zu beherrschen. Der Zutritt zu diesem göttlichen Selbst ist unmöglich, bis er das eine unterdrücken und die anderen beherrschen kann — was in Wirklichkeit eine gleichzeitige Operation ist, wie gezeigt wurde, als beide analysiert und auf eine einzige Wurzel zurückgeführt wurden.

Nun muß eine praktische Methode gefunden werden, wodurch dies erreicht werden kann. Eine solche Methode gibt es, und ein Teil derselben war den weisen Männern des Ostens und den Illuminaten des Westens seit den frühesten Jahrhunderten bekannt. Geändert, angepaßt und ergänzt, um europäischen und amerikanischen Bedürfnissen zu entsprechen, in eine Form gegossen, die dem modernen Geiste genießbar ist, wird sie auf den folgenden Seiten zuversichtlich dargeboten als ein erprobtes Erbstück der Menschheit von unberechenbarem Werte.

II. Teil

Die Übungen

8. Kapitel

Kultur höherer Gefühle

Die praktische geistige Schulung, die mit dem ersten Kapitel der zweiten Hälfte dieser Abhandlung beginnt, bedeutet die Arbeit an dem wichtigsten Teil des menschlichen Wesens; doch das gefühlsmäßige Element bedarf ebenfalls einer gewissen Erziehung. Nur wenige Naturen werden an einer rein verstandesmäßigen Methode mehr Gefallen finden als an einer, die auch die Gefühle berücksichtigt. Die menschlichen Wesen sind verschieden geartet und werden am meisten von der Art der Tätigkeit angezogen, die ihrem vorherrschenden Temperament entspricht.

Besonders die Religion ist ein Gegenstand des Gefühls, und sie erreicht ihren Höhepunkt im religiösen Mystizismus. Vom allgemeinen Gesichtspunkt aus betrachtet, war zunächst das religiöse Element in der Vergangenheit unter der großen Mehrheit der Menschen vorherrschend. Verehrung erhält einen höheren Wert, wenn sie eine Umorientierung der Gedanken des Verehrenden von seiner eigenen Persönlichkeit auf die eines andern bewirkt, der einer höheren geistigen Ordnung angehört, und ihren höchsten, wenn sie sich auf jene unendliche Macht richtet, die wir Gott nennen. Sie wird dadurch besonders wirksam, daß sie die *Sehnsucht* wachruft, das heiße Verlangen, aus seinem gewöhnlichen, gebrechlichen Zustand zu einem göttlichen und heiligen emporgehoben zu werden. Eine solche Sehnsucht, wenn sie ihren höchsten Punkt erreicht, verwandelt wirklich die volkstümliche Religion in Mystik; deshalb kann man sagen, daß nur der wirklich religiös ist, der ein Mystiker geworden ist — alles andere berührt nur den Saum der Verehrung.

Religiös empfindende Menschen können diesen Weg mit Gewinn üben. Sie mögen die Gestalt und das Leben ihres Herrn nehmen und über dasselbe, als ein ideales Sein, meditieren. Voller Verehrung dem hohen Bilde zugewandt, sollten sie die ganze Kraft ihrer Sehnsucht auf dieses richten, so intensiv, daß alle anderen Gedanken ausgeschlossen sind. Das Bild sollte so deutlich wie möglich gestaltet werden, mit lebhaften Einzelheiten und in lebendigen Farben; dann kann das Gemüt liebend bei den Vorfällen des persönlichen Lebens des Inspirierenden oder bei irgendeinem Punkte Seiner Lehre verweilen, oder der innere Gehalt eines Seiner Aussprüche kann während der Betrachtung herausgestellt werden. Sie müssen Ihn so deutlich «sehen», daß Er ihnen sozusagen als körperliche Gestalt erscheint, die nicht weniger wirklich ist als ihre physische Umgebung. Sie müssen sich die Situationen und Ereignisse vergegenwärtigen, bis sie ihnen «lebendig werden». Das mystische Element dieser Übung beginnt eigentlich, wenn Christus — falls Er der erwählte Führer ist — nicht länger außerhalb, sondern in ihnen zu sein scheint, wenn Er nicht mehr als *Person*, sondern als *anwesende Kraft* empfunden wird. Das heißt: Sein Bild sollte auf dem Höhepunkt der Andacht zurücktreten, während Sein eigentliches Wesen, Sein Leben, sich dem Verehrenden als das Christusselbst kundtun sollte. Wenn dieser hohe Zustand geistiger Wiedergeburt erreicht ist, erscheint Er nicht mehr als ein besonderes und getrenntes Wesen, sondern die ganze Persönlichkeit ist in Ihm aufgegangen und Seinem Rufe gänzlich und bedingungslos hingegeben. Dann ist das Christusselbst an ihrer Stelle geboren: eine alles durchdringende Gegenwart, die unser wahres, unzerstörbares Erbe ist.

Es muß ein wirkliches Begehren, eine hinreißende Liebe zu der göttlichen Persönlichkeit vorhanden sein, damit solche Meditationen schließlich erfolgreiche Resultate bringen. Man sollte *Ihn* um *Seine* Gnade anrufen; aber der Ruf muß aus

der Tiefe des Herzens kommen, wenn man sie wirklich empfangen soll. Wenn Christus in dieser ausschließlichen Weise
zum Gegenstand aufrichtigen Verlangens gemacht, wenn Er
im schweigenden Tempel des Herzens bewahrt wird und
alle anderen Gedanken während der Zeit der Anbetung ferngehalten werden, wenn man während der Meditation in Seiner geistigen Gegenwart weilt und diese Gegenwart während
aller anderen Tätigkeiten in einem weilen läßt, wird sicher
die Zeit kommen, in der man das unvergeßliche Erlebnis
mystischer Ekstase haben wird. Die mannigfaltigen Nöte,
die unausbleiblichen Sorgen, Prüfungen und Leiden des persönlichen Lebens werden dann vorübergehend ausgelöscht
sein in der unaussprechlichen Freude, die einen überwältigen
wird. Man wird den wahren Sinn des oft mißbrauchten
Wortes Liebe verstehen und der ganzen Welt zu helfen wünschen, selbst um den Preis eigenen Martyriums. Von da ab
wird man suchen, Seinen Willen zu erfüllen, das Persönliche
dem Göttlichen auszuliefern, und man wird mit Freuden erkennen, daß alle erschaffenen Dinge in der Evolution des
ganzen Weltalls einem wunderbar glorreichen Ziele entgegen-
gehen.

Wenn während dieser hingebenden Betrachtungen und an-
dächtigen Kontemplationen Tränen die Augen füllen, sollten sie nicht zurückgedrängt, sondern als ein Teil des un-
vermeidlichen Preises angesehen werden. Sie tragen dazu bei,
die unsichtbaren Hindernisse zwischen uns und dem göttlichen Ideal zu beseitigen. *Die, welche in ihrer geistigen Ver-
bannung weinen, weinen nicht umsonst.*

Zugunsten der nicht den westlichen Kontinenten ange-
hörenden und nicht den christlichen Glauben teilenden Menschen muß hier erklärt werden, daß auch außerhalb der
Kirche Christi gleiche Resultate erzielt werden können und
erzielt worden sind und daß sie auf genau den gleichen Wegen der Übung errungen werden. Es gibt eine große Anzahl
von Mystikern, denen der bloße Name Krischnas, Mohammeds oder Buddhas die tiefste Hingabe des Herzens herauf-

beschworen hat, und die durch ernstes Streben und dauernde Meditation die selige ekstatische Vereinigung mit einem göttlicheren Sein gewonnen haben. Die Anziehungskraft einer verehrten religiösen Persönlichkeit von so hohem Range ist eine positive Hilfe bei der Konzentration des Geistes und befähigt ihn, Schwächen und Fehler zu überwinden. Darum stellen zum Beispiel in Indien und Persien religiöse Mystiker noch heute, wie sie es seit Jahrhunderten getan haben, das Bildnis ihres lebenden Lehrers oder das mentale Bild eines alten geistigen Meisters in den Brennpunkt ihrer Meditation. Sie schreiben dieser Übung, die gleichzeitig ihr Herz anspricht und die Sehnsucht zu häufigen Anstrengungen wachruft, lebendige Hilfe in der Bezähmung wandernder Gedanken zu.

Es ist jedoch notwendig, darauf hinzuweisen, daß ekstatische Seligkeit nicht das Endziel ist, mit dem das meditative Leben uns beschenkt. – Eine solche Seligkeit ist nicht das höchste Kriterium der Wahrheit, obgleich sie ein naher Nachbar der Wahrheit ist. Wohl haben manche Mystiker so gedacht und nach Erlangung jener Wonne ihre Anstrengungen aufgegeben; gerade dadurch aber riefen sie jene schreckliche Qual, die dunkle Nacht der Seele oder geistige Dunkelheit herbei. Der meditierende Mystiker muß lernen, sich nicht zu lange in der Region freudiger geistiger Gemütsbewegung aufzuhalten, sondern sie vielmehr zu überschreiten. Denn es gilt, ein noch höheres Reich zu gewinnen, das kein anderes ist als das Reich jenes tiefen Friedens, der alles Verstehen übersteigt, ein Reich weiter Stille und erhabener Ruhe.

Selbst für die von Natur nicht religiös Veranlagten, die daher durch die kurze Beschreibung des genannten Weges unberührt geblieben sind, ist eine gewisse Pflege der Sehnsucht erforderlich. In ihrem Falle ist es jedoch nicht nötig, ein solches Sehnen auf eine religiöse Persönlichkeit oder ein religiöses Prinzip zu richten, sondern auf die Idee und das Ideal der Wahrheit, das sie anzieht. Obgleich in diesem Werke vor allem der Verstand zum Vollzugsinstrument gemacht ist, bedarf er doch einer inneren Kraft, die ihn zum Erfolge antreibt. Diese treibende Kraft muß durch die Sehnsucht geschaffen werden.

Der Wert dieses Faktors kann nicht überschätzt werden. Wiederholt einen schweigenden oder mündlichen Ruf, ein Verlangen oder Sehnen nach Wahrheit, Frieden und Führung in das Weltall senden, heißt gewisse Geisteskräfte in Bewegung setzen, die im Universum existieren, und die *schließlich* in genauem Verhältnis zu dem Grade der Stärke der Sehnsucht antworten. Das Universum ist keine blind arbeitende Maschine, sondern ein Gewand, das von einer Hierarchie bewußt erkennender Wesen getragen wird. *Und es ist die rechte Zeit, emporzustreben, falls man es nicht schon früher gelernt hat, wenn die tiefe Verzweiflung, die harten Schicksalsschlägen folgt, das melancholische Gefühl der Vergänglichkeit und Hohlheit des irdischen Daseins in einem wachruft.*

Ob man aber religiös veranlagt ist oder nicht, ob man sich sehnt, die geistige Wahrheit zu erfahren oder nicht: Es gibt noch eine dritte Art emotionaler Entwicklung, die angestrebt werden sollte. Sie liegt teilweise in der Empfänglichkeit für ästhetische Eindrücke, sowohl in der Natur wie in der Kunst, und teilweise in feineren ethischen Gefühlen und der Vermeidung unedler Emotionen.

Wir finden einen Genuß in der Schönheit der Natur, den uns die Straßen der Städte nicht geben können. Wer wurde nicht jemals durch schöne Landschaften bewegt, denen nur die hochfliegende Sprache der Dichtung gerecht werden könnte! Wem sind nie im Leben jene hohen Augenblicke begegnet, in denen wir *uns selbst verloren haben,* in Umgebungen von so großartiger Schönheit, daß sie uns zwangen, ganz in ihren Anblick zu versinken! Mehr Menschen, als wir vermuten, haben in diesem irdisch gesinnten Westen einmal oder öfter Gefühlserlebnisse gehabt, die ihrem Leben eine Zeitlang ein ganz anderes Gesicht gaben. Diese Anspielung bezieht sich auf jene blitzartigen ekstatischen Erleuchtungen, die durch die Berührung mit einer schönen, heiteren Wirklichkeit, die das materielle Weltall einhüllt, verursacht werden. Sie kommen unerwartet über uns und lassen eine Stimmung freudiger oder friedvoller Erhebung zurück. Solche Augenblicke werden vielleicht eintreten, wenn man in der Nacht allein auf einem Schiffsdeck steht, umgeben vom weiten Ozean, oder wenn man beobachtet, wie der erste rosige Schimmer der Morgensonne langsam über einem Bergrücken aufsteigt, oder sie können mit plötzlicher Ungereimtheit, aber zwingender Kraft, inmitten des lärmenden Tumults eines Marktplatzes da sein. Sie kommen, wenn man die Natur in sein Herz aufnimmt, nicht wie der Botaniker, der eine Blume zerpflückt und erbarmungslos ihre Blütenblätter abnimmt, um ihre Struktur zu studieren, sondern wie ein hingegebener Liebhaber und Freund. Sie kommen, wenn wir eine Landschaft mit den Augen des Dichters betrachten und wenn wir plötzlich erkennen, daß der Himmel auf einem Grasfleck in der Nähe unseres Hauses beginnen kann. Wenn sie aber kommen, wird man seine persönlichen Sorgen und Ängste vergessen und sich zu einer unpersönlichen Betrachtung der Dinge emporgehoben fühlen, die man früher nie erlangen und noch weniger festhalten konnte. Die Zeit scheint stillzustehen, das Gefühl von der Ewigkeit des Lebens dringt von selbst in unser Denken ein, die physische Umgebung verliert etwas von ihrer Greifbarkeit, und ihre Wirklichkeit schwindet zu einer traumhaften Substanz herab. Ein zuvor nicht empfundener ätherischer Friede steigt im Herzen auf und bringt eine so intensive Befriedigung mit sich, wie die Erfüllung eines irdischen Wunsches sie nie geben könnte. Ein klareres Verständnis dämmert auf, das Leben scheint geläutert, und man empfindet mehr als man sieht eine höhere Absicht im Herzen aller Dinge. Das Grauen und Chaos, der Kampf und Widerstreit, die mit dem menschlichen und tierischen Dasein in dieser Welt untrennbar verbunden zu sein scheinen, verschwinden für eine Weile aus dem Gesichtskreis, weil ihre rauhe Erinnerung in dieser göttlichen Atmosphäre nicht bestehen kann. Die schöne Wahrheit, so unfaßbar und unaussprechlich, hat das Herz berührt. Man *weiß* ... Doch weicht die Erfahrung leider zurück, wenn auch die Erinnerung für immer bleibt. Sie kann nicht vergessen werden, selbst wenn man es möchte; ihr Wesen ist von Dauer und kann nie abgenutzt werden, wie die gewöhnlichen Erfahrungen des irdischen Daseins. Wieder und wieder verfolgt einen diese erhabene Erinnerung, und man sehnt sich nach einer Erneuerung solcher göttlichen Augenblicke. Welche Bedeutung liegt darin, daß man sich solcher seltenen Momente erinnert? Kann man sie von neuem für sich sammeln, wie man frische, duftende Blumen täglich von der freigebigen Erde sammelt?

Die Antwort auf die erste Frage lautet, daß hinter jenem Selbst, das jedermann kennt, ein anderes liegt, dessen man sich gewöhnlich nicht bewußt ist, und das jenes geheimnisvolle, unfaßbare Wesen ist, das Seele oder Geist genannt wird. Dieses Überselbst ist der geheimste Teil der menschlichen Natur; aber er ist dennoch der allerwichtigste. Die unpersönliche Seligkeit, von der wir jene kleinen Bruchstücke erlangen, gehört zur Natur dieses anderen Selbst. Unsere Inspirationen sind also nur die Brosamen, die von seinem ewigen Festmahl fallen.

Die Antwort auf die zweite Frage lautet: Ja. Diese hohen Gefühlszustände, diese strahlenden, verzauberten Augenblicke können nach Belieben wieder eingefangen und verlängert werden, wenn erst die ganze Methode der Selbstschulung, die in diesem Buche beschrieben wird, verstanden und genügend geübt worden ist; denn die richtige Pflege unserer höheren Gefühle bildet einen Teil dieser Schulung.

Man muß anfangen, auf gewisse zarte Stimmungen des Herzens zu achten, und sie pflegen. Solche Stimmungen treten zu verschiedenen Zeiten im Leben der meisten Menschen auf, oft zufällig und unerwartet, aber gewöhnlich nur für ganz kurze Zeiträume, und da sie nicht gepflegt, sondern beiseitegeschoben werden, geht viel von ihrem Wert verloren. Diese Stimmungen werden häufig unbewußt durch ästhetische Genüsse hervorgerufen: durch das Hören ekstatisch schöner Musik, durch das Lesen inspirierter Dichtungen und durch Hingabe an die Eindrücke, welche unvergeßlich großartige Naturschauspiele auf unsere Sinne und unsern Geist machen. Sehr selten sind dagegen die Fälle, in denen die so sehr wertvolle Stimmung tiefer Verehrung und Wertschätzung durch das persönliche Zusammentreffen mit jemandem hervorgerufen wird, der sich bis zu einem gewissen Grade nach dem Überselbst ausgerichtet hat.

Immer, wenn eine solche Stimmung mächtigen Zaubers, gesteigerter Verehrung oder tiefen Friedens erlebt wird, ist es notwendig, seine ganze Aufmerksamkeit auf sie zu richten, sie als einen wichtigen Sendboten zu erkennen und auf ihre Botschaft zu hören. Man sollte lang und tief über sie nachdenken und versuchen, sie auf ihren höheren Ursprung zurückzuführen und ihre Wirkungen dem Gefüge unseres eigenen Charakters einzuverleiben. Da solche Stimmungen, wenn sie über uns kommen, nicht mit dem Namen des geheimnisvollen Landes, dem sie entstammen, versehen sind, neigen wir dazu, ihren Wert zu unterschätzen. Sie sind meistens nur von augenblicklicher Dauer; deshalb sollten sie nach ihrem wahren Wert erkannt und bewußt nach ihrem wesentlichen inneren Gehalt befragt werden. Denn diese Augenblicke können wahrlich von großem Gewinn für uns werden, und die Erfahrungen, die sie herbeiführten, werden nicht vergeblich gewesen sein. Alles, was die Liebe zu begeisternder Schönheit fördert, was darauf hinzielt, uns zu einer edleren Haltung zu beeinflussen, zu einer tieferen Bewußtwerdung des Lebens, als die rein materielle Folge der Veränderungen sie gibt, aus denen sich die Routine des täglichen Lebens zusammensetzt, sollte angenommen und gepflegt werden, weil dadurch die innere Empfänglichkeit für feinere Kräfte, die dieser Weg erfordert, gesteigert wird.

Die große Künstlerin Natur kann empfänglichen Gemütern Stimmungen einflößen, die ebenso erhebend oder tief sind wie irgendwelche durch die Kunst des Menschen hervorgerufenen. Man kann zu jeder Zeit in ihre gütigen Arme flüchten, um Linderung und Hilfe in irdischem Elend zu finden. Sie ist zu Erde und Stein gewordene Schönheit und Heiterkeit. Wenn man z. B. in die schweigenden Tiefen eines Waldes wandert, in seine pulsierende Stille eindringt, allein ist mit seiner Unermeßlichkeit, sollte man seine Aufmerksamkeit sofort auf die ersten Empfindungen geheimnisvollen Zaubers und heiterer Ruhe konzentrieren, sobald sie fühlbar werden, und sie auf eine Stufe emporheben, auf der sie zu etwas geistig Wertvollem werden. Man muß diese Empfindungen als heilige Zeichen betrachten, sie zum Gegenstand einer längeren, nachdenklichen Träumerei machen und sie mit zunehmendem Entzücken genießen. So kann, während man auf einem mit Blättern überstreuten Boden geht, ein Zustand allmählich immer tiefer werdender Konzentration herbeigeführt werden, bis, wenn man Glück hat, jene ewige Heiterkeit des Überselbst, die all unsern zufälligen Stimmungen zugrunde liegt, hervorbricht und uns ein unvergeßliches Erlebnis schenkt.

Ebenso kann man an einem einsamen Teile des Meeresufers entlang gehen und dem Brechen der Wellen lauschen. Und dann kann man sich auf einem Felsblock oder einer trockenen Stelle im Sand eine Weile niederlassen und von dort die weite Ausdehnung des blauen Meeres bis zum amethystfarbenen Horizont überschauen. Man sollte sich dann öffnen, um alles zu empfangen, was die Natur zu sagen hat. Das rhythmische Heranbranden der Wellen und die Unermeßlichkeit des Meeres tragen beide eine Botschaft an den Menschen. Von dieser Botschaft muß man sein ganzes Wesen mächtig durchdringen lassen und sie nicht verstandesmäßig untersuchen wollen. Während man so still als möglich dasitzt, mit konzentriertem Blick und Herzen und passiver, aufnahmebereiter Seele, soll man die Sinne des Auges und Ohres zu Vermittlern einer höheren Stimmung werden lassen.

Wenn diese neue Stimmung wirklich und kräftig hervorgerufen ist, sollte man sich ihr frei überlassen und ihr erlauben, in einem zu leben, *ohne sie jedoch zum Gegenstand einer intellektuellen Analyse zu machen.* Es ist von großer Wichtigkeit bei der Erweckung und Pflege solcher höheren Stimmungen, sie nicht mit seinen kritischen Fähigkeiten zu belasten und nicht zu versuchen, sie verstandesmäßig zu zerlegen, bevor sie ganz vorübergegangen sind, sondern vielmehr sich selbst sanft in ihnen auflösen zu lassen. Ein störendes Dazwischentreten hat nur den Erfolg, daß man sich von dieser Stimmung abtrennt und vergeudet, was zu einer kostbaren spirituellen Erfahrung hätte werden können.

Es gibt einen subtilen psychologischen Grund, warum Landschaften, die ausgebreitete Ebenen, weite Wüstenstrekken, entlegene Gebirgsketten und ferne Meereshorizonte enthalten, eine besondere Kraft besitzen, uns in einen geistigen Zustand emporzuheben. Wenn die Augen zuerst eine solche Szene aufnehmen und der Blick auf ihren fernsten Punkt geheftet ist, projiziert der Geist — der der wirkliche, bewußte Urheber des Sehprozesses ist und der die Sehorgane nur als Instrumente benutzt — sich selbst in den Raum hinein, bis er die Grenze erreicht. Der ganze Vorgang spielt sich in blitzartiger Geschwindigkeit ab; denn der Geist reist erstaunlich schnell. Infolgedessen heftet er sich an das entfernte Objekt, während er noch an seiner Basis, dem physischen Gehirn festhält. Dieses Tun gleicht ein wenig dem sonderbaren Verfahren eines Wurmes, der, in dem Streben, von einem Ort zum andern zu gelangen, sich tatsächlich verlängert, während er im Begriff ist, seinen ursprünglichen Halt fahren zu lassen.

Das psychologische Resultat in einem selber ist, daß der Augenblick, in welchem man zuerst den Blick auf die weite Ferne fixiert, das Bewußtsein teilweise aus dem Körper heraushebt und den Geist von seiner gewohnten egozentrischen Haltung befreit. Man gibt unwillkürlich, mit blitzartiger Geschwindigkeit, den rein persönlichen Standpunkt für den unpersönlichen auf; man ist nicht mehr in dauernde Erwägungen versenkt, da die ganze Aufmerksamkeit durch den Akt des Betrachtens in Anspruch genommen ist; aber man kehrt dann nachher wieder zu dem gewohnten Zustand zurück. Diese mystische Zwischenpause genügt jedoch, um den Zustand des Überselbst zu schaffen.

Wenn man diese göttlichen Augenblicke sorgfältig und wachsam auffangen könnte, sie nicht unbeachtet sich auflösen lassen, sondern sie gründlich nähren und ihr geistiges Aroma gleichsam schmecken würde, könnte man eines gesegneten Tages das Bewußtsein ganz in das Überselbst gleiten und einen Augenblick darin verweilen lassen. Jener Tag würde unvergeßlich sein, weil seine Ekstase so erhaben wäre.

Der Augenblick, in dem man sich gerade dem Gipfel eines Berges nähert, kann Stille in unsern Geist, Schweigen auf unsere Lippen und Ruhe in unser Herz bringen; denn Berghäupter und -gipfel besitzen eine reinere Atmosphäre als Ebenen und Täler. Sie sind nicht vergiftet von den Ausströmungen der Menschenmassen, weniger vertraut mit Szenen menschlicher Gier, Not und Roheit. Sie verkörpern in ihren steilen Gipfeln die erhabene Idee des Aufstrebens zu einem vollkommenen Leben. Das weite Himmelsgewölbe über ihnen ist wie die Unendlichkeit Gottes, die uns alle umhüllt. Berge und Hügel waren zu allen Zeiten mit der Idee des Sakralen und Heiligen verknüpft. Es gibt fast kein Land oder Volk, das nicht sein Märchen, seine Sage oder Geschichte besitzt, die diese beiden verbindet.

Der Prophet Elias fastete vierzig Tage auf dem Berge Horeb, um seine niedere Natur für immer zu vernichten, und kehrte dann mit strengen und furchtlosen Anklagen gegen die Sünden Ahabs und den Götzendienst seines jüdischen Volkes zurück. Auf jener kahlen Höhe gewann er die unbeugsame Kraft, mit der er dem König und der Baal verehrenden Königin Isebel entgegentrat. In den Wüsten Arabiens fand Mohammed seinen Gott und seinen Glauben, während er in einer Höhle hoch auf dem Abhang des Felsenberges

Hira betete. Die alten Perser zündeten ihre heiligen Flammen auf den höchsten Bergen an: Flammen, die fortwährend unterhalten wurden als Sinnbilder der ewigen Natur der Gottheit. Dort in der freien Luft verehrte man Gott und betrachtete die feuergekrönten Hügel als Tempel. Der Prophet Zoroaster betete auf einem hohen Gipfel, als ihm der Gott Ahura-Mazda erschien und «das Buch des Gesetzes» offenbarte, das künftig das göttliche Gesetzbuch seines Volkes sein sollte. In ähnlicher Weise war es auf dem Berge Dicta, daß eine Gottheit dem König Minos die Gesetze gab, mit denen er Kreta regieren sollte. Für Tibeter wie für Hindus besitzen die gewaltigen Schneeriesen der Himalajas ein Erbe an Heiligkeit, dem nichts in ihren Ländern gleichkommt. Die Druiden des alten Britannien hielten ihre Hügel in hoher Verehrung und betrachteten sie als geweihte Wohnorte der Gottheit. Die Priester des frühen Mexiko wählten vor andern Plätzen hohe Berggipfel für ihre heiligsten Riten aus. Melanthes, der dem Altertum viel näher stand als wir, gab seinen Lesern die Versicherung, daß es die allgemeine Gewohnheit der Alten war, ihre höchste Gottheit auf dem höchsten erreichbaren Berge zu verehren.

Auch in unserer eigenen Zeit werden noch immer Berge als Zufluchtsorte von denen aufgesucht, die dem Dasein in der Welt entsagen wollen, um ein streng asketisches Leben, fern von allen Versuchungen und Tätigkeiten, zu führen. Die Nakshabendi-Derwische, die ihre höhlenartigen Wohnungen in die felsigen Hügel oberhalb Kairos gehauen haben; die griechischen Mönche, die sich auf dem rauhen Berge Athos vor dem schöneren Geschlecht verbergen; ihre fröhlicheren italienischen Brüder, die ein großes Kloster auf einem mit hübschen Gärten bedeckten Hügel außerhalb Florenz' erbaut haben: Sie alle legen nicht weniger Zeugnis ab für die Erleuchtung und Kraft, die auf einsamen Berggipfeln gefunden werden kann, als Moses, der vierzig Tage auf dem Berge Sinai verbrachte, um die göttliche Offenbarung des Gesetzes für sein Volk zu erlangen, oder Jesus in der Zurückgezogenheit auf dem Berge Carmel, als sein Antlitz in der Schönheit geistiger Verklärung strahlte, während er mit seinem Vater verkehrte.

Jede Liebe und Verehrung der Natur wogt im tiefsten Teile unseres Wesens auf. Deshalb ist die Konzentration auf die Gemütsbewegungen, die ihrem Ursprung nach der «Seele» angehören, eine wertvolle Übung. Wichtig ist es, daß man in der angedeuteten Weise auf die von der Natur empfangenen Eindrücke reagiert.

Wenn man das Reich der Natur verläßt und sich dem der Kunst zuwendet, in dem der Mensch versucht, ihre bunte Schönheit, ihre Ordnung und ihr Vorbild nachzuahmen, findet man weitere Gelegenheit, die Gemütsbewegungen auszubilden entlang des Weges, der zur geistigen Eröffnung seiner selbst führen wird. Dichtkunst, Malerei, Tonkunst und Plastik schaffen einen bezaubernden Einführungsweg zu dem göttlichen Reich und sind eine Kraft in der geistigen Evolution.

Die Kunst ist nicht nur ein dekorativer Zusatz zum Leben, obschon sie es häufig für oberflächliche Geister bleiben wird. Sie kann das menschliche Wesen auf eine tief geistige Weise beeinflussen; sie kann auf solche Art ausgenutzt werden, daß sie ihm wertvolle psychologische Erfahrungen liefert. Der erfolgreiche Künstler wird seine Empfindungen ätherischer Schönheit, seine ekstatischen Erhebungen auf die Zuschauer oder Zuhörer übertragen, damit sie an den gleichen Empfindungen teilnehmen, sie verstehen oder fühlen können. Weit entfernt davon, ein überflüssiger Luxusartikel zu sein für die, welche ihn sich leisten können, ist die latente Kraft in großer Kunst derart, daß sie uns zu der Schwelle wahrer Göttlichkeit bringen kann. Der große Künstler in der hohen Schönheit seiner Auffassung ist ein unbewußter Vermittler von Werten, die über seine normale Fassungskraft hinausgehen.

Die gewohnten Tätigkeiten des Lebens für eine Weile zu vernachlässigen und in eine Welt einzutreten, die durch echte

197

künstlerische Schöpfung erzeugt ist, bedeutet, eine Erweiterung des Horizontes über den rein persönlichen und einen Aufschwung der Gefühle über die bloß materiellen hinaus zu erleben. Man kann, wenn man darin erfahren ist, die Schöpfungen des Künstlers nicht nur als Genuß, sondern auch als Hebel benützen, um den Geist auf einen Grad des Bewußtseins emporzuheben, der von dem gewöhnlichen verschieden ist.

Sooft man dem Werke eines inspirierten Künstlers begegnet, sollte man ihm die sorgsamste und konzentrierteste Aufmerksamkeit widmen. Dadurch ruft man in sich selbst den Zustand geistiger Versenkung hervor, der den Künstler durch den schönsten Teil seines Schaffens getragen hat, und wird dann vielleicht fähig sein, den tiefen Quell zu berühren, den er berührt hat. Wenn man nicht Talent mit Genie verwechselt hat, fängt man mit Bewunderung an, geht in Anbetung über und endet mit Inspiration. Der Augenblick des elektrisierenden Kontaktes muß gesucht und ergriffen werden, die ersten Gefühle des Emporgehobenseins oder Zaubers dürfen nicht durch Unachtsamkeit verschleudert, sondern sollten im Gegenteil als Fäden gewertet werden, die, wenn man ihnen folgt, einen zu dem geschätzten Zustande führen. Es ist wichtig, die Erhebung nicht zu vergeuden, indem man zu dem nächsten geistigen Eindruck oder der nächsten physischen Empfindung forteilt. Eine gewisse Willensanstrengung ist notwendig, um nicht — dazugehörige Gedanken und Gemütsbewegungen fernzuhalten, so daß die Seele, von persönlicher Routine abgezogen, in eine höhere Atmosphäre gebracht und auf die geistige Vitalität konzentriert bleibt, mit der sie durch die Töne der Musik, oder was immer die Kunstart ist, genährt wird.

Auf dem Höhepunkt einer solchen Antwort aus dem Überselbst sollte man mit den besonderen Atem-, Seh- und Herzübungen, die in den späteren Kapiteln beschrieben werden, beginnen und sie, nur kurze Zeit, aber aufeinanderfolgend, durchführen. Auf diese Weise wird der höchste Gewinn durch

die Kunst erreicht, so daß sie, statt ein bloßes Mittel gestei-
gerten Genusses zu sein, ein wahrhaft goldener Torweg zu
einem ungewöhnlichen geistigen Sein wird.

Wenn man so glücklich ist, mit einer ausgeglichenen, künstlerischen und zugleich intellektuellen Natur gesegnet zu sein,
die echte Empfindung und Aufnahmefähigkeit für Schönheit
und gleichzeitig genügend verstandesmäßige Selbstbeherrschung besitzt, um nicht den Boden unter den Füßen zu verlieren, wird man schnellere Fortschritte auf diesem Wege
machen als ein anderer, dem eine solche Veranlagung fehlt.
Es kann deshalb gemeinhin gesagt werden, daß eine künstlerische Kultur im wahrsten und tiefsten Sinne ein wertvoller
Vorzug ist. Man kann kein wirklicher Künstler oder Kunst-
kenner werden, ohne sein Empfindungsvermögen für jene
feineren Emotionen, die über dem Durchschnitt liegen, zu
steigern.

Um die verborgenen Fähigkeiten der Seele zu wecken, ist
die Musik besonders wertvoll; die rhythmischen Takte inspirierter Töne ziehen das Herz in eine unbekannte Welt. In
den schönen Akkorden von Beethovens edler 5. Sinfonie z. B.
oder der sublimen Qual, die sich in Chopins Ballade in g-moll
ausdrückt, findet der, welcher sie recht zu hören versteht,
nicht nur den künstlerischen Wert, sondern hohen geistigen
Gewinn. Es ist ein göttliches Element in Sinfonie, Melodie
und Gesang enthalten, das darauf zielt, uns in den geistigen
Zustand der Ekstase oder des Schmerzes zu versetzen, in
welchem diese großen Künstler ihre Werke schufen. Dem
Asketen, der in ihnen nur verlockende Umgarnungen sieht,
die uns Gott vergessen lassen oder die Zeit in Anspruch nehmen, die für religiöse Zwecke verwandt werden könnte, steht
es frei, diese Gefahren zu meiden; aber es ist nicht nötig, daß
alle seinen furchterfüllten Pfad gehen. Beethoven selbst sagte:
«Die Musik ist der Mittler zwischen dem geistigen und sinnlichen Leben.» Allerdings wenn er manche Geräusche, die
sich heutzutage als Musik ausgeben, noch erlebt hätte, würde
er vielleicht den Ausdruck «Musik» näher bestimmt haben.

Man sollte bedenken, daß der Typus des Künstlers, der sich in übertriebenen und unausgeglichenen Begeisterungen verliert, seine Kräfte in wilden Zerstreuungen verausgabt oder in Tempeln anbetet, die von der Atmosphäre des Irrenhauses durchdrungen sind, für diesen Weg ganz ungeeignet ist, da seine Schöpfungen, statt dem Beschauer oder Zuhörer zu einer höheren Lebensanschauung zu verhelfen, ihn wegen ihrer verzerrten Natur geradezu davon abziehen. Man sollte lieber solche Produktionen suchen, die einen nicht in unerwünschte Gemütsbewegungen zurückzerren, sondern die Seele im Gegenteil emporheben, sie veredeln und ihr die Erhabenheit geistiger Freude bringen. Es gibt Menschen von allgemein anerkanntem, ja Ehrfurcht einflößendem Genie, die entweder seelisch verzerrte Träger ihrer Inspiration geworden sind oder in ihrer medialen Hilflosigkeit ihre wunderbaren Fähigkeiten und Gaben sogar von den Mächten der Hölle mißbrauchen lassen. Wenn wir den Werken solcher Menschen begegnen, mögen wir ihre Genialität ruhig anerkennen; aber wir sollten uns ebenso erinnern, daß wir der Verzerrung der Wahrheit, d. h. der Verfälschung gegenüberstehen oder einem Ausdruck zerstörender, unsichtbarer Kräfte, die der Unterwelt entstiegen sind. Deshalb ist es weiser, uns nicht in die Atmosphäre solcher Produktionen zu vertiefen, sondern uns eine reinere und gesündere Luft zu suchen.

Die Musik wird genau die gleichen Gefühle, die Literatur genau denselben Geisteszustand, Bilder werden im Beschauer genau die gleiche Stimmung hervorrufen wie die, in der sie geschaffen wurden — daher die Wichtigkeit, die beste, geistig inspirierte Kunst zu finden. Wir werden in der Vorstellungswelt des Künstlers gefangen. Der große Künstler sollte der Interpret des geistigen Lebens für kleinere Sterbliche sein. Der Künstler ohne geistige Inspiration ist wie eine elektrische Birne, die vom Hauptstrom abgeschnitten ist.

Überdies sollte man absichtlich solche Gefühle und Eigenschaften pflegen, die dem Streben nach einem höheren Leben dienlich sind. Gefühlsäußerungen wie Ärger, Haß, Eifersucht und Furcht sind höchst unerwünscht. Wir werden das vielleicht nicht erkennen, wenn es sich um etwas so Unsichtbares wie eine Empfindung handelt; aber ein bitteres, feindliches und mißtrauisches Gefühl kann in hohem Grade zerstörend wirken, nicht nur auf uns selbst, unsern Charakter und unsere Verhältnisse, sondern mehr noch, weil es das geistige Licht ausschaltet, das uns und anderen helfen könnte; denn dieses bewegt sich schweigend und telepathisch durch den Raum, bis es unsichtbar die Person trifft, die es erregt hat. Man sollte sich deshalb sorgfältig vor dem Verweilen in solchen unerwünschten Gefühlen hüten — ihr erstes Fühlbarwerden kann vielleicht nicht verhindert werden —; aber man muß zu der Einsicht kommen, daß in der inneren Welt, in der der Geist telepathisch arbeitet, diese Dinge bestimmte Wirklichkeiten sind. Ebenso wie ein Mensch nicht wissentlich in seinem eigenen Hause eine Anzahl wilder Tiere beherbergen würde, sollte er seiner eigenen Brust den wilden Tiger, den gierigen Panther und die verräterische Schlange fernzuhalten versuchen.

Es gibt vieles in der Geschichte der jetzigen Zeit, das beklagenswert ist; aber es erfordert nicht Haß, Furcht und zerstörende Gewalt, sondern Verständnis in einem höheren Licht, keine Vermehrung von Widerstreit und Verzerrung in einer ohnehin schon übermäßig feindlichen Welt, sondern eine Vermehrung von aufbauender Tätigkeit, Güte und Wahrheit. Diese Pflege des Gefühlslebens schafft die richtigen Vorbedingungen für das Eintreffen der geistigen Offenbarung und leistet jenen sogar mitten im tätigen Leben des Alltags Vorschub. Immer, wenn man Gefühlen wie Ehrfurcht, Verehrung, Hingabe, Bewunderung, Huldigung und Demut gegenüber dem Größeren und Höheren im Menschen und in der Natur Ausdruck gibt, hilft man, den Tag, an dem diese Offenbarung eintreten kann, herbeizuführen.

Es wird oft die Frage gestellt, ob nicht gewisse strenge und radikale Veränderungen asketischer Natur in der Art des täglichen Lebens gemacht werden sollten, wenn man sich entschließt, einen geistigen Weg dieser Art anzutreten. Wirklich scheinen die meisten Menschen zu glauben, daß solche Neuerungen erwartet werden, und manche fürchten schon im voraus die Schwierigkeiten, die ihnen daraus erwachsen könnten.

Soweit es den Weg, der hier empfohlen wird, betrifft, können diese Befürchtungen weitgehend beruhigt werden. Keine asketischen Änderungen irgendwelcher Art werden gefordert, noch asketische Vorschriften erteilt. Die grundlegende Arbeit muß innerlich vollzogen werden, und etwa notwendige äußere Veränderungen sollten allmählich und aus der eigenen inneren Führung kommen, nicht von einer äußeren Autorität oder vorgefaßten herkömmlichen Vorstellung über den Gegenstand. Viel wichtiger, als eine physische Gewohnheit zu opfern, ist das Aufopfern geistiger Gewohnheiten. Daher kann man diesen Weg ganz unauffällig antreten, so daß selbst diejenigen, die mit einem im selben Hause oder sogar in derselben Familie leben, oft nichts davon merken werden, daß man sich nach einem Leben höherer Ordnung aufgemacht hat. Trotzdem aber muß die Tatsache bejaht werden, daß es ratsam ist, gewisse einfache Änderungen des physischen Lebens zu vollziehen, soweit das ohne überflüssige Reibung möglich ist und ohne daß man dadurch sich selbst oder seiner Umgebung übertriebene Lasten auferlegt.

Es ist unnötig, sich aus dem notwendigen tätigen Leben der Welt in Einsiedeleien, Ashrams und dergleichen einsame Orte zurückzuziehen. Unsere quälenden Gedanken und unser persönliches Ich werden Seite an Seite mit uns eilen, wohin wir auch fliehen. Erlösung ist eine rein persönliche Sache; der Glaube, daß sie nur in geistigen Gruppen, Gesellschaften oder klösterlichen Orden gefunden werden könne, ist eine sonderbare Illusion. «Seelen werden nicht in Bündeln gerettet», sagte Emerson, und die Erfahrung bestätigt seine Worte. Auf der andern Seite ist vorübergehende Zurückgezogenheit für kurze Zeiträume immer hilfreich. Zu solchen Zeiten aber wird die Natur uns ein besseres und harmonischeres Kloster bieten als die Menschen.

Eine andere Schwierigkeit entsteht in der Angelegenheit der physischen Keuschheit. Auch hier gibt es oft Leute, die glauben, daß man allen sexuellen Beziehungen als etwas Schmachvollem entsagen und ein Leben gänzlichen Zölibats antreten müsse. Wenn sie einen starken inneren Drang zu einem solchen Leben fühlen, ist es offenbar ihre Pflicht, ihm zu folgen. Aber das menschliche Dasein ist weit genug, um auch andere Wege zum Überselbst zu enthalten.

Bei dieser Gelegenheit möchte der Verfasser ein Mißverständnis aufklären, das bei einigen, die seinen Hinweis auf diesen Punkt in «A Hermit in the Himalayas» gelesen haben, entstehen könnte. Seine Bemerkung über diesen Gegenstand war nur eine unvollständige Notiz aus einem Tagebuch und bedarf deshalb einer Erläuterung. Was er sagen wollte, war, daß die *Ehe* kein Hindernis zu geistiger Vollendung bilde, und daß man ein normales verheiratetes Leben führen und doch zum Bewußtsein des Überselbst kommen könne. Er meinte gewiß nicht, daß man seinen Leidenschaften bloß auf den Wink der Begierde freien Lauf lassen sollte. Er glaubt im Gegenteil, daß der Mensch durch die *vernünftige* Bewahrung und Beherrschung der Geschlechtskraft eine dynamische Macht in den Welten der Materie und des Geistes werden kann.

Eine höhere Zivilisation wird in der Ehe das erkennen, was heute erst eine kleine Minderheit jugendlicher Paare in ihr sieht: eine Gelegenheit für zwei Seelen, gemeinsam für ein geistig-materielles Ziel zu reifen. Physischer Verkehr wird dann nur eine Begleiterscheinung und nicht mehr der Zweck der Ehe sein. Durch die Gegenwart eines Geistlichen und den Gesang eines Kirchenchors wird die Zeremonie der Trauung noch nicht notwendig etwas Heiliges. Nur wenn Mann und Frau verstehen, daß sie ihre letzte Einheit in der gemeinsamen Verehrung des Höchsten Lichtes finden müssen, wird ihre Ehe einen höheren Charakter erlangen als den eines bloßen Zivilkontraktes. Doch damit ist nicht gesagt, daß vollständiges Zölibat und Verneinung der menschlichen Beziehung der Ehe der einzige Weg zur Vergeistigung sei, wie so manche unduldsam und unwissend behaupten.

Da sich dieses Buch nicht mit moralischen Geboten befaßt, ist es wesentlich, den Leser darauf hinzuweisen, daß mystische Meditation von unermüdlichem Bestreben geleitet sein muß, den Charakter zu vervollkommnen und die sittlichen Werte zu heben. Ohne dies besteht Gefahr.

9. Kapitel

Die Übung der Geistesbeherrschung

Der Mensch bewegt sich für gewöhnlich unverantwortlich von einem Gedanken zum andern und läßt seinen Geist sorglos nach dessen eigenem Gutdünken arbeiten. Und doch sind seine Gedanken etwas, wofür er verantwortlich ist, und sie wirken ihrerseits auf ihn und sein ganzes materielles Leben zurück. Daß es ratsam ist, unerwünschte Gedanken auszuschalten und die edleren zu begünstigen, ist etwas, das er nur dunkel ahnt. Es mag phantastisch und weit hergeholt erscheinen, wenn man behauptet, daß eine Verbindung besteht zwischen dem, was ein Mensch denkt und was ihm in der äußeren Welt begegnet, zwischen dem Zustande seines Geistes und seinem materiellen Wohlergehen; doch wer die hier befürworteten Methoden genügend lange Zeit geübt und die Resultate seiner Übungen in seinem eigenen Leben beobachtet hat, weiß, daß dies keine Einbildung, sondern die tatsächliche Wahrheit ist und daß das äußere Leben des Menschen in weitestem Sinne die Widerspiegelung seiner geistigen Welt ist. Aber leider ist unser Zeitalter so stark mit materialistischen Ansichten über das Leben durchsättigt worden, daß es weitgehend sowohl die Erinnerung als auch den Glauben an die feineren Geisteskräfte des Menschen verloren hat. Ein solcher Verlust kann und wird jedoch die Grundtatsache ihres Vorhandenseins nicht ändern. Solange wir vorziehen, in geistiger Unwissenheit fortzufahren, werden wir mit dem grauen Star des Materialismus über unsern Augen unseren Weg suchen müssen. Die Folge davon ist viel unnützes Leiden und eine gänzliche Unfähigkeit, die tieferen

Zwecke der Natur zu erkennen und in das Schicksal des Menschengeschlechtes einzudringen.

Die Beherrschung unserer zerstreuten Gedanken und Gefühle erringen, heißt: eine Herrschaft begründen, die wir verloren haben. Der Mensch muß unumschränkter Herr im Reiche seines Geistes sein, um die Entwicklung, die die Natur für ihn vorgesehen hat, bis zu Ende vollziehen zu können. Er mag die Aufgabe als nicht der Mühe wert erachten; aber damit wird er nur sich selbst Schaden zufügen, denn die Unfähigkeit, die Gedanken zu kontrollieren, führt durch geheimnisvolle Verzweigungen zu allen möglichen Arten von Leiden. Es ist eine altbekannte Tatsache, daß manche Entscheidungen, Ereignisse und Vorfälle unseres Lebens stark von unserer Art und Weise, zu denken, beeinflußt sind. Wenn wir deshalb unsere Denkweise ändern, so bedeutet das, daß wir bis zu einem gewissen Grade die Umstände und Umgebungen unseres Daseins verändern und zugleich Selbstvertrauen und inneres Wohlbefinden erlangen. Überdies werden uns keine Wundertaten nach außen gelingen, ehe wir das innere Wunder der Geistesbeherrschung vollbracht haben. Keine Übung könnte daher wichtiger sein für jene, die irgendwie mit dem Leben unzufrieden sind, als die der Gedankenkontrolle. Und in diesem praktischen Zeitalter, in welchem die Menschen immer eher nach greifbaren Erfolgen als nach ungreifbaren Theorien suchen, ist es sicher ein mächtiges Argument, der Welt zu sagen: «Tu dies! Nimm diese Übung auf! Und mit der Zeit wirst du deinen Lebensstrom durch ebenere Bahnen, sonnigere Wege und freundlichere Umgebungen fließen sehen.»

Aus diesen Gründen allein schon sollte dem Gedankenleben die genaueste Aufmerksamkeit gewidmet werden. Aber es gibt noch andere und höhere Gründe, warum es nötig ist, den Geist umzubilden: weil man durch ihn in die Geheimnisse des Königreichs der Himmel eindringen und für sich selbst entdecken kann, ob die Seele wirklich existiert und welcher Art sie eigentlich ist. Es ist ein fundamentales Prinzip, daß die Gewißheit unseres geistigen Daseins niemals durch objektive Beweise, sondern nur durch eigenen intellektuellen oder emotionalen Einsatz kommen kann. Durch den richtig geleiteten Geist öffnet sich uns das innerste Selbst, und durch dessen verhülltes Heiligtum gelangt man in einen göttlicheren Zustand. Eine solche Führung, sei sie nun mit «geistige Ruhe», «Meditation», «Yoga» oder «Mystik» bezeichnet, formt den Geist um und zwingt die Gedanken, dem Menschen zu dienen, anstatt ihn zu tyrannisieren. So außerordentlich groß ist der Wert aller Übungen geistiger Stille, daß der Gründer des Jesuitenordens, Ignatius von Loyola, einst dem Pater Laynez gestand, eine einzige Stunde Meditation in Manresa habe ihm mehr Wahrheiten über himmlische Dinge offenbart, als alle Lehren der Theologen zusammen.

Wenn der Leser nun bereit ist, dieses hohe Abenteuer der Seele zu beginnen, muß er die vorausgehende Bedingung erfüllen. Sie lautet:

Man muß aus den 24 Stunden des Tages einen bestimmten Zeitraum von ungefähr einer halben Stunde herausfinden, während welchem man in der Lage ist, sich von den gewöhnlichen Tätigkeiten des Tages zurückzuziehen, um in Ruhe und Stille mit seinen Gedanken allein zu sein.

Jemand, dessen Lebensumstände so unerbittliche sind, daß er nicht eine halbe Stunde für einen so hohen Zweck erübrigen kann, mag 20 oder sogar 15 Minuten täglich ausnützen. Es kommt nicht so sehr auf die Zeitdauer an als auf die Art des Denkens und die Wachsamkeit und Konzentriertheit des Bewußtseins, mittels derer man sich während dieser wenigen Minuten in der Hand hat. Aber die meisten Menschen, die über Mangel an Zeit für Meditation klagen, finden gewöhnlich Zeit für Theater, die neuesten Filmdarstellungen, das Lesen der letzten Zeitungsnachrichten, für überflüssiges Geschwätz, für Tee- oder Dinnergesellschaft und andere Verabredungen. Werden sie niemals eine Verabredung mit ihrem göttlichen Selbst haben? Was sie wirklich meinen, ist, daß ihnen die Unbequemlichkeit und Anstrengung und das leichte Opfer, das die Meditation fordert, nicht der Mühe wert erscheinen und daß ihnen die Wohltaten, die sie verspricht, einigermaßen entfernt, unbestimmt und schattenhaft vorkommen. Hätten sie nur das richtige Verständnis, so würden sie einsehen, daß diese kleinen, der Meditation gewidmeten Bruchteile des Tages die kostbarsten Augenblicke des Lebens sind, unendlich wichtig, weil sie dem geduldig Ausharrenden ewige Werte und bestimmte Gewinne bringen werden. Die der geistigen Stille geopferten Minuten werden nicht vergeblich sein. Die Gottheit, die so verehrt wird, belohnt ihre treuen Anhänger reichlich.

Die Länge der Zeit, die der täglichen Übung gewidmet wird, sollte im voraus entschieden und natürlich nur nach Berücksichtigung der besonderen Lebensumstände und Lage des einzelnen festgelegt werden. Man braucht und sollte nicht die normalen täglichen Pflichten des Berufes und Heimes vernachlässigen, um Zeit für diese geistigen Übungen zu finden; aber man sollte auch nicht so töricht sein, zu behaupten, daß man zu beschäftigt sei, um irgendwelche Zeit für sie zu finden. Es gibt kein menschliches Wesen, das nicht mit einem geringen Opfer unbedeutender Tätigkeit oder unnötigen Vergnügens genügend Zeit für diese Übungen schaffen könnte. Eine halbe Stunde ist eine gute Durchschnittszeit für die meisten Menschen, und eine solche halbe Stunde kann immer in seinem täglichen Programm gefunden werden, wenn der Studierende wirklich entschlossen ist, dieses Suchen zu unternehmen. Wenn er es wünscht, kann er sogar jeden Tag zwei solche Zeiträume einschieben, morgens und abends; aber obgleich dies, da wo es möglich ist, ratsam wäre, ist es doch nicht wesentlich.

Man sollte einen Zeitpunkt wählen, der am wenigsten in die täglichen Pflichten eingreift und der den Personen, mit denen man zufällig zusammenlebt, die geringste Unbequemlichkeit verursacht. Es gibt jedoch bestimmte Stunden des Tages, wo diese Übungen durch die Natur besonders angezeigt sind und während derer sie leichter und fruchtbringender sein werden. Diese Stunden sind ungefähr der frühe Morgen nach Sonnenaufgang und der frühe Abend vor Sonnenuntergang.

Die Fruchtbarkeit der frühen Morgenstunden liegt in der Tatsache, daß der Geist dann frisch und ungestört ist. Die täglichen Aufregungen haben noch nicht angefangen, seine stille Oberfläche zu kräuseln. Zu dieser Zeit zu üben, hat den Vorteil, daß die Resultate auf den Tag übertragen werden und daß unser Leben und unsere Arbeit sich dadurch in der Atmosphäre der Nachwirkungen dieser Übungen vollziehen. Geistige Stille bildet einen ausgezeichneten Ausgangspunkt für den Arbeitstag. Wenn man sich ihr in richtiger Weise hingibt, bringt sie einen wirklich in Verbindung mit dem Unendlichen und in Harmonie mit dem Weltall. Eine solche innere Harmonie ist auch in allen äußeren Angelegenheiten des Tages spürbar. Sie vermindert die Wahrscheinlichkeit unangenehmer Reibungen, trägt dazu bei, daß der Tag angenehm verläuft, und schafft einen Vorrat von Ruhe und Weisheit allen Problemen gegenüber. Später erscheinen Inspirationen und Ideen als ihre willkommenen Früchte. Die Morgendämmerung ist besonders für die in orientalischen Ländern Lebenden geeignet. Die Menschen des Westens sind aus zwei Ursachen um diese Zeit im Nachteil: Sie verlangen lebhaft, wieder in die Welt der Tätigkeit einzutreten; sie sehnen sich hinaus und sind besorgt, ihre täglichen Arbeiten wieder aufzunehmen. Aber gerade dies Verlangen und Sorgen ist ein ernstes Hindernis bei ihren Übungen und beeinträchtigt deren Wert. Man sollte sich zu einer solchen Meditation mit einem hohen Grade von Geduld niederlassen, ohne durch Gedanken an das, was man später in der äußeren Welt tun wird, angetrieben oder beunruhigt zu werden. Der zweite Grund ist der, daß die frühen Morgenstunden in Europa und Amerika oft außerordentlich kalt sind und das Kältegefühl des Körpers die Aufmerksamkeit von den Übungen ablenkt.

Die Abenddämmerung ist für manche Menschen vorteilhafter, weil sie dann, müde von der Arbeit des Tages, der Ruhe und Ausspannung mit angenehmer Erwartung entgegensehen. Auf der andern Seite gibt es Leute, die behaupten, daß sie nach der Arbeit des Tages zu müde seien, um sich mit Meditation oder irgend etwas anderem als Essen und Unterhaltung abzugeben. Diese müssen irgendeine halbe Stunde am Tage oder Abend festsetzen, wo sie nicht müde sind.

Aber Sonnenaufgang und Dämmerung sind nach den Traditionen der Yogis Berührungspunkte, an denen die geistigen Kräfte der Atmosphäre unseres Planeten besonders aktiv sind. Die Zeiträume, die unmittelbar auf den Sonnenaufgang folgen und unmittelbar dem Sonnenuntergang vorausgehen, sind die großen Vereinigungspunkte der Naturzeit, an denen die Kräfte des geschäftigen Tages jenen der nächtlichen Ruhe begegnen, und wenn diese beiden sich vereinigen, wird eine subtile, fruchtbare Stille geschaffen, die einen tiefen Einfluß auf den Geist empfänglicher Naturen ausübt. In solchen Augenblicken ist es möglich und irgendwie leichter, mit der tiefsten Seele des Menschen in Berührung zu kommen.

Einmal festgelegt, muß die Stunde mit Entschlossenheit eingehalten werden. So wird eine feste Zeitgewohnheit geschaffen, die im Laufe von Monaten oder Jahren die Stunde der geistigen Stille zu einem bestimmten Teile des Tagesplanes macht, so daß man, wenn sie einmal ausfällt, dies als Mangel empfindet, so wie man sich hungrig fühlt, wenn man eine Mahlzeit überschlagen hat. Es ist deshalb besser, täglich regelmäßig zu derselben Zeit ein paar Minuten zu opfern als eine längere Periode zu unregelmäßigen, zufälligen Zeiten. Da der Geist sich nach dieser neuen Gewohnheit der Meditation richtet, ist es natürlich leichter, spontan zu den Übungen zurückzukehren, wenn die bestimmte Zeit dafür da ist, als zu irgendeiner anderen Zeit.

Es ist nicht ratsam, eine Zeit zu wählen, die unmittelbar auf eine Mahlzeit folgt, weil dann die Absorbierung der Energie des Körpers durch die Tätigkeit der Verdauung dazu beiträgt, den Geist träge und weniger wachsam zu machen, so daß er dann ungeeignet ist für die zarte und subtile Übung der Konzentration, die hier verlangt wird. In der Tat wird man die besten Resultate erzielen, wenn man mit einem leichten oder leeren Magen meditiert.

Doch welche Zeit man auch wählt: zwei Tage im Monat gibt es, die eine besondere Bedeutung in diesem System besitzen. An diesen Tagen müssen wir uns unbedingt bemühen, nicht bloß mit der Übung fortzufahren, sondern ihr eine längere Zeit zu widmen. Das sind die Tage, an denen Sonne und Mond in Konjunktion oder Opposition zueinander stehen: d. h. die Neu- und Vollmondnächte. Bei solchen Gelegenheiten werden geistige Kräfte auf die Erde losgelassen, und der Aspirant muß sie ausnützen, denn er hat alle Hilfe nötig, die ihm zu Gebote steht, und diese Kräfte bilden eine Art «Gnade» für Seelen, die bereit sind und sie meditierend erwarten. Wir brauchen uns nicht über die Existenz solcher Einflüsse in Verbindung mit den Zeitmarkierungen der Himmelskörper zu wundern, wenn wir bedenken, daß der Mond Millionen von Tonnen Wasser beeinflußt, sich in den Gezeiten des Ozeans zu bewegen, geradeso, wie er das zartere Wachstum der Pflanzen beeinflußt. Warum sollte er nicht, zusammen mit der Sonne, das innere Leben des Menschen beeinflussen können? Psychiater haben längst festgestellt, daß menschliche Gefühle unter solchem Einfluß stehen; denn man weiß, daß bei vielen Geisteskranken sich sowohl die schlimmsten als auch die leichtesten Phasen ihrer Krankheit gerade an diesen beiden Tagen des Monats zeigen.

Man muß deshalb darauf achten, am Abend oder in der Nacht des Neu- und Vollmondtages oder an dem darauffolgenden Sonnenaufgang eine längere Zeit zu üben. Es ist der Mühe wert, die halbe Stunde zu verdoppeln, weil dann die Erreichung des Zieles leichter werden wird. Die geistige Macht dieser beiden Phasen der Sonne und des Mondes wurde von fast allen alten Weisen und Sehern anerkannt. Die buddhistischen Mönche halten noch heute ihre wichtigsten Riten am Neumondtag ab, während die Hindus höherer Kasten ihn als den heiligsten Tag des Monats betrachten. Die streng Orthodoxen unter ihnen machen ihn zu einem Tag des Fastens und Schweigens und der Unterbrechung der Arbeit, dem eine schlaflose, der Betrachtung und dem Gebet gewidmete Nacht folgt.

Das Nächste, was von der praktischen Seite her berücksichtigt werden muß, sind die physischen Bedingungen. Die erste Vorschrift ist, ein Bad zu nehmen oder wenigstens Gesicht und Hände bis zu den Ellbogen zu waschen, bevor man die Meditation beginnt. Das begründet die korrekte Verfassung magnetischer Reinheit. Dann ist noch die Frage der Körperstellung zu berücksichtigen. Stehen ist z. B. augenscheinlich eine ungeeignete körperliche Stellung, weil die Anstrengung, aufrecht auf seinen Beinen zu stehen, sehr schnell zur Ermüdung führen würde. Flach auf dem Rücken oder auf der Seite zu liegen, ist, obgleich viel besser, dennoch nicht ganz geeignet, weil es die gewöhnliche Schlafstellung ist und dazu neigt, dem Geist seine Wachsamkeit und Schärfe zu nehmen. Die beste körperliche Stellung ist also eine, die das Sitzen auf den Schenkeln mit aufrechter und ruhiger Wirbelsäule einschließt. Die beste Sitzstellung, ob auf einem Teppich, in einem Sessel oder auf einem Ruhelager, ist die, welche bequem ist und den Geist am wenigsten von seinem gewählten Gegenstand auf den physischen, unbehaglich postierten Körper ablenkt. Keine physischen Verrenkungen oder Yogastellungen werden für diesen Weg gefordert. Es mag hinzugefügt werden, daß für Personen mittlerer Größe, die das Hocken auf der Erde nicht lieben, die beste Sitzgelegenheit, um gute Resultate in diesen Übungen zu erzielen, ein niedriger Stuhl oder Hocker von ungefähr 15 Zoll Höhe [1] ist. Die Füße können gekreuzt werden; in diesem Falle sollten die Hände übereinandergelegt werden mit den Handflächen nach oben, oder die Beine können aufrecht auf dem

---

[1] Zirka 40 cm.

Boden ruhen, in welchem Fall die Hände am geeignetsten auf die Knie gelegt werden. Anfänger, die sich im Hocken üben wollen, werden es hilfreich finden, wenn sie ihren Rücken gegen eine Wand stützen. Welche Stellung man aber auch einnehmen möchte: es sollte die sein, in der man sich am wohlsten fühlt und für eine halbe Stunde nicht an seinen Körper erinnert wird. Man sollte jedesmal die gleiche Stellung einnehmen, wenn man diese Übungen ausführt.

Ein weiterer wichtiger Punkt ist die Vermeidung entgegengesetzt wirkender Umgebungen. Die Umgebung übt einen großen Einfluß auf den Geist aus; die Hauptbedürfnisse sind hier Einsamkeit, Ruhe, Erhebung, Inspiration und das Vermeiden extremer Temperaturen. Man sollte während dieses Versuches, in die innersten Winkel des Seins einzudringen, nicht durch den physischen Körper abgelenkt werden. Deshalb ist es gut, sich daran zu erinnern, daß selbst, wenn man sich in einer bequemen Stellung niedergelassen hat, die körperlichen Sinne fortfahren werden, ihre normale Tätigkeit auszuüben, die Sinneseindrücke dem Gehirn zu übermitteln. Wenn man in die Tiefen des Geistes eindringen soll, müssen diese physischen Sinne gezwungen werden, sich ruhig zu verhalten. Man sollte deshalb, soweit es möglich ist, an einem vollständig einsamen und vollkommen ruhigen Orte üben, und wenn ein Zimmer dafür benützt wird, sollte es abgeschlossen werden, um plötzliches Eindringen zu verhindern. Noch besser wäre es, wenn man auf dem Lande oder in der Nähe desselben lebt, einen einsamen Platz in einer Waldlichtung oder an einem Flußufer oder an einem Hügelabhang zu wählen, wo die Schönheit und das Schweigen der Natur unsere geistigen Aspirationen unterstützen. Es gibt tatsächlich keinen schöneren Platz für die Meditation als jene ruhigen Orte, die die verborgenen Schätze der Natur sind, und für die ein Zimmer in einem Hause, an dessen Wänden oft schlechte emotionale Atmosphären haften, im besten Falle ein Ersatz ist, der dem Stadtbewohner aufgezwungen wird. Trotzdem kann die geistige Atmosphäre eines Zimmers sehr

verbessert werden dadurch, daß man es in einem Zustand
allergrößter Reinlichkeit hält, daß man es aufhellt durch
bunte Blumen und inspirierende Bilder und eine geschmack-
volle Harmonie des Wandschmucks und der Möbel. All diese
Dinge tragen dazu bei, daß Körper und Geist sich wohl-
fühlen; sie helfen, die zur Inspiration notwendige Atmosphäre zu schaffen. Wer Wert darauf legt, kann auch etwas
Weihrauch verbrennen; aber man sollte nur die beste Sorte
verwenden, die einen Duft hat, der einem persönlich angenehm ist.

Abnorme Kälte sowohl wie abnorme Hitze erregt ein Unbehagen im Körper und erschwert dadurch die Meditation.
In westlichen Ländern ist die Kälte häufig groß, und wenn
nicht geeignete Heizungseinrichtungen vorhanden sind oder
entsprechend warme Kleidung getragen wird, wirken die
Störung und das Unbehagen des Körpers auf den Geist zurück und verhindern eine wirkliche geistige Stille. Aber die
Wärme sollte nicht dadurch gesichert werden, daß man ein
Zimmer dumpfig werden läßt, da schlechte Luft den Geist
abstumpft.

Während der Meditation tut der Übende gut daran, die
Augen geschlossen zu halten, um die Konzentration zu er-
leichtern und zerstreuende äußere Eindrücke auszuschließen.
Wenn die Augen offen gehalten werden, üben sie Lichtreize
auf das Gehirn aus, welche die physische Welt zu sehr im
Felde der Aufmerksamkeit festhalten. Starkes Sonnenlicht
wie starkes elektrisches Licht sind störend; deshalb sollten
Fenster und Lampen abgeblendet werden.

Dann beginnt man vollständig zu entspannen und jede
physische Verkrampfung fahren zu lassen. In den frühen
Stadien der Übungen ist es anzuraten, die Meditation plötzlich zu unterbrechen und sich genau über den Zustand seines
Körpers zu vergewissern. Ist er irgendwie angestrengt? Sind
die Muskeln straff, die Nerven angespannt? Man sollte sich
fortwährend auf diese Weise korrigieren und so die richtige
Gewohnheit der Haltung entwickeln.

Gute Musik, vor der Konzentration auf einem Grammophon gespielt, hilft, den Geist zu erheben und nach innen zu wenden.

Im vorausgehenden Kapitel hat der Verfasser schon kurz den Weg des religiösen Mystizismus umrissen für jene, denen daran liegt, ihm zu folgen. Es gibt einige andere Wege für Menschen in anderen Stadien der Entwicklung und von anderem Geschmack und Temperament; aber sie können alle in zutreffender Weise unter den Titel des «Pfades der Konzentration» zusammengefaßt werden, denn sie sind alle Variationen des viel besprochenen, aber wenig verstandenen Yoga des Ostens. Von den gefährlichen Yogamethoden, die Unwissende durch den Köder wunderbarer okkulter Kräfte anzulocken suchen, wird je weniger je besser gesprochen. Wer sie übt oder verbreitet, tut dies auf eigene Gefahr und Verantwortung. Das sicherste und beste Yogasystem besteht darin, irgendeinen materiellen Gegenstand oder Verstandesbegriff, eine *geistige Eigenschaft* oder Persönlichkeit zu nehmen und die volle Kraft seiner Aufmerksamkeit durch eine Folge von Gedanken, die mit jenen in Verbindung stehen, auf sie zu konzentrieren, bis der Geist wörtlich mit ihnen eins wird. Die Kette der Gedanken muß streng logisch sein; der Gegenstand der Meditation selbst ist von geringerer Bedeutung, als die meisten Neulinge denken. Das, worauf es wirklich ankommt, ist die Konzentration der Aufmerksamkeit, mit der man sich ihm widmet, und die Kraft, die umherschweifenden Gedanken für die gegebene Zeit auf ihn zu fixieren. Gedanken, denen diese konzentrative Kraft fehlt, sind flüchtig und in den Sand geschrieben. Wenn nach langer, mehrjähriger Übung und unter Anwendung starker Willenskraft das Heer der geistigen Eindrücke aufhört, im Gehirn umherzuwirbeln, und das Ziel des auf einen Punkt eingestellten Geistes erreicht ist, kommt eine weitere Stufe in Sicht; aber sie kann nicht von jemandem betreten werden, der noch nicht genügend Kraft geistiger Konzentration gewonnen hat, um die Aufmerksamkeit in ununterbrochener Weise auf einem einzigen Punkt, einer Vorstellung oder Idee, festhalten zu können, ohne daß er psychischem Mediumismus verfällt und ein Kanal für Wesen wird, die weit unter dem Überselbst stehen.

Diese Stufe wird Kontemplation genannt. Sie fordert von dem Übenden, den Gegenstand, die Idee oder das geistige Bild auf dem Höhepunkt der Übung aus seiner Aufmerksamkeit fallen zu lassen, ohne jedoch die Stimmung fixierter, unerschütterlicher Aufmerksamkeit aufzugeben, die er gewonnen hat. Wenn dies richtig getan ist — und es ist keine leichte Sache —, bleibt der gestillte Geist für einen flüchtigen Augenblick in einem Zustand von Leere. Es mag ein vorübergehendes Aussetzen der Erinnerung eintreten, ein kurzer Schwindel von Selbstvergessenheit — dann wird man finden, daß das Zentrum seines Wesens sich in eine tiefere Ebene eingesenkt hat, die gänzlich verschieden ist von der normalen. Auf dieser Ebene versinkt der Geist in einen Zustand von strahlendem Frieden, Erleuchtung, Verständnis, Freiheit und Wunschlosigkeit. Dieser wundervolle Zustand dauert jedoch nicht lange, sondern verschwindet ebenso unbemerkbar und still, wie er gekommen ist. Die letzte Aufgabe des Kontemplierenden besteht darin, das Experiment so oft als möglich zu wiederholen und diese hohen Stimmungen so lange auszudehnen, als er kann, bis sie sich schließlich über den ganzen Tag erstrecken, ununterbrochen und ununterbrechbar.

Auf der Ebene, die gerade unterhalb der endlichen Erreichung liegt, verschmelzen und vereinigen sich alle verschiedenen Wege der Meditation. Je mehr sie sich dieser Ebene nähern, desto mehr gleichen sie einander. Es ist ebenfalls richtig, daß gewisse Bedingungen der Praxis auf der einen oder andern Stufe bei allen Wegen vorgeschrieben sind — vor allem die Notwendigkeit der Gedankenkonzentration.

Konzentration besteht im Anhalten dieser immerfort wechselnden, gewohnheitsmäßigen Wanderungen des Intellekts und im Festhalten desselben auf einer einzigen Linie des Vorgehens durch tiefes Eindringen in einen bestimmten Gedanken. Um dies zu erreichen, ist es notwendig, die Eindrücke und physischen Empfindungen, die durch unsere Umgebung in uns hervorgerufen werden, unbeachtet zu lassen, den Lärm des weltlichen Lebens zum Schweigen zu bringen und den Schwarm der störenden, unsachlichen Gedanken fernzuhalten, indem man während der halben Stunde der Meditation bewußte Kontrolle des Geistes übt. Kurz: während man über den gewählten Gegenstand gründlich nachdenkt, muß ein gewollter Widerstand da sein gegen den Andrang der Wahrnehmungen, die von außen, und gegen das Aufstehen fremder Gedanken, die aus dem Innern kommen. Man kann sie nicht sofort vernichten oder auslöschen; aber man kann sich ein festes Ziel, ein Ideal aufstellen, unbewegt durch sie zu bleiben, wie ein Fels, über den die Wogen der See vergeblich zusammenschlagen, unfähig, ihn aus seiner festen Lage zu verschieben. Während der ersten Hälfte seiner Übung wird man einen fast unbezwingbaren Drang fühlen, sie zu verlassen, aufzustehen und sich mit etwas anderem zu beschäftigen. Der Verstand wird sich bitter darüber beklagen, daß er aus seinem gewohnten Geleise gebracht wird, über die Tyrannei, ungewohnterweise nach innen gelenkt zu werden, während er sich gerne der viel größeren Tyrannei unterwarf, den ganzen Tag hindurch veräußerlicht zu werden. Die Ruhelosigkeit des Geistes ist die allgemeine Entdeckung aller Menschen, die die Übung der Meditation aufnehmen. Diese Entdeckung wird durch jeden anfänglichen Versuch bestätigt und führt zunächst zu einer gewissen Entmutigung. Die ersten, ungeschickten Anstrengungen hinterlassen ein Gefühl von Mißlingen und Müdigkeit. Man erkennt nun, daß nur ein kleiner Teil seiner Gedanken seine eigenen sind und daß die übrigen nur eine undisziplinierte, rebellische Menge sind. Wenn man sich diesen negativen Gefühlen hingibt, ist man zum Mißerfolg verurteilt. Nimmt man jedoch die Tatsache an, daß die unternommene Aufgabe eine ernste und schwierige ist, dennoch aber vollkommen möglich und der Mühe wert, und fährt man tapfer mit den Übungen fort, ohne nachzulassen, so wird eines Tages die Belohnung kommen und eine köstliche Ruhe in dem Tumult des Verstandes aufsteigen, und dessen nach außen gerichtete Neigung wird gebrochen sein.

Bis hierher hat man widerstandslos dieser fortwährenden Bewegung des Verstandes gehorcht und ihr nachgegeben; im Augenblick, wo man anfängt, seine gewohnte Unruhe zu stillen, entsteht natürlich ein heftiger Widerstand. Das ist zu erwarten. Man sollte deshalb diese unvermeidliche Tatsache annehmen und anstatt die Übung aufzugeben, weil sie unfruchtbar und uninspiriert erscheint, geduldig und hoffnungsvoll damit fortfahren, um den Intellekt mit jedem vorbeigehenden Monat um ein geringes fester zu machen.

Denn der Geist ist durch den Körper zum Gefangenen gemacht und gezwungen worden, ihm zu dienen; der Zweck der Meditation ist, diese Lage umzukehren und den Geist von dieser tyrannischen Herrschaft zu befreien, so daß er sich mit seinem rechtmäßigen Herrn, dem Überselbst, wieder vereinigen kann. Wenn er während der Meditation unserm Zugriff ausweicht und verursacht, daß äußere Empfindungen oder Vergessen des Gegenstandes unsere Aufmerksamkeit ablenken, sollte man tapfer die schwierige Sache vollbringen, ihn auf seinen Wanderungen wieder einzufangen; man sollte versuchen, ihn nach innen zu wenden und geduldig seine Aufmerksamkeit auf ihren eigentlichen Brennpunkt zurückzulenken, wie langweilig dies auch ist und wie oft es auch geschehen muß. *Geduld und Gleichgültigkeit gegenüber Mißerfolgen sind unerläßlich, um den endgültigen Erfolg zu erlangen.*

Die Konzentration der Gedanken ist wie das Reiten eines eigensinnigen Maultiers, das immerfort seine eigene Richtung gehen will. Jedesmal, wenn der Reiter sieht, daß sein Tier sich verirrt, muß er es zwingen, seinen Kopf nach dem richtigen Wege zurückzuwenden. Das Überselbst in unserm Innern ist immer für uns zugänglich; aber unsere wandernden Gedanken müssen sein Brennstoff werden. Wir sind so lange verlorene Söhne gewesen, daß wir zur Rückkehr eine beträchtliche Zeit benötigen. Deshalb ist Geduld bei diesen Anstrengungen notwendig. Niemand kann in drei Monaten ein vollendeter Musiker werden, und dennoch erwarten die meisten von uns, das Beste im Leben durch wenig Anstrengung zu gewinnen, und werden niedergeschlagen, wenn keine sofortige Antwort da ist.

Eine letzte Bemerkung muß noch hinzugefügt werden, um einen Irrtum zu beseitigen, welchem häufig die verfallen, die sich dem Yoga, dem Pfad der Konzentration, widmen wollen. Die Meditation — das betrachtende Festhalten einer folgerichtig aufbauenden, zusammenhängenden Gedankenreihe — ist lediglich Vorbereitung für diesen Pfad. Sie bildet eine Zwischenstufe, ein Übergangsstadium. Vorgeschrittene Konzentration — oder Kontemplation — besteht darin, daß man die Aufmerksamkeit auf einen einzigen Gedanken, Gegenstand oder eine Person heftet, sie auf ihm ruhen läßt, ohne sich weiteren Gedanken über ihn hinzugeben. Deshalb ist anhaltendes, wirksames Denken die erste Anstrengung, die zur Konzentration führt; aber sie ist nicht die endgültige Konzentration selbst, weil sie eine Folge von vorübergehenden Gedanken einschließt. Wahre Konzentration schließt nur einen Gegenstand oder einen Gedanken in sich. Wir müssen lernen, den Intellekt als eine Gedankenmaschine zu betrachten, die zeitweise beiseitegeschoben werden muß, wenn sie ihren Dienst getan hat und und dann nicht weiter bedient werden soll. Disziplinierter geistiger Tätigkeit muß beherrschte geistige Ruhe folgen — jene Ruhe, die, den gegenwärtigen Augenblick öffnend, einen in die Ewigkeit einläßt und den Denker von dem Kokon der Gedanken befreit, an dem er unaufhörlich spinnt.

Solche Übungen mögen dem Durchschnittsmenschen anfangs außerordentlich langweilig vorkommen, weil er es hier mit nichts Greifbarem zu tun hat, mit nichts, das er mit seinen Händen berühren und fühlen oder mit seinen Augen sehen kann. Er wird vielleicht einen natürlichen Widerwillen dagegen haben, von seiner Verankerung in der physischen Welt losgerissen und dazu geführt zu werden, in dieser mentalen Welt, die scheinbar so schattenhaft ist, herumzutasten; aber in Wirklichkeit ist sie von höchster Wichtigkeit für sein eigenes Wohlergehen. Solche Gedanken können und müssen ihm kommen; aber er möge sich nicht schwächlich von ihnen verführen lassen. Er sollte die geistige Trägheit abschütteln, wenn nötig angelockt durch den Gedanken an die erhabenen Belohnungen, die ihn auf diesem Weg erwarten: Belohnungen, die nicht allein von einem materiellen Gesichtspunkt aus gewertet werden können; denn sie kommen in jeder Art und Form — als materielle Harmonie, geistige und gefühlsmäßige Befriedigung und vor allem als höheres geistiges Wissen. Kein Preis kann auf diese Dinge gesetzt werden, und sie sollten genügen, um den Menschen zu verlocken, diese tägliche Arbeit der Selbstentdeckung in Angriff zu nehmen, einerlei, wie lang und mühsam die Aufgabe sich erweisen mag.

Es gibt natürlich Hindernisse und Schwierigkeiten; sie sind bei fast allen Neulingen die gleichen. Der menschliche Geist wandert unvermeidlich und eigensinnig wie ein Maultier von seinem gewählten Thema fort oder läßt das erwählte Bild fallen. Häufig wird sein Abgleiten eine Zeitlang unbemerkt bleiben; dann aber wird sich der Betrachtende plötzlich bewußt, daß er entweder ein Dutzend verschiedene Gedanken gehabt hat, statt eines einzigen, oder daß er den eigentlichen Gegenstand der Meditation überhaupt vergessen hat. Können wir uns darüber wundern, daß die indischen Yogis den Verstand mit einem verrückt gewordenen Affen vergleichen, der ziellos hierhin und dorthin springt? Die meisten unter uns treiben den ganzen Tag auf einem Strom dahinstürmender Gedanken und Wünsche dahin oder ergeben sich einer wahnsinnigen und törichten Hast; die Meditation sucht an einer Insel anzuhalten, auf der man sich in Ruhe wiederfindet — daher ist der Widerstand der Strömung gegen diese Anstrengung unvermeidlich.

Wenn einmal die Gedanken durch Sehnsucht angefeuert sind und ein starkes Verlangen nach Harmonie gefühlt wird, schreitet man rascher fort, und man wird dann häufiger und mit weniger Anstrengung in den «konzentrierten Zustand» hineinkommen.

Für den Schüler, der dieses Training treu und regelmäßig ausübt und sich entschlossen daran gibt, die Herrschaft über die Gedanken zu erlangen, wird früher oder später eine Zeit kommen, in der er ein unbestimmtes Gefühl des Fortschritts empfinden wird, und in der er sich aus dem nebelhaften Zustand herauszuarbeiten anfängt, der notwendig seine anfänglichen Versuche begleitete. Diesem Vorgefühl darf man Glauben schenken; es sollte die Hoffnung und das Vertrauen stärken: zwei Eigenschaften, die auf diesem Wege sehr hilfreich sein werden. Hoffnung ist wesentlich, weil die Mißerfolge, bis man zu irgendeinem bestimmten und auffallenden Fortschritt kommt, notgedrungen zahlreich sein werden und sich manchmal über Jahre erstrecken, während derer der Geist wieder und wieder von der gestellten Aufgabe forteilen wird. Der Mensch, der trotzdem bereit ist, seine Übungen fortzusetzen, dessen Glaube an ihre endliche Wirksamkeit dennoch standhält, wird eines Tages mit Staunen entdecken, daß seiner Geduld und seinem Optimismus plötzlich ein reicher innerer Lohn verliehen wird.

Schließlich braucht er ja jeden Tag nur kurze Zeit zu üben. Die restliche Zeit kann er auf die gewohnte Weise verbringen und den Verstand genau so eifrig wie sonst betätigen. Die Wirkung dieser täglichen Stillung des Intellekts wird sich jedoch allmählich auf verschiedene und merkwürdige Art zu zeigen anfangen,

Die Dinge, die einem auf diesem Wege am besten helfen können, stehen zur freien Verfügung — Führung, Mut, Treue, Arbeit und Geduld kosten noch immer nichts, und der Lohn, welcher die Übenden erwartet, ist nichts weniger als das göttliche «Überselbst» selber im höchsten, und geistige Ruhe im geringsten Falle.

Vertrauen und Geduld sind wesentlich — nicht blindes Vertrauen und träge Geduld, sondern intelligenter, vernünftiger Glaube und ruhiges Vertrauen, daß die rechte Art der Anstrengung früher oder später auch die richtigen Resultate bringen muß.

Schließlich kann hinzugefügt werden, daß sich bei einigen Leuten die Konzentration besonders leicht durch Hören gewisser Töne entwickelt. Orientalische Lehrer dieser Kunst führen solche Menschen zu einem kleinen Wasserfall und heißen sie, ihre Aufmerksamkeit nur an seinen musikalischen Klang zu heften, unter Ausschluß aller andern Töne oder Gedanken. Dadurch wird der Verstand mit dem Ton geeint und so des ersteren Neigung zum Wandern ferngehalten. Ein ähnliches Resultat kann erreicht werden, wenn man das Gehör auf die schnurrenden Umdrehungen eines elektrischen Fächers konzentriert.

Der Mensch, der ruhig fortgefahren hat zu meditieren, in der Einsamkeit seines eigenen Zimmers oder in einem friedlichen Walde, und vielleicht viele Monate oder möglicherweise Jahre darum gerungen hat, ein intellektuelles Verständnis seiner selbst zu erlangen, hat während dieser ganzen Zeit langsam einen Hintergrund und eine Bühne aufgebaut, die später der Schauplatz werden, auf dem das Drama seiner geistigen Wiedergeburt stattfinden wird. Durch die Macht zunehmenden abstrakten Denkens lernt er, sich aus rein materiellen Umgebungen zurückzuziehen, die Existenz der physischen Welt zu vergessen und in die Welt der Ideen einzugehen, die eine mittlere Region zwischen Materie und Geist ist. Selbst wenn nichts Überraschendes und Auffallendes sich ereignen sollte während dieser rein vorbereitenden Übungen, sollte er nichtsdestoweniger deutlich einsehen, daß sie den Weg für einen Zustand vorbereiten, der überraschende und auffallende Dinge möglich macht. Alles ist hier, wie überall in der Natur, eine Sache allmählichen Wachstums. Die Gedanken, die nur in unbestimmten Abstraktionen zu enden scheinen, führen ihn in Wirklichkeit, ohne daß er es ahnt, an die Grenzen des Verstandeslandes, wo neue Führer und neue Methoden der Beförderung zu seiner Verfügung stehen werden. Allein aus diesem Grunde — wenn nicht aus anderen — ist viel Geduld erforderlich.

Es wird auch eine Zeit kommen, in der die Gedanken eine tiefere Bedeutung in seinem Leben annehmen werden, als sie es bisher getan haben. Wenn jemand einen Weg wie den hier beschriebenen verfolgt und seine Gedanken absichtlich so zu ordnen sucht, daß er zu etwas kommt, das jenseits des alltäglichen Selbst liegt, und das daher von höchstem Werte ist, fängt er an, einen wachsenden Sinn für die Wichtigkeit der Beherrschung des Gedankenlebens zu entwickeln und ihr eine sorgfältigere Pflege als bisher angedeihen zu lassen.

Während seine Kraft innerer Abstraktion und geistiger Konzentration wächst, wird er erstaunt sein, eine Verbindungslinie zu entdecken zwischen seinen ausdauernden oder konzentrierten Gedanken und den Ereignissen seines äußeren Lebens, die zuweilen mit überraschender Klarheit verfolgt werden kann. *Seine Gedanken werden schöpferische Kräfte.* Diese Einsicht wird ihn besorgt sein lassen, immer weniger Gedanken des Hasses, der Eifersucht, des Geizes, der Furcht oder der Schüchternheit zu unterhalten, wie überhaupt alle zerstörenden oder überflüssigen Gedanken. Vielmehr wird er deren Gegenteil willkommen heißen.

Ist ein solcher Zustand erreicht, so bedeutet dies ein gutes Zeichen und beweist, daß der Mensch wirkliche Fortschritte auf dem Wege macht. In sich selber wird er fühlen — und ebenso wird ein äußerer Beobachter es feststellen können —, daß er als Ergebnis seiner Übungen ein emotionales Gleichgewicht und eine innere Ausgeglichenheit erlangt hat.

Und aus seinem Suchen wird die überlegene Größe geistiger Ruhe hervorgehen — so notwendig in einer Welt des Leidens, so deutlich erkennbar in jedem, der sich dem Überselbst nähert.

Ein sonderbares Resultat dieser Konzentrationsübungen ist die Entwicklung außergewöhnlicher geistiger Fähigkeiten, die früher oder später eintritt; doch ist es sehr unklug, sie um ihrer selbst willen zu suchen. Die telepathische Fähigkeit, andern Geistern Gedanken zu senden oder sie von ihnen zu empfangen, fällt am meisten auf und kann einem mit der Zeit so vertraut werden, daß man sie als alltäglich betrachtet. Prophetische Vorahnungen zukünftiger Ereignisse können ebenfalls ganz natürlich und spontan in einem entstehen und sich auf die auffallendste Weise verwirklichen. Das Band, das einen an den fleischlichen Körper bindet, fängt an, sich zu lockern, und die befreite Seele kann der Welt entfliehen und andern in Vision oder Träumen erscheinen. Das Traumleben erfährt eine entscheidende Veränderung und wird zu einem zusammenhängenden, rationalen Sein, das seltsamerweise *das Bewußtsein davon enthält, daß man sich in einem Traumzustand befindet.* Dadurch verliert letzterer seine phantastische Unbestimmtheit und wird eine wirkliche Fortsetzung des persönlichen Tagesdaseins. Das Traumleben wird den chaotischen, verworrenen und sinnlosen Charakter verlieren, den es normalerweise so oft besitzt, und sich in einen nützlichen, folgerichtigen und vernünftigen Zustand umwandeln.

10. Kapitel

Der Pfad der Selbsterforschung

Nun der Schauplatz für die ersten Meditationen diesem System entsprechend festgesetzt ist, kann die Arbeit der grundlegenden Periode beginnen. Sie besteht in nichts anderem als im Lesen und Studieren einzelner Sätze oder Abschnitte dieses Buches, die man zum Gegenstand der Konzentration macht, bis schließlich der ganze erste Teil, mit Ausnahme des unwichtigen einleitenden Kapitels, beendet ist, wie man eine in Serien geschriebene Erzählung schließlich beendet.

So wird jeder tägliche Text die Speise, mit dem sich der Geist des Lesers nähren kann. Die Worte müssen seinen Unterhalt bilden; sie sollen wieder und wieder überdacht und mit eigenen Ideen gewürzt werden, bis sie gründlich zerkaut, geschluckt und verdaut sind — kurz: bis all die Vorstellungen annehmbar erscheinen. Der Kritiker wird sofort einwenden, daß dies einer Knebelung des Lesers gleichkomme und ein Versuch sei, ihn zu zwingen, eine bestimmte Gedankenreihe hinunterzuschlucken.

Darauf erwidert der Verfasser, daß ohne die Abwendung des Blickes von einem vorgefaßten Kriterium der Wahrheit, wie es die physische, wache Erfahrung allein bedeutet, keine wahre Vorstellung der inneren Beschaffenheit des Menschen je erlangt, noch ein Fortschritt auf diesem Wege erreicht werden kann.

Rechte Untersuchung, unvoreingenommene Selbstbefragung, wie sie hier formuliert ist, kann möglicherweise zu anderen Resultaten als jenen führen, die sich ergeben, wenn man sich weigert, von der vorgefaßten Meinung abzulassen, daß der Mensch durch physische Grenzen beschränkt sei. Das Festhalten an einer solchen Meinung heißt an sich schon voraussetzen, daß der größte Teil der Wahrheit über die menschliche Persönlichkeit bereits bekannt sei. Das ist schließlich eine reine Annahme.

Die Fragen, die einen Teil dieses Systems der Spiritualanalyse bilden, sind nicht oberflächlich formuliert worden. *Sie sind mit voller Absicht von jenen entworfen worden, die schon die Antwort kennen.* Sie entstammen dem Geiste alter Seher, die mitleidig auf die im Dunkel herumtastende Menschheit herabsahen und planmäßig dem Menschengeist diese Fragen vorlegten als eine Art Ariadnefaden, der, wenn er richtig verfolgt wird, ihren Geist durch den Irrgarten und das Labyrinth dieser Welt zur Entdeckung der in ihr verborgenen geistigen Welt führen sollte.

Und wenn diese Antworten hier niedergelegt wurden, geschah es auch nicht in der Absicht, Anhänger für sie zu gewinnen, sondern aus der Notwendigkeit heraus, einen Weg durch unbetretenes Gebiet zu bahnen *für jene, die ihn verfolgen müssen.* Wäre der Verfasser nicht selber zu der Entdeckung dieser verborgenen geistigen Welt des Seins geführt worden, so hätte er sicherlich diese Antworten für das gehalten, wofür so viele Menschen sie halten: nämlich für rein intellektuelle Meinungen.

Aber sie sind viel mehr als das.

Sie sind nicht nur korrekte, vernünftige Antworten, sondern auch Feststellungen beobachteter Tatsachen.

Diese Beobachtungen wurden gemacht von jenen, die dazu befähigt waren: von den Sehern und Weisen, die den Gipfelpunkt von Jahrtausenden geistiger Evolution bilden.

Die Sache kann auch noch offener ausgedrückt werden, dadurch, daß wir behaupten, daß ein verständnisvolles Durchlesen dieser Seiten und ein gründliches Nachsinnen über ihren Inhalt, bis die Wahrheit, die sie enthalten, anfängt, mehr durch innere Wahrnehmung als durch blinden Glauben in den Geist einzusickern, schließlich zu bestimmten Rückwirkungen in den innersten Tiefen der menschlichen Natur führt. Jede Seite, die der erste Teil enthält, beabsichtigt, direkt oder indirekt auf den Geist des Lesers einzuwirken, wenn er diesen Einfluß nicht durch innere Voreingenommenheit verhindert und wenn er ihre Worte in seinen täglichen Zeitraum geistiger Stille hereinnimmt und so eindringlich über sie nachdenkt, daß der Geist, dessen Träger sie sind, auch fähig ist, in sie einzugehen. Er muß nicht nur lesen, sondern auch meditieren, während er liest, und in zufälligen Worten und Sätzen bedeutungsvolle Winke für seine eigene persönliche Führung erblicken.

Durch eine solche unvoreingenommene Betrachtung und durch versuchsweises Vertrauen in diese Beobachtungen und Vorstellungen, die aus ungewöhnlichen Erfahrungen gebildet wurden, *verbunden mit der Erfüllung der andern vorgeschriebenen Bedingungen*, kann der Leser unerwartete eigene geistige Erfahrungen gewinnen; denn er wird bisher verborgene Kräfte, die unter der Schwelle seiner eigenen Persönlichkeit liegen, befreien. Die Selbstanalyse, nach den hier vorgeschriebenen Richtlinien ausgeführt, wird ihm die wesentliche vorbereitende intellektuelle Schulung liefern, die sein inneres Wissen vertieft. Das Durchlesen darf nicht in müßiger und oberflächlicher Weise geschehen, wie man etwa einen Zeitungsartikel oder derartiges liest — das würde so gut wie nutzlos sein —; es muß so geschehen, daß die volle Kraft seines Wesens in den Gegenstand der Aufmerksamkeit gesenkt wird. Daher wird der Schüler es zweifellos notwendig finden, gewisse Teile mehrmals zu lesen, bis er ihren vollen Inhalt erfaßt hat; dann nur kann er wirklich auf diesem Wege fortschreiten.

Selbst die, welche keine Anfänger auf geistigem Gebiete sind und schon bis zu einem gewissen Grad eine geistige Lebensauffassung hegen, werden ihre Zeit durch dieses Durchlesen nicht vergeuden, denn es wird sie in den Stand setzen, manche ihrer eigenen Erfahrungen in eine bestimmte Ordnung zu bringen, ihr Wissen über das Selbst zu klären und ihm vielleicht wichtige Tatsachen hinzuzufügen.

Da dieses Werk die Arbeit genauen Denkens fordert, könnten vielleicht einige Kritiker einwenden, daß eine «bloße Art zu denken» unmöglich so tiefe Verwandlungen im Bewußtsein des Menschen bewirken oder ihm ein so erhabenes Erlebnis geben könne. In der Tat mag ein oberflächlicher Blick über diese Seiten zu jenem Schlusse führen; aber er wäre dennoch falsch. Wir unterschätzen die Macht des Denkens einfach deshalb, weil uns die Natur des Verstandes nur unvollkommen bekannt ist. Wüßten wir nur, daß der Intellekt selbst vom göttlichen Geiste umschlossen ist und daß seine Tat, sich selbst zu seiner verborgenen Quelle hin zu *entfalten*, unfehlbar zu diesem Geiste führt. Das Bewußtsein sollte so gespannt, so wachsam und konzentriert wie nur möglich sein. Man sollte sich hinsetzen mit dem Gefühle: «Ich werde nun mich selbst und meine persönlichen Angelegenheiten vergessen und die ganze Kraft meiner Aufmerksamkeit auf dieses innere Suchen werfen.»

Das Wesentliche dieser Methode ist deshalb sehr einfach, obgleich das Bestreben, sie auszuüben, einen Grad konzentrierter abstrakter Aufmerksamkeit erfordert, den wenig Menschen besitzen, aber viele erwerben könnten. Wenn diese Eigenschaft vorläufig noch fehlt, so kann sie durch beharrliche Übung erlangt werden, ebenso wie man durch beharrliches Üben eine gewisse Fertigkeit im Spielen eines Instruments erwerben kann. Die Ähnlichkeit ist hier in der Tat sehr groß. In der Musik müssen die Ohren des Schülers allmählich erzogen werden, erst die augenscheinlicheren Verschiedenheiten und dann später die feineren Abstufungen zwischen den Noten und Tönen herauszufinden. Ebenso wird der Schüler, der diese psychologische und philosophische Methode, sich dem Göttlichen zu nähern, übt, damit anfangen, die augenscheinlicheren Verschiedenheiten zwischen sich selbst, seinen Gefühlen und Gedanken, und später die subtileren Schattierungen dieser Verschiedenheiten zu entdecken. Schließlich lernt er, «nach innen zu hören» und das Göttliche, das die Unterströmung seines persönlichen Ich ist, zu entdecken, ebenso wie der Musikschüler lernt, das «Grundmotiv» einer musikalischen Komposition zu entdecken.

Das Denken kann daher zu einem mächtigen Instrument der Selbstbefreiung werden in den Händen derer, die gelehrt wurden, es richtig zu gebrauchen. Auf diesen Seiten wird der Leser Ideen, Worte, Sätze, Abschnitte und Fragen finden, die, wenn sie gründlich überlegt werden, sein Denken tatsächlich entwickeln und ihm ermöglichen, jene geheimnisvollen Regionen subtilen Denkens und Verstehens zu entdecken, die augenblicklich noch außerhalb seiner geistigen Kenntnis liegen, und späterhin in sie einzudringen, wie auch der Schüler der Musik seine musikalischen Fähigkeiten so anspannen wird, bis er endlich jene zarten Harmonien hört, die früher außer dem Bereich seiner Erfahrungen lagen.

Gerade das Studium dieses Weges zu dem vierdimensionalen Bewußtsein des Überselbst hilft einem, den notwendigen neuen verstandesmäßigen Ausblick zu gewinnen, der selber einen Teil dieses Systems bildet.

Die Abschnitte dieses Buches sind das Ergebnis von Erfahrungen einer andern Ordnung und bringen daher befreiende und offenbarende Führung. Die Aufgabe dieses Werkes besteht darin, den Verstand zu erfassen und ihn auf eine neue Spur zu führen; und gerade wie ein Mensch, der einen falschen Weg eingeschlagen hat, auf den richtigen zurückgebracht werden kann, so kann man auch in der Richtung vorwärtsgeführt werden, die die Natur uns zugedacht hat.

In den vorausgehenden Seiten ist viel dichtkonzentriertes Denken auf einem engen Raum zusammengedrängt. Der kürzeste Satz kann die tiefste Wahrheit enthalten; deshalb wird man nur dann wirklichen Gewinn haben, wenn man sich mit der bedachtsamen Langsamkeit durch sie hindurcharbeitet, die notwendig ist, wenn man einen neuen Gegenstand meistern will. Jedermann kann ein einzelnes Kapitel in einer

Stunde oder noch kürzerer Zeit durchlesen, wenn er will; aber er wird eine Woche oder mehr brauchen, um es zu studieren, und vielleicht Monate oder mehr, um es in sich aufzunehmen und richtig zu beherrschen. Wenn der Raum es gestattet hätte, würde der Verfasser jeden einzelnen Gedanken isoliert und durch einen breiten weißen Raum von dem nächsten getrennt haben, um so dem Leser einzuprägen, daß jeder neue Gedanke in sorgfältiger geistiger Arbeit erobert werden muß, ehe an ein Weiterschreiten zu denken ist.

Wenn solches Nachsinnen auf die richtige Art und mit entsprechender Aufmerksamkeit geschieht, kann jede dargestellte Idee zu einem Gedankenkeim werden, den des Lesers eigener Geist ausarbeiten und der ihn mit der Zeit ein Stück weiterführen kann auf dem Weg zu seinem Ziele: dem Wissen um das Überselbst. Denn diese Wahrheiten werden in tieferen Ebenen Wurzel fassen und dann langsam zu der Oberfläche des Bewußtseins emporwachsen.

Der praktische Weg erfordert deshalb, daß der Schüler ein paar Sätze oder sogar Abschnitte seiner Lektüre in die stille Kammer seines Gehirns trage, dort im Geist festhalte, tief und gründlich durchdenke und zum Gegenstand abstrakten Sinnens mache. Die aktive Teilnahme seines Denkens und seiner Phantasie wird gefordert. In diesem Zusammenhang muß an all das erinnert werden, was im vorhergehenden Kapitel über die Kunst, seine Gedanken zu konzentrieren und jedes nicht zur Sache gehörende Thema auszuschließen, gesagt wurde. Der Geist sollte ruhig und entschlossen darauf aus sein, jeden Gedanken gründlich zu erforschen; denn nur unter solchen Umständen kann er zu einem Verständnis kommen, das nicht verzerrt ist.

Jeder Satz ist mit der bestimmten Absicht geschrieben, im Geiste des Lesers eine gewisse Rückwirkung und eine gewisse Stimmung hervorzurufen. Aber nur diejenigen, die von Anfang an eine wirklich unpersönliche, unvoreingenommene und richtige Haltung angenommen hatten, werden wahrscheinlich eine solche Rückwirkung erleben und finden, daß ihr Denken eine Bedeutung für ihr geistiges Leben gewonnen hat.

Es ist also in diesen Seiten eine gewisse gebundene Energie enthalten, die darauf wartet, durch rechte Aufnahmefähigkeit und vernünftige Würdigung befreit zu werden.

Was bin ich? Diese Frage muß sich tief in das Bewußtsein senken. Sie muß schweigend geformt und mit Ehrfurcht und Ernst und später sogar in einem halb betenden Geiste gestellt werden.

Man muß anfangen, sich dieser Frage bewußt zu werden und sie wenigstens während einer begrenzten Zeit jedes Tages das Gedankenleben voll in Anspruch nehmen zu lassen. Man muß versuchen, seine Natur mit ernstem und gründlichem Geiste zu analysieren, den Begriff der Selbstheit zu zerlegen, wie der Anatom den physischen Körper zerlegt, bis man gewahr wird, was er eigentlich ist. Eine solche Analyse muß mehr sein als ein bloßes Wühlen in menschlichen Leidenschaften, wie es einige moderne Psychologen für ausreichend halten. Man muß sich bemühen, durch Kreuz- und Querfragen die menschliche Erfahrung in ihrer Gesamtheit aufzuwühlen, von der dichtesten bis zur allerfeinsten.

Man kehrt immer wieder zu dem einzigen Faktor zurück, der die erste Stelle sowohl in der theoretischen Philosophie als im praktischen Leben einnehmen soll — dem Wissen um das Selbst. Daher geht der «geheime Pfad» direkt auf dieses Ziel los: eine verstandesmäßige Analyse des persönlichen Selbst, aus der sich die Entdeckung des geistigen Selbst ergibt. Eine derartige Entdeckung kann niemals auf dem Seziertisch gemacht werden. Tiefe Meditation über das Thema «Was bin ich?» ist wesentlich.

Das Grundprinzip dieser Methode ist daher: diese Frage zu nehmen und zu versuchen, der Natur und dem Ursprung des Begriffs der Selbstheit nachzuspüren; die Gesamtheit der Teile, von denen man im allgemeinen annimmt, daß sie unser eigenes, individuelles Wesen ausmachen, zu analysieren; nacheinander jeden einzelnen Teil des Körpers, bzw. die

Gemütsbewegungen und das Gedankenleben, zu untersuchen; und durch alles dieses hindurch nach dem zu forschen, was in Wahrheit das Selbst genannt werden kann, und alles andere zeitweise der Vergessenheit anheimfallen zu lassen.

Dieser Weg der Selbstschulung ist in zwei Stufen eingeteilt, die verschiedene Praktiken umfassen. Die erste Stufe ist intellektuell und enthält verschiedene Übungen, die das Verständnis wecken sollen. Die zweite ist mystisch und entwickelt das Verstandene. Auf der ersten Stufe bringt man eine Folge vernunftgemäßer Fragen an sich selbst in Gang, um auszuspüren, was man in Wirklichkeit ist, und das lebendige Wesen, das innerhalb seines Körpers denkt und fühlt, zu verfolgen. Auf der zweiten Stufe wird der denkende Verstand ausgeschaltet und das sog. bewußte Selbst außer Tätigkeit gesetzt, damit das fälschlich so benannte Unterbewußtsein sich erheben kann.

Die Bestandteile der Persönlichkeit werden während des Zeitraums der Meditation einer strengen Analyse unterworfen. Der Körper und seine Teile, Organe und Sinne werden sorgfältig untersucht mit der Absicht, ausfindig zu machen, ob das Selbst in ihnen wohne; und durch verschiedene Analysen zeigt es sich, daß der Sinn der Selbstheit dort nicht zu finden ist. Der Körper wird dann von der Analyse ausgeschieden, und die Gemütsbewegungen werden einer gleichen Befragung unterworfen. Auch hier wieder deuten ihre Vergänglichkeit und die Folgerungen des natürlich ausgesprochenen Satzes: «Ich denke» darauf hin, daß das Selbst etwas für sich Bestehendes ist. Die Fähigkeiten des Verstandes — Phantasie, Schlußfolgerung, Wahrnehmung — werden ebenfalls beobachtet und weganalysiert; es wird gefunden, daß das Selbst keiner dieser Funktionen innewohnt. Der Verstand selbst wird kritisch zerlegt, und es wird festgestellt, daß er nichts anderes ist als eine Folge von Gedanken. Man überwacht den Vorgang des Denkens und bemüht sich dann, ihn in der mystischen Stille festzuhalten, aus der er hervorgeht.

Endlich wird das bewußte «Ich» auf einen einzigen Gedanken zurückgeführt.

Aus der großen Stille und Leere im Hintergrund des Verstandes hervorgehend, ist dieser «Ich»-Gedanke der erste, der im Bewußtsein des persönlichen Ego aufsteigt. Aus ihm ist die ganze Menge der übrigen Gedanken entsprungen, die den Begriff eines persönlichen Wesens, das unabhängig für sich selbst besteht, geschaffen haben. Die gesamte Persönlichkeit ist um diese Gedankenwurzel aufgesprossen. Wird dieser erste Gedanke entwurzelt, bleibt nur unpersönliches *Leben* übrig.

Wenn man dabei beharrt und sich häufig Meditationen über diesen Gegenstand hingibt, wird diese Anstrengung die Logik zu ihrer höchsten schöpferischen Verwendung bringen, und man wird schließlich diesen Gedanken zu seinem Ursprung, das Selbst zu seiner Heimat und das Bewußtsein zu seinem ersten ungeteilten Zustand zurückverfolgen.

Am Ende dieser mentalen Analyse muß daher der Verstand soweit wie möglich gestillt sein und eine andächtige, fast betende Stimmung sich eingestellt haben. Die Stille, der das Ich entsprungen, sollte der Gegenstand der Andacht werden. Das «Ich» selber ist festgelegt und unbeweglich gemacht. Die ganze Aufmerksamkeit sollte auf die geheimnisvolle Leere eingestellt werden, die hinter ihm liegt. Hier ist der Punkt, wo die elektrisierende Führung eines wahren Adepten — wenn man so glücklich ist, einem solchen zu begegnen — zu einer mächtigen Hilfe wird.

Aber bevor wir diese Stille zustande bringen können, müssen wir die den Gedanken innewohnende Neigung, abzuschweifen, zügeln und zu der fixierten Konzentration der Aufmerksamkeit kommen, die so wesentlich ist. Deshalb sind gewisse Beihilfen nötig, die in Kürze dargestellt werden sollen. Zunächst muß eine Atemübung befolgt werden, die den Geist beruhigt. Dann ist eine Sehübung erforderlich, welche die Aufmerksamkeit fixiert und einen konzentrierten Zustand herbeiführt. Das Aufhören der Aufmerksamkeit auf dem äußeren Gebiet befreit diese auf dem inneren Gebiet.

Was wird folgen, wenn dieser Zustand erreicht ist? Wenn die Anstrengung richtig gemacht wurde, ist eine vorübergehende Leere im Bewußtsein geschaffen; aber die Natur, welche die Leere verabscheut, bringt die Sache schnell wieder in Ordnung. Auf die *verstandesmäßige* Untersuchung, die nun beendet ist, folgt eine innerliche Offenbarung. Die verbannten Gedanken werden durch die alles durchdringende Allseele (Overmind) ersetzt, die ihrerseits späterhin dem göttlichen Überselbst weicht, das in das Feld unseres Bewußtseins tritt. Es bringt mit sich «den Frieden, der alle Begriffe übersteigt», wie Paulus sich ausdrückte. (Eine bessere Übersetzung würde lauten: «Der Friede, der den Verstand übersteigt».)

Sobald dies Hinübersetzen erfolgreich durchgeführt ist, wird das wahre Selbst sich dem staunenden Geiste offenbaren. Wir werden dann plötzlich in seelischem Schweigen verstummen; denn wir realisieren, daß wir nun einer göttlichen Gegenwart gegenüberstehen. Dies ist ein Erlebnis, das nicht übertroffen werden kann. Es wird alle törichten Illusionen zerstören und alle irrigen Träume zerstreuen. Verwirrung und Widerspruch werden mit der Nacht entweichen, und Erleuchtung wird die dunklen Stellen des Geistes mit strahlendem Lichte überfluten. Wir werden *wissen* und wissend annehmen. Denn wir werden entdecken, daß das Herz unseres Seins auch das Herz des Weltalls ist und daß es gut ist.

Danach verwandelt sich die Aufgabe, die bis anhin zeitweiliges Sich-Zurückziehen hieß, in die Entwicklung einer Gewohnheit innerer Sammlung, zu der man seine Zuflucht nehmen soll, wann immer es während des Tages notwendig ist und wo man auch sei, bis sie zu einer festen und vorherrschenden Stimmung wird, in der das Herz für immer in dem *Einen* versenkt ist, selbst während der Kopf und die Hände mit ihren eigenen Pflichten beschäftigt sind.

Wir müssen uns erinnern, daß während der Analysen kalte, gefühllose Verstandestätigkeit allein nicht genügt; dieser Weg verlangt, daß wir das Herz ebenso wie den Verstand hineinlegen.

An diesem Punkte ist es auch wichtig, zu verstehen, daß

die bloße Wiederholung der Gedanken, die in einer solchen Meditationsanalyse gegeben sind, nicht ausreichend ist. Wenn es kalter, kritischer Analyse allein gelingen würde, in das subtile Gebiet des Geistes einzudringen, wären viele Denker der Welt nicht die Materialisten geworden, die sie wirklich geworden sind — nein, es ist noch etwas mehr erforderlich. Dieses Etwas ist innere Sehnsucht nach der Wahrheit, echtes, mit dem Herzen empfundenes und anhaltendes Verlangen, in die geistige Region emporgehoben zu werden. Man sollte während der Zeit der Selbsterforschung alle andern Wünsche beiseiteschieben. Diese Sehnsucht wirkt wie eine vorwärtstreibende Kraft; ohne sie würde ein trockenes, verstandesmäßiges Zerlegen seines Ich nur zu rein negativen Resultaten führen. Was not tut, ist, absichtlich solche Stimmungen herbeizuführen, in denen der Gedanke durch das Gefühl angefeuert wird, und Emotionen zu schaffen, während die Seele durch die Funken geistiger Aspiration entzündet ist. Sorgfältiges Befolgen der Anweisungen wird dies herbeiführen. Auf diese Weise wird eine ausgeglichene Entwicklung einen vorbereiten, auf diesem Wege fortzuschreiten; und obgleich die grundlegende Schulung verstandesmäßig ist, wird die notwendige Erhebung der Gemütsbewegungen Hand in Hand mit ihr gehen.

So wird mit der Zeit eine Atmosphäre hervorgerufen, die für die hohe innere Kundgebung des Göttlichen, nach der man verlangt, geeignet ist.

Wenn man genügend lange Zeit geübt hat, wird die zweite Stufe sich allmählich enthüllen, in der das Durchlesen dieser Seiten überflüssig wird und bloß ihre fundamentalen Gedanken oder Sätze durch das Gedächtnis im Geiste wieder erweckt und meditiert zu werden brauchen. Die Frage, wie lange dieser Meditationskursus fortgesetzt werden sollte, muß jeder für sich selbst beantworten. Er ist gerade so lange nötig, als man das Gefühl hat, daß er erforderlich ist. Er ist nötig, bis die vollste intellektuelle Überzeugung der auf diesen Seiten gelehrten Wahrheiten erlangt ist. Er ist nötig, bis man ihn so leicht, natürlich, willkommen und angenehm findet, daß man sich nach der täglichen halben Stunde sehnt und zu ihrer Ausübung hineilt. Er ist notwendig, bis man alle beweisenden Gedankenfolgen fallen lassen kann und eine zunehmende Helligkeit im Gehirn fühlt, so daß in diesem leuchtenden Schein alle wahren Ideen als überraschend klare, untrügliche Bilder oder inspirierte Gewißheiten hervortreten. Die Übung muß fortgesetzt werden, bis man sich durch den ständigen Tumult äußerer Eindrücke, körperlicher Empfindungen und rastloser Gedanken zu einer inneren Wachsamkeit durchringen kann, die scharf und intensiv, aber scheinbar mühelos ist. Der Zustand, den sie herbeiführt, soll immer von neuem aufgenommen werden, bis er zur Gewohnheit wird; dann erst kann die Übung fallen gelassen werden.

Es sollte weder Eile noch Ungeduld herrschen. Solange der Schüler sich in dieser geistigen Welt nicht mit ruhigem Vertrauen und unübereilter Entschlossenheit bewegt, wird er sein Ziel nicht erreichen. Rein oberflächliche Gedanken, die von ungenügenden Tatsachen zu einer allgemeinen, ungenauen Schlußfolgerung stürzen, eine Hast, die Zeit der Meditation schnell hinter sich zu haben: Alles dies sind Umstände, die nachteilig auf den inneren Fortschritt wirken. Eine solche Eile ist keine eigentliche Geschwindigkeit und hält den Schüler in Wirklichkeit nur auf und hindert ihn, in die tiefere Seelenwelt einzudringen, nach der er trachtet. Man sollte sich zu seiner halbstündigen Meditation mit der Erkenntnis niederlassen, daß soundsoviel Zeit nötig ist für das vorbereitende Schürfen des Verstandes, bis seine tieferen Schichten berührt werden, soundso viel Zeit ebenfalls für das Eindringen in die Überseele. Daher muß man bereit sein, gelassen auf Ergebnisse zu warten, während man für sie arbeitet.

Die Frage der inneren Haltung ist bei diesem Suchen nicht ohne Wichtigkeit, sie ist in der Tat ebenso wichtig wie die Haltung des Körpers. Man muß mit einer hoffnungsvollen und optimistischen Stimmung an die Ausübung der Meditation gehen, ohne darin wankend zu werden; aber bei alledem darf man nie vergessen, wie außerordentlich wichtig es ist, dabei demütig zu bleiben. Demut ist der erste Schritt auf allen Wegen, die zum Unendlichen führen, einerlei, wie verschieden sie sein mögen, und sie ist auch der letzte. Jedoch sollte man mit dem Glauben beginnen, daß die Wahrheit erreichbar *ist*, daß der Geist erobert werden *kann*, daß der Widerstand hindernder Umgebungen nur eine Gelegenheit ist, sie zu überwinden, und daß die dauernde Bemühung, das Licht der Seele zu finden, schließlich die Gnade hervorrufen wird.

Man sollte nicht zögern, diese innere Haltung einzunehmen; denn der eigentliche Umstand, daß man eine solche Übung unternommen hat, ist ein Zeichen, daß das Überselbst angefangen hat, uns zu berühren und uns zu gebieten, daß wir aufwachen sollen. Und das Interesse des Überselbst ist an sich schon ein Herold seiner kommenden Gnade.

Man müßte nun danach streben, das Wesen dieser besonderen Methode zu erfassen. Es besteht nicht nur in dem täglichen Nachgrübeln über übersinnliche Wahrheiten; denn dieses ist vor allem nur dazu da, den Geist zu verfeinern und ihm Neigung zur Abstraktion zu geben. Und es ist auch nicht bloß die zeitweilige Pflege gewisser zarter Stimmungen, welche die Seele erheben; denn auch diese dient nur dazu, die mitreißende Kraft der Sehnsucht zu gewinnen, die einen bei dem inneren Suchen vorwärtstreibt. Nein, es ist vor allem auch die Schaffung einer Haltung richtiger Fragestellung. Dieser Schritt des geistigen Lebens in das Feld der Selbstbefragung ist die eine wesentliche Verschiedenheit, die diese Methode unter allen übrigen kennzeichnet. Anstatt die persönliche Anstrengung zum einzigen Faktor des Fortschritts zu machen, ruft sie auf einer bestimmten, vorgeschrittenen Stufe des Weges einen höheren Teil unseres Wesens zur Mitarbeit am Werke herbei. Denn die fortwährende Befragung des Selbst, das Suchen nach dem «Ich» bietet, wenn es in der hier vorgeschriebenen Weise ausgeführt wird, hinreichenden Grund für eine solche Mitwirkung, weil es nach vorausgehender genügender Vorbereitung das Überselbst einladet, einen lebhafteren Anteil am Spiele zu nehmen *und selbst etwas zu tun, um uns vorwärtszubringen.*

Die Wichtigkeit dieses Prinzips der Selbstbefragung kann kaum überschätzt werden. Anstatt positive, aber vergebliche Behauptungen aufzustellen, wie: «Ich habe eine Seele» oder: «Ich bin eine Seele», stellt es umgekehrt die Frage: «Habe ich eine Seele?» oder: «Bin ich eine Seele?» *und überläßt dann dem seelischen Teile unseres Wesens, für die Antwort zu sorgen.* Während die erstere Methode nur verstandesmäßiges Dogmatisieren ist, demütigt letztere den Verstand, bringt sein fortwährendes Geschwätz zum Schweigen und erwartet die Antwort von dem einzigen Teile unseres Wesens, der wirklich in der Lage ist, sie zu geben. Das bedeutet, daß wir nicht länger den Verstand überschätzen, sondern ihm vielmehr seinen richtigen Platz zuweisen. Ein geistiges Suchen kann nur dann erfolgreich enden, wenn es im geistigen Gebiete unseres Wesens Befriedigung findet und nicht nur im intellektuellen. Gedanken werden uns weiterbringen auf dem Wege zum geistigen Selbst, aber sie tragen dieses nicht in sich. Täten sie es, so beständen die Anklagen der Kritiker, daß man das Opfer autosuggestiver Visionen werden könne, zu Recht. Und wirklich, wenn die Seele nicht existierte, wenn das Göttliche bloß eine Einbildung und der Körper das ganze Sein und Ende des Menschen wäre, könnten wir niemals eine echte geistgezeugte Antwort auf unsere Fragen erhalten und müßten uns mit bloßem Theoretisieren zufrieden geben. Deshalb beruht diese Methode auf der Wirklichkeit des göttlichen Selbst im Menschen. Weil das Überselbst in Wahrheit eine Realität ist, kann eine solche Methode vertrauensvoll der Menschheit gegeben werden im Bewußtsein, daß diejenigen, die sie aufrichtig und geduldig verfolgen, eines Tages nachweisbare Resultate erlangen werden, d. h. nachweisbar innerhalb ihrer eigenen Erfahrung. Wenn das Überselbst nicht existierte, oder, sein Dasein zugegeben, wenn es vollkommen gleichgültig wäre gegenüber dem Wahrheitsverlangen des Menschen und seinem Sehnen nach einer höheren

Befriedigung, als das bloß materielle Leben sie ihm bieten kann, wäre diese Methode ohne Nutzen und Ergebnis. Aber das Überselbst ist im Gegenteil der fundamentalste Faktor unseres Daseins, und es ist stets bereit, sich zu offenbaren und den höchsten Trost des Lebens allen zu geben, welche gewillt sind, die erforderlichen, vorausgehenden Bedingungen zu erfüllen. Das ist auch der Grund dafür, daß eine solche Selbstuntersuchung nicht unbemerkt vorübergeht, sondern daß der Forscher, der seinem Suchen treu bleibt, das göttliche Selbst zur rechten Zeit gewahr wird.

Dies Prinzip bedeutet daher eine vollkommene Wendung des Geistes von der Haltung positiver Versicherung zu jener demütiger Befragung. Die Wahrheit legt keinen Wert darauf, sich dem geistig Anmaßenden zu offenbaren; aber sie gibt sich denen, die in intellektueller Demut auf ihre Knie gesunken sind, und die Ausübung dieser Methode muß den Menschen unfehlbar zu einer solchen Demut des Geistes bringen. Nicht umsonst sagte Jesus die Worte über das Königreich der Himmel, das nur denen offen stünde, die wie kleine Kinder würden. Was er damals sagte, war ein symbolischer Hinweis auf die gleiche Bedingung intellektueller Demut, die in unsern Tagen sogar noch notwendiger ist. Wenn wir auch zunächst streben müssen, mit geschärftem Verstand die Schale des Ego aufzubrechen, dürfen wir trotzdem nicht zögern, dieses Instrument beiseitezulegen, wenn wir in unsern Übungen jenen Punkt erreichen, an dem wir einsehen, daß es seinen Dienst getan hat. Eine solche Bereitwilligkeit, auf der richtigen Stufe im Geiste eines kleinen Kindes nach der Wahrheit zu «fragen», nachdem man all seine Verstandeskräfte erschöpft hat, ist keine Schwäche — könnte unsere hochmütige Zeit dies nur verstehen —, es ist eher ein Zeichen geistiger Kraft. Die Schranken des Verstandes freimütig anzuerkennen, wenn man die äußerste Grenze dieser Fähigkeit erreicht hat, bedeutet, das Eintreten von etwas Höherem herbeizurufen. Dies ist die wahre Erfüllung des Yoga: den Gedanken meisterhaft zu beherrschen und ihn dann fallen zu lassen.

11. Kapitel

Das Mysterium des Atems

Wer genügend lange Zeit diesen Prozeß der Selbstprüfung geübt und merkliche Fortschritte in dieser Kunst gemacht hat, muß dann lernen, seine Gedanken während der täglichen Meditation auf eine andere Art zu behandeln. Auf den untersten Stufen hatte er wieder und wieder eine Analyse seiner inneren Struktur formuliert. Mit Hilfe geschulten, konzentrierten Denkens hatte er sich selbst geistig zergliedert. Aber mit der Zeit sollte er zu einer Einstellung gelangen, aus der heraus er zumindest verstandesmäßig gründlich erfaßt, daß die Seele oder das Selbst nicht auf den Körper beschränkt ist. Wenn diese Einstellung erreicht ist, braucht er nicht mehr mit der trockenen ausführlichen Wiederholung der Analyse fortzufahren, und er wird wohl auch keine Neigung mehr dazu fühlen. Statt dessen können seine Meditationen eine neue Wendung nehmen, und er kann die Phasen, die früher erhebliche Zeit beanspruchten, mit raschen Verallgemeinerungen durchgehen. Was soll er nun als nächstes tun? Das Überselbst, obgleich durch intellektuelle Erkenntnis wahrnehmbar, entzieht sich der eigentlichen Erfahrung noch, wenn man auch nun erkannt hat, wo es nicht zu finden ist, oder vielmehr, wo man es nicht zu suchen hat.

Man kann nun in einen neuen, vorgeschrittenen Abschnitt des unternommenen Werkes eintreten, in welchem man durch die Beihilfe der Atemregulierung, Fixierung des Blickes und Schulung der Einbildungskraft befähigt wird, in diesen tiefergreifenden Bereich einzutreten. Es ist in Wahrheit eine kritische Phase, da sie der großen, hohen Erreichung des Überselbst vorausgeht.

Der Moment ist gekommen, in dem gerade diese Fähigkeit des Denkens, die einem bei der genauen Zerlegung seines Selbst so nützliche Dienste geleistet hatte, ausgeschaltet werden muß, *weil sie einen zum Gefangenen in der Zeit macht.*

Man sollte dies jedoch nicht tun, ehe ein inneres Gefühl sich meldet, das einem sagt, daß man wirklich reif dafür sei. Wenn man sich durch ungeduldiges Verlangen nach raschen Resultaten dazu drängen läßt, wird man nichts erreichen und in Enttäuschung enden. Dem intellektuellen Forschen muß nun ein intuitives Suchen folgen; aber der Punkt, an dem man bereit sein wird, vom einen zum anderen überzugehen, muß mit der größten Sorgfalt bestimmt werden. Wenn man den Versuch zu früh unternimmt, werden alle Bemühungen zunichte, und verläßt man die Vorbereitungsphase zu spät, so verliert man wertvolle Zeit und wird leicht von einem Gefühl der Traurigkeit überwältigt. Während nichts erzwungen werden darf, darf anderseits auch nichts vergessen werden.

Wenn man versucht, das Denken an einem zu frühen Zeitpunkt dieses Weges auszuschalten, beraubt man seine menschliche Persönlichkeit des vollen Reichtums, der ihr zukommt. Es ist nicht leicht, zu entscheiden, wann dieser Punkt wirklich erreicht ist. Man muß dabei von einem gewissen inneren Sinne geleitet werden; ein solcher sechster Sinn wird aber wirklich entstehen und sich mit der Zeit zunehmend fühlbar machen, wenn man diese Übungen der geistigen Stille eine Zeitlang beharrlich fortgesetzt hat. Wir können ihn nicht selbst herbeirufen; wir können nur sagen, daß er kommt. Aber wenn er sich zeigt, sollte man ihm unbedingt vertrauen und sich von ihm leiten lassen, wo immer er einen hinführen will.

Die größte Schwierigkeit in diesem Verfahren besteht nun darin, die Aufmerksamkeit von dem unaufhörlichen Fluß unerwünschter Gedanken freizumachen. Erst wenn man diesen Versuch unternimmt, entdeckt man, wie unfrei man ist, wie unfähig, jene Flut von Gedanken fernzuhalten, die fortwährend gegen die Gestade unseres Daseins anstürmt. Ihnen Stille zu gebieten, wird einem zuerst als die schwierigste Aufgabe in der Welt vorkommen; aber es kann und muß durch langsame und beharrliche Anstrengung erreicht werden.

Wenn man jeden Tag eine Zeitlang beiseitesteht und seine Gedanken beobachtet, wird man sehen, wie sofort, nachdem ein Gedanke stirbt, ein anderer sich in das Gehirn eindrängt und seinen Platz einnimmt. Dies geht so weiter in endloser Wiederholung. Die Räder des Gehirns hören nie auf sich zu drehen, bis der Schlaf dazwischentritt und eine zeitweise Unterbrechung gewährt.

Den östlichen Völkern erscheint die Schwierigkeit, das Denken anzuhalten, nicht so ungeheuerlich wie den abendländischen, und sie verstehen nicht immer, daß ein westlicher Mensch eine viel größere Anstrengung machen muß, um sich in das Gebiet ruhiger Abstraktion zu erheben, als sie es müssen. Die Hilfe, die der Durchschnittseuropäer oder -amerikaner in dieser Hinsicht benötigt, muß wenigstens teilweise eine physische sein; er braucht irgendeine indirekte Methode, *die eine körperliche Tätigkeit einschließt,* um ihn in seiner Aufgabe geistiger Selbstdisziplin zu stärken. Überdies sind die Orientalen gewohnt, die Gegenwart und Gesellschaft geistiger Führer aufzusuchen, deren persönliche Atmosphäre ganz von selbst anderen dazu verhilft, die Herrschaft über ihre Gedanken zu erlangen, während die Menschen des Westens selten solche Führer im eigenen Lande finden werden.

Die Hilfe liegt nahe zur Hand; sie besteht in der Regulierung der Atemtätigkeit. Vor allem für Personen, die dauernd durch unerbittliche und dringende Geschäfte in Anspruch genommen oder durch Wünsche und Ehrgeiz stark an die materielle Welt gebunden sind, ist diese Übung besonders geeignet, um die Beherrschung des Verstandes herbeizuführen. Unsere abendländischen Gelehrten haben einen Vorrat von

Wissen aufgehäuft, der jeden Geist durch seinen riesigen Umfang beeindrucken muß; aber dennoch gibt es ein paar Dinge, die ihren forschenden Augen entgangen sind — und immerhin Dinge, die von höchster Wichtigkeit für die Menschheit sind. Zum Beispiel nimmt der Atem eine besondere Stellung ein. Seine direkten Wirkungen sind klar zu sehen und physisch registrierbar; aber die östlichen Seher behaupten, daß er auch entferntere Wirkungen habe, die nicht so leicht erkennbar sind. So machen wir unsere stärksten Anstrengungen mit *angehaltenem* Atem, während wir unsere aufgeregten, schwächeren mit raschen Atemzügen vollziehen. Wiederum besteht eine besondere Verwandtschaft zwischen Atem und Denken. Diese beiden haben gemeinsame Vorfahren und verwandten Ursprung.

Die orientalischen Seher blieben den Beweis für diese Lehren nicht schuldig, sondern zeigten häufig deren Wahrheit an ihrer eigenen Person. Dadurch, daß sie den Atem auf die verschiedenste Weise schulten und überwachten, gelang es ihnen, die merkwürdigsten physischen und geistigen Resultate zu erzielen. Die Fakire, die sich noch heutzutage in einem luftleeren Raum für eine Dauer bis zu vierzig Tagen begraben lassen, erläutern eine dieser auffallenden Wirkungen und zeigen, daß das Leben sich im Körper fortsetzen kann, selbst wenn die Atemtätigkeit vollkommen aufgehoben ist. Diese hinreichend erwiesene Tatsache sollte uns wenigstens vorsichtiger machen, die Lehren der Alten nicht voreilig zu belächeln.

Wir können nun dazu übergehen, den Zusammenhang zwischen Atem und Gedanken auf einfache Art zu beweisen. Nehmen wir den Fall eines Menschen, der durch heftigen Ärger übermäßig erregt ist: Beobachten wir sein schweres Atmen, und wir werden bemerken, daß es ebenso unruhig und verwirrt ist wie seine Gedanken und Leidenschaften. Sein Atem kommt und geht in kurzem, hastigem Keuchen, und je heftiger sein Benehmen, desto heftiger ist auch sein Atem. Nehmen wir dann den Fall eines Dichters, der träumerisch über eine halbvollendete Strophe nachsinnt, so werden wir bemerken, daß sein Atem im Gegenteil gelassen, dünn, ruhig und langsam ist. Nehmen wir hierauf einen Menschen, der über ein schwerverständliches mathematisches Problem nachdenkt. Er wird automatisch langsamer und sanfter atmen. Der Lebensstrom des Menschen hat gleich einem Baum zwei Äste hervorgebracht, deren einer der denkende Verstand und der andere die Atmung ist.

Betrachten wir weiterhin den extremen und abnormen Fall des orientalischen Fakirs, der seine Atmung gewaltsam unterdrückt hat und eine Zeitlang lebendig begraben war, der aber später von neuem in das tätige Dasein zurückkehrt. Er behauptet nachträglich, daß sein Geist in seligem Unbewußtsein war und daß alle Gedanken mit dem Aufhören des Atems verschwanden. Zeigt nicht dieser letzte Fall allein schon, daß die Funktion des Denkens, *so weit das physische Leben in Betracht kommt*, mit der Funktion des Atmens in Verbindung steht, ebenso wie die beiden andern Fälle zeigen, daß eine Veränderung in der einen Funktion häufig auch eine entsprechende Veränderung in der anderen hervorruft?

Als der Verfasser den vorigen Abschnitt geschrieben hatte, erschien auf der Schwelle des Bungalows, in dem er sich zufällig aufhielt, der hoch auf einer Bergkette liegt und auf unbewohnte Wälder und Dschungel hinabblickt, unerwartet ein Mann, der ihn zu sehen wünschte. Der Besucher war Sinha, ein junger Yogi aus dem Staat Mysore, der erfolgreich das eben erwähnte Kunststück, sich lebendig begraben zu lassen, auszuführen pflegt! Dieses Zusammentreffen liegt auf einer Linie mit verschiedenen anderen seltsamen Erfahrungen ähnlicher Art, in denen die geistige Konzentration des Schreibenden auf einen besonderen Gegenstand mit entsprechenden Geschehnissen zusammenfiel, die sich gerade dann vollzogen oder zumindest anzuspinnen begannen. Der junge Sinha verkörpert einen vollkommenen Fall der Macht, den Atem aufhören zu lassen, das Bewußtsein und alles Denken völlig auszulöschen, währenddem das körperliche Dasein fortbesteht. Er bezeugte selber, daß nach seiner Erfahrung Atem und Gedanken gleichzeitig verschwinden. «Siebenjährige Praxis in Atemübungen brachte mir diese Kraft», fügte er hinzu.

Nehmen wir zuletzt noch andere Fälle von ägyptischen Fakiren, die ihre Körper mit gräßlichen, aber beinahe blutlosen Wunden zerfleischen, und die lebendige Skorpione und sich windende Schlangen essen, von indischen Yogis, die über glühend heiße Steine gehen und starke Salpetersäure trinken, von tibetischen Einsiedlern, die nackt im Schnee des Himalaja sitzen und dennoch kein Gefühl von Kälte empfinden. Alle diese Menschen, wenn sie gefragt werden und man ihr Vertrauen gewonnen hat, verraten gewöhnlich, daß sie die Herrschaft über den Körper durch harte und lange Praxis geheimer und schwieriger Atemübungen gewonnen haben, als deren Ergebnis die Schwäche des Fleisches verschwunden sei und einer in erstaunlichem Maße erhöhten Widerstandskraft Platz gemacht habe. *Durch das gleiche Mittel, aber andere und glücklicherweise viel leichtere Übungen ist es auch möglich, die Herrschaft über den Geist zu erlangen.*

Die vitale Kraft, die dem Atem innewohnt, und die geistige Kraft, die das Gehirn in Tätigkeit setzt, entspringen einer gemeinsamen Quelle. Diese Quelle ist der eine Lebensstrom, der das Universum durchdringt und in jedem menschlichen Wesen sein göttliches Selbst, sein Überselbst wird. «Der Atem ist das Zeichen des Lebens» ist ein Satz, der eine tiefere Bedeutung hat, als man ahnt, wenn man ihn äußert.

Als Resultat dieser engen Beziehung rufen Veränderungen in der Atmung auch Veränderungen im Geiste hervor und umgekehrt.

Man versuche nun, aus diesen merkwürdigen Tatsachen Nutzen zu ziehen und sie bei dem Suchen, das man unternommen hat, praktisch zu verwerten. Die Rhythmen der Atmung arbeiten im Einklang mit den Rhythmen unserer geistigen Zustände; Erregung führt unregelmäßige und abgebrochene Atemzüge herbei, ruhige Betrachtung dagegen bringt automatisch regelmäßige und sanfte mit sich. Weil Gedanke und Atmung so eng miteinander verflochten sind, braucht man nur durch einen Akt des Willens bewußt darauf zu achten und die Zahl und Art seiner Atemzüge zu regulieren, um die entsprechenden Wirkungen auf die Gedanken hervorzubringen. Deshalb führt das Stillen des Atems auch zur Stillung der Gedanken. Wenn, wie in der folgenden Übung, Gedanken und Atmung zu einem so hohen Ziele verschmelzen, wird innerlich ein Zustand stetiger Ruhe entstehen, in welchem wahre Meditation für den immerfort tätigen abendländischen Verstand unendlich viel leichter wird.

Man muß also die folgende, vierteilige Übung aufnehmen, die sofort nach — und nicht vor — der intellektuellen Analyse ausgeführt werden soll.

Es müssen jedoch drei kurze Vorbereitungen beachtet werden. Die erste verlangt, daß die Wirbelsäule, während man sitzt, auf bequeme und natürliche Weise gerade gehalten wird. Der Grund hiefür ist, daß die körperliche Haltung die Atmung beeinflußt und richtige Haltung hilft, den Atem zu kontrollieren. Die indischen Yogis der «Körperbeherrschungsschule» kennen nicht weniger als vierundachtzig verschiedene Stellungen, deren Hauptzweck es ist, gewisse Veränderungen in der Atmung hervorzubringen; jedoch sind so schwere und komplizierte Übungen auf unserem Pfad nicht erforderlich. Als zweites sollen die Augen geschlossen werden und während der Zeit der Atemübung geschlossen bleiben. Endlich soll durch kräftige Ausatmung, die viermal wiederholt wird, die verbrauchte Luft aus der Lunge ausgestoßen werden. Wenn dies geschehen ist, muß man an die Änderung der gewohnten Zahl seiner Atemzüge gehen.

1. Man sollte allmählich die Schnelligkeit des Atmens vermindern, jede Woche ein wenig mehr, täglich ein- oder zweimal während etwa fünf Minuten, bis es ungefähr auf die Hälfte seiner früheren Rate herabgesetzt ist. 2. Am Ende jeder Einatmung soll man sanft die ganze Atemtätigkeit hem-

*men, die Luft für zwei oder drei Sekunden zurückhalten und
dann die unreine Luft wieder ausatmen. 3. Gleichzeitig soll
man sorgfältig darauf achten, daß die Atmung ruhig, entspannt, gelassen und ohne Anstrengung ist. 4. Die Atemtätigkeit sollte sorgfältig beobachtet und die ganze Aufmerksamkeit auf sie gerichtet werden.*

Diese Übung wird hier gegeben, weil sie unendlich viel
einfacher ist als irgendeine jener altersgrauen, traditionellen
Übungen, welche die geduldigen Fakire des Ostens zu machen haben, und weil der Verfasser glaubt, daß der moderne
Mensch seine geistigen Wirkungen mit der größten Sparsamkeit an Mitteln und Zeit erreichen muß. Sicher wird sie nicht
so überraschende und dramatische Wirkungen hervorbringen;
aber der moderne Mensch hat ja auch mehr Bedürfnis nach
dem lindernden Mittel geistiger Ruhe als nach der Fähigkeit,
einen großen Schluck H_2SO_4 hinunterzuschlingen, ohne sofort tot umzufallen! Ferner ist diese Übung so sicher, als die
andern gefährlich sind.

Nun ist es wichtig, daß die Übung trotz ihrer Einfachheit
richtig ausgeführt wird. Sie wird nur wirksam sein, wenn alle
Bedingungen genau erfüllt werden. Diese sollen deshalb noch
vollständiger erklärt werden.

Die Zahl der Atemzüge bewegt sich unter normalen Umständen zwischen vierzehn und zwanzig pro Minute und
ändert sich nach der Verschiedenheit der Individuen. Das
heißt also, daß der Durchschnittsmensch alle sechzig Sekunden diese Anzahl vollständiger Atemzüge macht. Einatmung
und Ausatmung zählen zusammen als ein vollständiger Atemzug. Dieser normale Zyklus muß vermindert werden. Er
sollte in einem Zeitraum von einem bis zu sechs Monaten,
entsprechend dem physischen Typus des Individuums auf
eine Rate von ungefähr sieben vollständigen Atemzügen pro
Minute herabgesetzt werden. Die, welche von Natur langsame Atmer sind, brauchen die Zahl ihrer Atemzüge nicht
so viel herabzusetzen wie die, deren Atem schneller geht. Bei
diesem Herabsetzen zu der erforderlichen Anzahl müssen

alle, die diese Übung machen, sich durch ihren körperlichen Instinkt leiten lassen. Sie sollten langsam vorgehen und nie den Punkt überschreiten, an dem sie Spannung, Schmerz, Ersticken oder ein Gefühl unerträglicher Last empfinden. Sie mögen sich durch das Gefühl des Wohlbefindens oder Unbehagens in ihren Lungen warnen lassen, wieweit sie ihre Atmung vermindern und verlangsamen sollen.

So kann, wenn man normalerweise fünfzehnmal in der Minute einatmet, die Übung damit begonnen werden, daß man die Anzahl der Atemzüge während der ersten Woche auf ein Dutzend pro Minute vermindert, auf zehn während der zweiten Woche, und dann am Ende eines Monats herabgeht auf sieben Atemzüge pro Minute. Diese Zahlen sind nur als ungefährer Anhalt gegeben, der sich für einzelne Individuen eignet; jeder muß seinen Weg selber finden. Eine Uhr kann benutzt werden, um die Atemzyklen während der ersten Wochen der Übung zu bestimmen. Aber die Gewohnheit, sich zu diesem Zweck auf äußere Hilfe zu verlassen, ist nicht gut und sollte so bald als möglich aufgegeben werden, d. h. sobald man daran gewöhnt ist, wenn auch nur annähernd richtig, den gewünschten Rhythmus abzuschätzen, der ungefähr die Hälfte der normalen Rate beträgt. Man braucht nicht die gleiche, peinlich genaue Zeiteinteilung anzunehmen, mit der ein Ei gekocht wird.

Man sollte diese Übung ungefähr fünf Minuten hintereinander fortsetzen — nicht länger. Wenn man sie am Morgen ausgeführt hat, kann man sie auf Wunsch abends wiederholen.

Man darf nicht versuchen, zu rasche Fortschritte zu machen; man sollte auf diesem besonderen Gebiete langsam und natürlich fortschreiten.

Auf alle Fälle sollte die Verminderung der Atemzüge so vor sich gehen, daß kein plötzliches anomales Unbehagen gefühlt wird. Zu Anfang wird natürlich ein leichtes Schwindelgefühl oder Unbehagen unausbleiblich sein, da, wenn man anfängt, ein Organ des Körpers auf ungewohnte Weise zu benutzen, dieser Teil sich natürlich eine Zeitlang der fremden Tätigkeit, die ihm auferlegt wird, widersetzt. Wenn aber eigentlicher Schmerz, ein ausgesprochen quälendes oder Erstickungsgefühl oder andere unverkennbar abnorme Erscheinungen bemerkt werden, soll man die Übung sofort abbrechen. Der Schüler sollte dann sorgfältig die hier vorgeschriebene Methode wieder durchsehen, um herauszufinden, ob er sie wirklich richtig ausgeführt hat; denn diese Symptome können nur durch ein Mißverständnis der Methode oder durch organische Erkrankung des Herzens oder der Lunge auftreten. Keine Atemübung sollte jemals von Leuten gemacht werden, die an solchen Krankheiten leiden.

So lange, wie der Durchschnittsmensch an dem Minimum von sieben vollständigen Atemzügen in der Minute während der kurzen Zeit der Übung festhält, braucht er sich nicht vor irgendwelcher Gefahr zu fürchten. Die Übung ist ganz gefahrlos. Bevor der Autor sie zuerst in dem Buche «The Secret Path» veröffentlichte, bat er zwei Freunde, die langjährige ärztliche Erfahrungen besaßen, sie sorgfältig nach jeder Hinsicht zu prüfen, um ihm die Sicherheit zu geben — die er nach seiner eigenen Meinung schon besaß —, daß sie in keiner Weise schädlich wirken könnte, vorausgesetzt, daß sie genau befolgt würde. Diese Versicherung wurde ihm gegeben.

Wenn man in dieser Weise ohne Unbehagen atmen kann, und nachdem man eine genügend lange Zeit von Wochen oder Monaten geübt hat, um ein Gefühl des Vertrauens und der Sicherheit zu besitzen, sollte die fünf Minuten dauernde Zeitspanne der Atembeherrschung erhöht werden. Sie kann stufenweise auf zehn oder sogar fünfzehn Minuten ansteigen, während man fortschreitet. Länger als diese Zeit sollte von keinem Europäer oder Amerikaner ohne besondere Führung geübt werden, da sonst die Sicherheit der Übung nicht mehr gewährleistet ist; auch ist es nicht notwendig. Es ist möglich, die Zahl der Atemzüge während dieser Übung sogar auf noch weniger als das oben angegebene Minimum von sieben herabzusetzen, und diese weitere Verminderung mag eine dementsprechend mächtigere Wirkung auf den Geist ausüben. Dennoch sollten nur weit Vorgeschrittene dies unternehmen, und dann unter der persönlichen Führung von jemandem, der in dieser Materie erfahren ist, oder die Gefahrenzone wird betreten.

Die zweite Bedingung dieser vierfachen Übung verlangt, daß der Atem angehalten werde; *doch sollte dieses nicht für länger als drei Sekunden versucht werden.* Diese Zwischenpause, die nach der Einatmung und vor der Ausatmung der Luft erlebt wird, ist in physischem Sinne von besonderer Bedeutung. Wenn die Bewegung des Atmungsapparates still wird, wird ebenso das Bewußtsein still. Indische Yogis einer gewissen Klasse haben eine besondere Übung, welche diese Intervalle auf verschiedene Minuten ausdehnt; denn sie wissen, daß dies der neutrale oder Verbindungspunkt ist, *wo der Atem dem Geiste begegnet.* Sie sind von alters her gelehrt worden, daß, wenn sie den Atem anhalten können, sie demzufolge auch die Gedanken anhalten können. Das ist ganz richtig. Aber die Umstände, unter denen es ihnen gestattet ist, diese Übung auszuführen, sind gänzlich verschieden von denen, in welchen sich der durchschnittliche Mensch des Westens befindet. Wer deshalb versucht, sie nachzuahmen, und seinen Atem für außergewöhnlich lange Zeiträume, sogar bis zu zwei Minuten, anhält, tut dies auf eigene Gefahr. Diese Yogaübungen können nur in der Einsamkeit ohne Gefahr durchgeführt werden, wenn keine Unterbrechung oder Störung irgendwelcher Art vorkommen kann, wenn der Übende ein Leben absoluter sexueller Enthaltsamkeit führt und vor allem, wenn er unter der wachsamen Obhut eines *Guru* (erfahrenen Lehrers) steht; Europäer und Amerikaner, die durch das Versprechen der Erlangung außergewöhnlicher psychischer oder okkulter Kräfte zu diesen Übungen gelockt wurden, lernten gewöhnlich, um nachher zu bereuen. Abnorme Atemübungen haben im allgemeinen unheilvolle Resultate, da sie oft Krankheitserscheinungen und geistige Störungen in ihrem Gefolge haben. So gefährliche Verfahren wird der Verfasser niemals wahllos einem unüberlegten Publikum empfehlen. Er möchte seine Warnung um so eindringlicher machen, weil er zu oft Beispiele der unglücklichen Folgen gesehen hat bei denen, die sie nicht beachteten. Drei Sekunden beträgt die Atempause, die dieses System für den Durchschnittsmenschen vorschreibt, und in einer solchen Unterbrechung der normalen Atmung besteht nicht die geringste Gefahr. Wenn man die Übung in Ruhe fortsetzt und mit ihrer Praxis ziemlich vertraut geworden ist, kann man sogar die Zwischenpause verlängern und den Atem fünf Sekunden lang anhalten. Aber dies ist das Maximum. Niemand sollte so töricht sein, diese Zahl überschreiten zu wollen, da die Anstrengung unnötig ist und den Betreffenden in unbekannte Gefahren bringen kann.

Die dritte Bedingung ist leicht. Man soll ruckweise, rasche Bewegungen beim Einatmen vermeiden und vielmehr eine regelmäßige, leichte, andauernde Wirkung anstreben. Die Atmung soll absichtlich zu einem langsamen und glatten Fluß gebracht werden. Hörbares Keuchen soll man vermeiden. Das Streben muß sein, den Atmungsprozeß zu besänftigen und zu beruhigen. Die Luft muß mit solcher Feinheit fließen, daß, wie die chinesischen Mystiker es treffend beschreiben, selbst eine Feder, die unter die Nase gehalten wird, sich nicht bewegt. Ebenso wie man den Körper für die physische Haltung während der Meditation völlig entspannt, muß auch die Atmung vollständig entspannt werden. So muß die Kunst der Entspannung durch den Körper bis in die Lungen eindringen. Durch vieles und korrektes Üben kann die Atmung so schwach werden, daß nur ein dünner Luftstrom wie ein feiner, unsichtbarer Faden sich in und aus den Nasenlöchern bewegt.

Die letzte und vierte Bedingung dieses Prozesses fordert, daß ihm die volle und stetige Aufmerksamkeit zugewandt werde, daß man an nichts anderes denke. Ein dauerndes Wachsein, eine gespannte *mentale* Aufmerksamkeit, auf die ein- und ausgehenden Atemzüge gerichtet, ist notwendig für die wenigen Minuten der Übung. Der Geist muß von jeder andern Tätigkeit abgesondert und nur an die Atembewegung geheftet sein. Diese gewollte Wachsamkeit wird schließlich die Beherrschung der Atmung herbeiführen und diese leicht zu der niedrigeren Ebbe und Flut reduzieren, die das Ziel ist. Man muß den Geist ganz nur auf die Atmung richten, so daß beide vereinigt werden. Die Übung darf nicht auf gleichgültige Art ausgeführt werden, sondern nur mit bewußter Konzentration auf den Atemstrom. Dies ist besonders wichtig, wenn man den vollen Nutzen haben will. Alle anderen Gedanken sollten ausgelöscht und vergessen werden, und das Selbst sollte gänzlich in dem Rhythmus der Atmung aufgehen. Die Wirksamkeit der Methode steht im Verhältnis zu dem Grade der Konzentration, die man ihr widmet. Wenn die Aufmerksamkeit unterbrochen wird oder unnötige Pausen während der Übungen eintreten, wird ihre Kraft, den geistigen Zustand zu verändern, herabgesetzt.

Während der Atemübungen wird man vielleicht sein Herz deutlich schlagen fühlen, nicht als ein aufgeregtes Pochen, sondern als ein leichtes Pulsieren. Dies ist eine natürliche Folge der erhöhten Aufmerksamkeit, die der Atmung gewidmet wird, und braucht nicht zu beunruhigen.

Der Erfolg tritt oft beinahe sofort ein, oder er mag auch erst mit der Zeit kommen; die Übung ist jedoch keine schwierige. Manche Menschen werden länger brauchen als andere, da die Fähigkeiten des Körpers, des Geistes und der Lungen verschieden sind.

Was wird das Resultat dieser Übung sein?

Der Geist wird in einen Zustand vollkommener Harmonie mit der Atmung kommen. Die Gedanken werden von selbst immer weniger und weniger werden, wie auch die Atemzüge weniger werden. Der ganze Prozeß des Denkens wird sich verlangsamen. Ein allgemeiner Eindruck innerer Ruhe und heiterer Gelassenheit wird sich allmählich fühlbar machen. Die schwankenden und rastlosen Leidenschaften werden beruhigt und gestillt. Der Intellekt wird wie ein Vogel im Netz gefangen; so wie man wirklich von dem Atemleben Besitz nimmt, wird auch das Gedankenleben entsprechend in Besitz genommen. Die völlige Heiterkeit friedlicher Atmung spiegelt sich in dem beruhigten Geiste wider. Während der langen Augenblicke, in denen der Atem wirklich angehalten wird, wird der Intellekt durch Rückwirkung eingefangen und seine Kraft, die Wirklichkeit zu verschleiern, vermindert.

Dies ist gerade die Wirkung, die notwendig ist, um einen zu der nächsten Stufe auf dem Pfade geistiger Entwicklung zu bringen. Der Intellekt hat seine Grenzen erreicht, und der Augenblick ist gekommen, wo er seine Bemühungen aufgeben muß. Die Analyse über diesen Punkt hinaus fortzusetzen, würde keinen Gewinn bringen und nur hemmend wirken. Man muß nun bereit sein, seine ganze Fähigkeit wachsamer Aufmerksamkeit aufzubieten und zu steigern, um tiefer in sein inneres Wesen einzudringen auf der Suche nach dem Überselbst.

Ein Mann, der im Meer untertauchen will, wird nicht erst anfangen, über das Meer nachzudenken, sondern er wird alles andere vergessen, seinen Atem anhalten und hineinspringen. Desgleichen darf man, wenn man sich vorbereitet, in die Region, die an das Überselbst grenzt, einzudringen, sich nicht weiteren Meditationen *über* dasselbe hingeben, sondern muß alles andere vergessen, den Atem zeitweilig anhalten und dann sofort in immer tieferes Sein versinken.

Die Einfachheit dieser Atemübung darf einen nicht dazu verführen, sie als unwichtig zu betrachten. Der Autor hat im Gegenteil eindrucksvolle Berichte über ihre merkwürdige Wirksamkeit gehört von solchen, die sie in Verbindung mit den intellektuellen analytischen Übungen gewissenhaft befolgt haben. Einige Personen erzielten von Anfang an gute Resultate, während andere Monate darauf zu warten hatten. Man kann deshalb nicht voraussagen, wie bald wirklich bemerkenswerte Wirkungen erlangt werden, weil die Individuen nach ihrer Veranlagung so sehr verschieden sind; aber man kann sicher sein, daß ausdauernde Konzentration in dieser Richtung nicht verfehlen wird, den widerspenstigen

Geist zum Nachgeben zu bringen. Anderseits wird da, wo eine solche Atemregulierung nicht mit einem geistigen Suchen verbunden ist, diese im äußersten Falle nur in einer leeren und unnützen Trance enden oder in bloßer Selbsthypnose, die nichts anderes ist als eine träge Absonderung von unserm gewohnten Leben der Wünsche und Tätigkeiten.

Es ist denkbar, daß es einige in hohem Grade philosophisch oder geistig veranlagte Personen gibt, denen solche Atemübungen nicht zusagen, und die sogar fühlen, daß sie für sie nicht notwendig sind. Solche Leute mögen sie weglassen, vorausgesetzt, daß sie genügend innere Kraft in sich selbst finden, ohne besondere Schwierigkeiten von der Stufe der intellektuellen Analyse zu der darüber hinausliegenden intuitiven Stufe überzugehen. Aber die überwiegende Mehrheit der westlichen Menschen wird nicht fähig sein, den Übergang von der einen zur andern zu machen, oder nur unter den allergrößten Schwierigkeiten, und es ist zu ihrem Besten, daß diese einfache physische Übung ersonnen wurde. Denn nach außen gerichtet, wie sie es gewöhnlich sind, mit einem Verstand, der dauernd in Vorstellungen der äußeren Welt befangen ist, können sie sich nicht leicht von weltlichen Dingen losreißen, um in ein Gebiet tiefer geistiger Abstraktion einzutreten.

Man kann von dieser Übung auch außerhalb der Minuten seiner täglichen Zurückgezogenheit vorteilhaften Gebrauch machen. *Wenn man zu irgendeiner Zeit des Tages von Stimmungen übertriebener Melancholie oder übermäßigen Ärgers, von außerordentlicher Reizbarkeit oder überwältigender Leidenschaft, von unbeherrschbarer Nervosität oder drückender Angst beunruhigt wird, braucht man nur, wo man sich auch befindet, diese langsam rhythmisierte Atmung zu üben, und sie wird sofort beruhigend und wohltuend auf die Nerven wirken und das Gleichgewicht wiederherstellen.* Die Atemzüge können auf den langsamen Zyklus von sieben pro Minute fallen gelassen werden, so leise und unauffällig, daß niemand anderes es merkt, und es kann im Stehen, Gehen oder Sitzen geschehen, auf der geschäftigen Straße oder im ruhigen Heim.

Es gibt noch eine weitere kleine Übung, die der vorhergehenden beigefügt (oder sogar einverleibt) werden kann, obgleich sie kein wesentlicher Teil des Verfahrens ist. Seit jener ruhigen Dezembernacht vor sieben Jahren, in der sie dem Verfasser zum erstenmal von einem gelehrten Yogi in dessen Heim nahe des Ganges erklärt wurde, während des letzteren Gesicht von dem flackernden gelben Licht einer kleinen Laterne beleuchtet war, hat er sie seinerseits wieder andern Suchern mitgeteilt, die sie nützlich und hilfreich fanden.

Sie besteht darin, sich *deutlich und glaubensvoll* vorzustellen, daß, während man atmet, ein Strom göttlichen Seins mit der eingeatmeten Luft in einen einzieht und mit der ausgeatmeten wieder auszieht, um dann von neuem wiederzukehren. Auf diese einleuchtende Weise wird das Göttliche mit dem Atem identifiziert. Der Yogi erklärte weiter, daß, sobald man das göttliche Bewußtsein erlangt habe, die geistige Essenz jedes Atemzuges zum Scheitel des Hauptes aufwärts steige und dort verbleibe, wodurch dem Geist Unsterblichkeit verliehen werde, während, wenn man von persönlichem Egoismus getrieben bleibe, die unsichtbare Essenz des Geistes sich in die Leere verflüchtige und verlorengehe.

12. Kapitel

Das Mysterium des Auges

Wenn man es in den Atemübungen weit genug gebracht hat, um sie beinahe automatisch und ohne Anstrengung machen zu können, mag man sich mit einer weiteren Übung beschäftigen, die hinzugefügt und gleichzeitig ausgeführt werden kann. Auch sie ist ein körperliches Hilfsmittel bei der geistigen Arbeit und bedient sich des zartesten Sinnesorgans des Körpers: des Auges. Die neue Übung sollte nicht unternommen werden, bevor diese Stufe erreicht ist; denn in den Händen des Unvorbereiteten wird sie ein anderes Resultat hervorbringen, und eines, das nicht nur minderwertig ist, sondern auch schädlich sein kann. Wegen der Wahrscheinlichkeit ihres Mißbrauchs oder verfrühten Gebrauchs durch unkluge und unreife Personen hat der Verfasser diese Übung bis jetzt noch nicht veröffentlicht. Dennoch ist sie, in den richtigen Händen und zur rechten Zeit angewandt, sehr wertvoll, und sie kann deshalb nicht länger vorenthalten werden bei der Schilderung dieses besonderen, spirituellen Weges, der den Anspruch auf Vollständigkeit macht.

Die nächste Stufe verlangt eine tiefere Versenkung des Geistes; aber die Macht der äußeren Welt über uns ist so stark, daß irgendein äußerer, greifbarer Gegenstand oft verwertet werden kann, damit wir unsere Gedanken auf ihn einstellen und dadurch das Versinken aus der verstandesmäßigen Meditation in die abstrakte Kontemplation vorbereiten, und besonders, damit wir die Aufmerksamkeit innerlich festigen. Deshalb ist eine Sehübung erfunden worden, die vorzüglich dazu dient, diese Wirkung zu erlangen.

Die Natur hat nicht umsonst den Augen eine höhere Position in dem physischen Körper verliehen als allen anderen Sinnesorganen. Die Funktion des Sehens nimmt in unserem Dasein als Menschenwesen einen Platz von höchster Wichtigkeit ein. Durch sie wird uns die Welt in ihrem ganzen Umfang offenbart. Aber nicht nur durch ihre bemerkenswerte Stellung können wir die Wichtigkeit, welche die Natur unsern Sehorganen beilegt, abschätzen, sondern auch durch ihre besondere Beschaffenheit. Kein anderer Sinneskanal ist so fein in seinem Aufbau, von so edlem Stoff und so empfindlich in seiner Funktion wie das Auge. Das allein sollte genügen, um uns nahezulegen, daß die Natur beabsichtigt, das Auge eine subtilere und weniger materialistische Rolle in unserm physischen Leben spielen zu lassen als die übrigen Sinnesorgane. So ist es in der Tat; denn das Auge offenbart uns nicht nur die grobe äußere Welt, sondern es kann auch helfen, uns die innere, subtile Welt zu offenbaren, denn nach den Worten des amerikanischen Dichters Edgar Allan Poe sind «die Augen die Fenster der Seele». Hinter der glänzenden Oberfläche der Augen vermag der Erkennende die allgemeine Richtung der Gedanken und Gemütsbewegungen ihres Besitzers zu lesen — derart ist ihre widerspiegelnde Kraft. Das, was innerhalb der Gehirns oder Herzens in unbemerkter Verschwiegenheit liegt, kann durch die Augen ungewollt enthüllt werden. Durch keinen andern Sinneskanal können wir den Charakter und Verstand eines Menschen so richtig verstehen und beurteilen wie durch seine eigenen Augen. Diese Tatsache ist so auffallend, daß der scharfe Beobachter und Denker Buffon, der französische Naturforscher, schon im 18. Jahrhundert schrieb:

«Die Bilder unserer innerlichen Bewegung malen sich vor allem in den Augen. Das Auge gehört mehr der Seele an als irgendein anderes Organ. Es scheint durch alle ihre Regungen beeinflußt zu werden und an allen teilzunehmen. Es erklärt sie in ihrer ganzen Kraft, in ihrer ganzen Reinheit, so daß es andern Seelen das Feuer, die Lebhaftigkeit, das eigentliche Abbild dessen, von dem sie selbst inspiriert sind, einflößt. Das Auge empfängt und widerspiegelt gleichzeitig die Intelligenz des Gedankens und die Wärme des Gefühls. Es ist der Sinn der Seele und das Ausdrucksmittel des Verstandes.»

Der verstorbene Lord Leverhulme, der reiche Geschäftsmagnat, der das in seinen Tagen bedeutendste industrielle Unternehmen auf der ganzen Welt aufgebaut hatte, bekannte einmal: «Bei Bewerbern, die eine Anstellung suchen, richte ich meine Aufmerksamkeit zuerst auf die Augen.» Es ist daher einleuchtend, daß das Auge, dieses wunderbarste und schönste Organ des menschlichen Körpers, mit seinen beweglichen Lidern und rollenden Pupillen, eine einzigartige Verwandtschaft mit dem Innern des Menschen besitzt. Wir wollen nun die Natur dieser Verwandtschaft erforschen.

Der Anatom verfolgt den Lauf eines wichtigen Verbindungsmittels zwischen dem Auge und dem Gehirn, das er den optischen Nerv nennt. Der einfache Akt des Sehens umschließt viel mehr, als es den Anschein hat. Er basiert auf der Tätigkeit des Lichtes, das durch das Mittel der Atmosphäre sowohl auf dem Gegenstand, den man sieht, als auch auf dem Auge selber vibriert. Die Eindrücke, die von außen empfangen werden, sind durch die Lichtwellen verursacht, die von äußeren Gegenständen verbreitet werden. Sie werden im Brennpunkt der Netzhaut gesammelt und dort mittels chemischer Veränderungen photographiert. Diese Veränderungen sind mit Strömen von Nervenenergie verbunden und werden durch die optischen Nerven auf das Gehirn übertragen.

Wir haben bereits gesehen, daß das Gehirn, wie sehr es auch unser Denken bedingen und unser Bewußtsein beschränken mag, dennoch nicht der wahre Schöpfer von beiden ist, da es seinerseits ebenfalls ein Kanal oder Organ für die subtilere, unberührbare Kraft des Überselbst ist. Wir wissen nun durch Analyse, daß das Denken sogar außerhalb der Bewegungen der materiellen Gehirnmoleküle wirksam ist, und daß das Überselbst, die wahre Selbstheit, die im Grunde unseres Wesens liegt, sehr viel mehr ist als eine vorübergehende Verbindung von atomischen, materiellen Teilchen. Diese innere Kraft ist es allein, die die körperliche Maschinerie betreibt, das Überspringen des photographischen Abdrucks auf das Bewußtsein bewirkt und das Sehen überhaupt ermöglicht. Nun müssen wir uns erinnern, daß der Geist («mind») eine Kraft ist, die ebenso wirklich ist wie das Dasein selbst und auf ihre eigene Art ebenso registrierbar wie die unsichtbare Welle der elektrischen Energie, die im materiellen Atom verborgen ist und dessen wesentliche Natur ausmacht. Daher kann der Geist nicht anders, als jedesmal eine Welle feiner Energie durch den optischen Nerv auf die Augen zu projizieren, wenn wir nach außen auf unsere physische Umgebung sehen, jedesmal, wenn wir auf einen äußeren Gegenstand blicken, und jedesmal, wenn wir eine andere Person anschauen. Diese Vibrationen müssen teilnehmen an der Natur, dem Charakter und der Intensität des Geistes, der sie hervorbringt. Wenn wir dies erfassen, werden wir vielleicht anfangen zu verstehen, warum das menschliche Auge nicht nur so viel von der menschlichen Persönlichkeit verzeichnen, sondern auch die besonderen Eigenschaften derselben übertragen kann. Es ist nicht nur ein passives, sondern auch ein aktives Organ.

Die Kraft, die also vom Gehirn aus das physische Auge mit der gleichen, blitzartigen Schnelligkeit erreicht, mit der die photographischen Eindrücke der Umgebung die Gehirnzentren erreichen, macht jedoch das Auge nicht zu ihrem endgültigen Wohnort. Sie benutzt es nur als ein Tor und zieht dann weiter in die äußere Welt. Um es kurz und wissenschaftlich auszudrücken: *Es geht eine bestimmte Ausstrahlung vom menschlichen Auge aus.*

Die Naturwissenschaft hat selbst genaues Zeugnis für das Dasein dieser Strahlen abgelegt, die das menschliche Auge unbeobachtet durch unsere normalen Sinne aussendet. Ein Beispiel hierfür findet sich in Raoul Montandons Werk «Les radiations humaines»:

«Die mechanische Tätigkeit der Ausstrahlung der Augen ist durch verschiedene Experimente nachgewiesen worden. Mr. Jounet brachte die Nadel eines Zoomagnetometers zum Schwingen ohne das Dazwischentreten eines andern Agenten als den des ,Willens', der ohne Kontakt durch ein Mittel, das man als magnetischen Blick bezeichnen könnte, übertragen wurde. ,Ich versuchte', sagte er, ,die Schwingung der Nadel in eine bestimmte Richtung zu dirigieren, indem ich die Hände sinken ließ und nur die Augen der Nadel gegenüberhielt; es gelang mir, sie in der gewünschten Richtung schwingen zu machen.' Er schloß daraus, daß es *für gewisse Leute* möglich sei, nur durch die Tätigkeit des Geistes eine kupferne Nadel in Bewegung zu bringen, die in einem irdenen Behälter aufgehängt sei, der sowohl geschlossen als unbeweglich gehalten werde. Ohne Zweifel würde das gleiche bei irgendeinem andern, genügend beweglichen Gerät anwendbar sein. Auch eine Art Elektroskop sei bekannt, mit dessen Hilfe es möglich sei, die Energie, die von dem menschlichen Blick ausgehe, zu bemessen. Der Experimentierende rufe dadurch, daß er seine Augen auf einen empfindlichen Ring fixiere (es muß bemerkt werden, daß der Ring aus echtem Metall, entweder Gold — was vorzuziehen — oder Silber, Platin usw., sein müsse), der an einem seidenen Faden aufgehängt sei, eine Schwingung hervor, die sich entsprechend dem Individuum, welches das Experiment ausführe, ändere, wodurch man berechtigt sei, zu schließen, daß ein Gebiet magnetischer Vibration tatsächlich existiere.»

Ein anderes interessantes Gerät wurde auf dem augenärztlichen Kongreß in Oxford 1921 durch Dr. Charles Russ, M. R. C. S., vorgeführt. Es war ein elektro-magnetischer Apparat, dessen Hauptmerkmal in einer feinen Schiene aus Kupferdraht bestand, die in einem metallenen Kasten an einem seidenen Faden herabhing. Die Schiene wurde durch einen Magnet stillgehalten, der auf natürliche Weise in dem magnetischen Meridian ruhte. Wenn ein menschliches Auge durch den Schlitz des zur Beobachtung vorhandenen Fensters schaute und die Schiene mit dem Blick fixierte, geriet diese in Bewegung, die sich gewöhnlich von dem beobachtenden Auge entfernte. Wenn der Blick auf das andere Ende der Schiene übertragen wurde, bewegte sich letztere in der entgegengesetzten Richtung der zuerst veranlaßten Bewegung. Die Wirkung des starren Anschauens vollzog sich auch bei anderen Experimenten ausschließlich in der Richtung, die der Blick verfolgte. Daraus schloß Dr. Russ, daß es eine Kraft gebe, die den Akt des menschlichen Sehens begleitet.

Die alten Hindus entdeckten Übereinstimmungen zwischen den verschiedenen Teilen des menschlichen Körpers und den verschiedenen Elementen der Natur. So verbanden sich ihnen die Arme mit der Erde, die Zunge mit dem Wasser; das Feuer aber, die königlichste aller Naturenergien, wurde mit den Augen in Einklang gebracht. Deshalb glaubten sie, daß das geistige Bewußtsein eines Menschen in seinen Augen zum Ausdruck komme. Eine solche Wichtigkeit wird in Indien der Macht des Auges beigelegt, daß, wenn ein Nicht-Brahmane seinen Blick länger auf einem Gerät oder auf irgendwelcher Nahrung, die einem Brahmanen gehört, ruhen läßt, letzterer nach den religiösen Gesetzen der Hindus angewiesen ist, das Gerät sofort zu waschen und die Nahrung unberührt fortzuwerfen, um nicht durch den niedrigeren Magnetismus, den der andere angeblich eingeführt hat, verunreinigt zu werden.

Die Ausstrahlungen des unsichtbaren magnetischen Stromes werden manchmal von empfindlichen Personen gefühlt, wie z. B. bei dem alltäglichen Fall eines Menschen, der sich in unbewußter Erwiderung auf den Blick eines andern, der von rückwärts auf seinen Hals oder seine Schultern gerichtet war, umdreht. Warum sollte die Konvergierung der Augäpfel auf einen einzigen Punkt diese seltsame Kraft geben? Diese Frage geht nicht tief genug, weil sie nicht sieht, daß es die Kraft *hinter* den Augen, nämlich der Geist, ist, der konzentriert ist. Noch stärker wird jedoch dessen Dasein nachgewiesen durch die Gefühle, die in uns geweckt werden unter dem Blick einer Persönlichkeit, die ein starkes inneres Leben, sei es des Gedankens, der Seele oder der Leidenschaft, besitzt. Unser tägliches Leben im Geschäft, im Beruf, in sozialer oder häuslicher Tätigkeit liefert uns von Zeit zu Zeit positive Erläuterungen dieser Wahrheit. Jedermann braucht bloß seine eigene Erfahrung zu befragen, um sich zu erinnern, wie viele solcher Fälle in seinen persönlichen Gesichtskreis gekommen sind. Vom einfachsten Arbeiter bis zum höchsten Herrscher im Lande ist keiner ohne solche Erfahrungen.

Frauen verstehen diese Wahrheit instinktiv. Wo Frauen von hervorragender Persönlichkeit Macht über das andere Geschlecht suchen oder sich bloßer Koketterie hingeben, kultivieren sie eine Art des Blickes, den sie am wirksamsten zur Erreichung ihres Zweckes finden. Die Geschichte bietet zahlreiche Beweise von Frauen, die Männer eroberten durch den Gebrauch des Blickes als eine der wirksamsten Waffen ihrer Rüstkammer: Salome eroberte König Herodes, und Kleopatra unterjochte Markus Antonius, in alten Zeiten, gerade wie Greta Garbo Millionen in volkstümlichen Kinovorführungen unserer Zeiten erobert hat.

Auf einer höheren Ebene finden wir bei Genies, Heiligen, Mystikern und Yogis noch auffallendere Beispiele der Macht, die dem Blick innewohnt.

Das Auge des wahren Yogi ist unverkennbar. Der Mann, der seine Gedanken für längere Zeiträume unter seiner Herrschaft gehalten und den Geist in steter Kontemplation nach innen gewandt hat, verrät dies durch seine Augen. Die heiligen Legenden der Hindus erzählen uns, daß die Blicke der Götter fest und unbeweglich seien. Napoleons Augen waren von dieser Art (eine Tatsache, die von Heinrich Heine bemerkt wurde, als er den größten aller modernen Kaiser siegreich in Düsseldorf einziehen sah). «Sein suchender Blick hat etwas Eigenartiges und Unerklärliches, das sich selbst unsern Direktoren aufdrängte; urteile, ob er nicht eine Frau einschüchtern könnte», schrieb Josephine Beauharnais von dem jungen General Bonaparte, der sie heiraten wollte. Napoleon sagte selbst: «Ich habe selten meinen Säbel gezogen; ich gewann meine Schlachten mit meinen Augen, nicht mit meinen Waffen.» Ähnlich waren auch Goethes Augen stetig in innerem Denken, selbst bis zum Ende seines sehr langen Lebens.

Napoleon wurde von seinen Zeitgenossen sehr mißverstanden: Er war ein psychologisches Geheimnis und ein unbewußter Yogi, ein Instrument in den Händen höherer Mächte, wie es auch der indische Kaiser Akbar war, der ein riesiges Kaiserreich ebensosehr durch seine machtvolle Persönlichkeit wie durch militärische Mittel aufbaute und zusammenhielt. Akbar besaß auch ein sehr bemerkenswertes Augenpaar. Die Jesuitenmissionare, die zu Besuch an seinem Hofe weilten, beschrieben es als «vibrierend wie das Meer im Sonnenschein».

Ihre unumstrittene Beweiskraft und höchste Wirkung erlangt jedoch die Kraft des Blickes im Falle des Hypnotiseurs. Hier sehen wir deutlich die Wirksamkeit und Macht der Augen als eines Mittels, den Willen und die Gedanken einer Person einer andern aufzuzwingen. Eine solche Vorführung ist, wenn man ihr einmal beigewohnt hat, überzeugender als hundert Argumente.

Endlich besteht die sonderbare Tatsache, daß man in tiefer Abstraktion oder Selbsthypnose, die durch die Augen herbeigeführt ist, nicht nur andere, sondern auch *sich selbst* beeinflussen kann. Schriftsteller besonders haben manchmal die Gewohnheit, in eine Träumerei zu verfallen, wenn sie irgendeine Idee, die sie beschäftigt, in ihrem Geist herumwälzen, *während sie gleichzeitig irgendeinen greifbaren Gegenstand anstarren.* In diesem Zusammenhang müssen wir uns daran erinnern, daß wir im Verlauf unseres Analysierens der Inspiration fanden, daß der Zustand der traumhaften Versenkung dem hohen Vollbringen des genialen Menschen besonders günstig sei, weil er das Unbewußte oder die Überseele in den Vordergrund bringt.

Jakob Böhme, der Schuhmacher-Mystiker des 17. Jahrhunderts aus der kleinen deutschen Provinzstadt Görlitz, empfing während seiner Lebenszeit manche bemerkenswerten Erleuchtungen, in denen ihm die innersten Geheimnisse der Natur und Gottes offenbart wurden. Seine erste Illumination kam zu ihm im Alter von 25 Jahren; sie begann unerwartet, als er eines Tages unbeschäftigt in seinem Zimmer saß. Seine Augen waren zufällig auf eine glänzende Zinnschüssel gerichtet, auf die die Sonne so strahlend schien, daß sein Blick unwillkürlich auf ihr haften blieb — so schön und herrlich war der Widerschein der Schüssel. Er fiel in eine ekstatische Trance, und sein Geist wurde in eine innere Welt zurückgezogen. Hier und auf diese Weise kam ihm das Wissen über göttliche Dinge. Alle lebendigen Dinge in der Natur schienen von innen her erleuchtet, die heiligen Kräfte hinter der Schöpfung wurden sichtbar, und die Geheimnisse der verborgenen Fundamente der materiellen Welt wurden erklärt. Hiernach lebte er in tiefem Frieden, schwieg jedoch über seine Visionen und schrieb sie nur zur Erinnerung in einem Buche nieder. Er sprach zunächst mit niemandem darüber, aber pries und dankte Gott in der Stille. Von der wunderbaren Veränderung, die in ihm vorgegangen war, sagte er irgendwo in einem seiner Bücher, daß sie wie eine Auferstehung von den Toten gewesen sei! Dieser ungebildete Schuhmacher — dessen Demut so groß war, daß er seine Schriften mit der Feststellung einleitete: «Ich war so unwissend in bezug auf die verborgenen Geheimnisse wie der Niedrigste von allen; aber meine Vision der Wunder Gottes belehrte mich, so daß ich über seine Wunder schreiben muß, obgleich es eigentlich meine Absicht ist, dies zur Erinnerung für mich selbst zu schreiben» — wurde nach diesem ersten Betreten eines höheren Reiches, das durch die Kraft des durchdringenden Blickes herbeigeführt worden war, von einer geistigen Offenbarung zur andern geführt, bis die letzte Erleuchtung über ihn kam und er schreiben konnte:

«Das Tor wurde mir geöffnet, so daß ich in einer Viertelstunde mehr sah und wußte, als wenn ich mehrere Jahre auf einer Universität gewesen wäre, worüber ich mich außerordentlich wunderte und daraufhin Gott dafür Dank sagte. Ich erkannte und sah in mir selbst die drei Welten: nämlich die göttliche (engelgleiche und paradiesische) und die dunkle und dann die äußere und sichtbare Welt (die eine Erzeugung oder äußere Geburt sowohl der inneren als der geistigen Welten ist).»

Manche Leute werden sich schütteln bei dem Gedanken, in eine Trance übergehen zu sollen als Mittel, einen höheren Zustand zu erreichen, und dies als eine höchst unangenehme Bedingung betrachten, die unter allen Umständen vermieden werden müsse. Dies wird besonders in Amerika und Europa der Fall sein, wo die einzigen Phänomene dieser Art, die beobachtet wurden, gewöhnlich entweder mit Hypnotismus oder Krankheit verbunden waren. Man weiß dort nicht, daß es verschiedene Formen und Phasen von Trance gibt und daß einige so wertvoll und anziehend sind als andere schädlich und abstoßend sein können. Der Orient versteht diese Dinge besser. Denn das Genie oder der inspirierte Mensch, der während seiner schöpferischen Augenblicke in eine Art Verzückung gerät, tritt dadurch einfach in die elementarste Form des Trancezustandes ein. Wenn er seine Arbeit eine Weile vergessen, dabei aber seinen abstrakten Zustand beibehalten und versuchen könnte, ihn zu vertiefen, würde er sehr wahrscheinlich in eine vollständige Versenkung übergehen — und eine, die höchst beglückend wäre.

Das Auge ist der Sinneskanal, der am nächsten mit dem Geiste in Berührung kommt. Er ist nicht bloß ein photographisches Instrument, ein passiver Empfänger, sondern auch ein stark aktives, geistiges und seelisches Werkzeug der menschlichen Persönlichkeit. Mit dieser Erkenntnis der intimen Beziehung, die zwischen dem Auge, dem Ego und dem Überselbst besteht, ist man besser darauf vorbereitet, den Wert der Sehübung, die nun hier dargestellt werden soll, zu schätzen.

Gerade wie die Atemübung zunächst als eine physische Hilfe zum Erreichen der Beherrschung des Geistes für Menschen mit aktivem Temperament und tätigem Leben bestimmt ist, und insbesondere für westliche Menschen, so ist auch die folgende Übung für denselben Typus gedacht. Aber sie wird nicht nur helfen, dieses Resultat zustande zu bringen: sie wird zu einem noch weiter vorgeschrittenen führen, nämlich dem Eintritt in den Zustand der Versenkung, der Berührung mit dem Saume des Trancezustandes.

Diese Übung ist nicht neu; sie ist seit langem von tibetaninischen Lamas, indischen Yogis und chinesischen Wahrsagern gekannt und geübt worden, wie man von jedem Hohenpriester des alten Ägypten erwartete, daß er in sie eingeweiht sei.

Man sollte diese Übung nicht aufnehmen, bevor man die Atemübung eine genügend lange Zeit gemacht hat, um ihre Wirksamkeit festzustellen, und, was besonders wichtig ist, bevor man sie automatisch und unbewußt ausführen kann. Die Länge dieses Zeitraumes kann nicht vorgeschrieben werden, weil sie sich entsprechend der individuellen Persönlichkeit ändert; sie kann eine Sache von ein paar Wochen oder von mehreren Monaten sein. Aber es genügt, zu sagen, daß der Punkt, an dem man diese Augenübung aufnehmen kann, durch einen bestimmten, wenn auch teilweisen Erfolg im Beruhigen der Gedanken, als Resultat der täglichen Atemregulierung, angedeutet wird.

Man beginnt damit, daß man die Photographie einer Persönlichkeit, die man wirklich verehrt, entweder an einer Wand, auf einem Bord, einem Tisch oder einem andern Möbelstück in bequemer Lage in Augenhöhe anbringt. Wenn möglich sollte die Oberfläche des Bildes glänzend sein. Es kann das Bild eines lebenden geistigen Lehrers, Heiligen oder Weisen sein, weil ein derartiger Gegenstand die eigentümliche Macht besitzt, bei der Erlangung der geistigen Ruhe mitzuwirken. Daß eine solche Kraft besteht und die Photographie fähig ist, ihren Einfluß zu übermitteln, ist bekannt und wird von den mohammedanischen Mystikern Persiens und Afrikas wie von den indischen Yogis gelehrt; aber der westliche Geist wird diesen Behauptungen wohl kaum Glauben schenken und eine solche Hilfe, wenn sie sich zeigt, bequemerweise der «Autosuggestion» zuschreiben. Glücklicherweise brachte das zufällige Lesen der Zeitung «The New York American» dem Verfasser eine unerwartete Bestätigung seiner Behauptung. In einer Ausgabe von 31. März 1933 fand er einen Bericht über ein neu erfundenes Instrument, das imstande ist, nach einer photographischen Platte festzustellen, ob die Person, von der das Bild aufgenommen worden war, inzwischen gestorben sei. Die Zeitung fügt hinzu:

«Es entdeckt die Bewegung der Lebenswellen oder ‚Z-Wellen' auf einer photographischen Platte, und die Stille dieser Wellen nach dem Tode der Persönlichkeit wurde heute durch E. S. Shrapnell-Smith, einen bekannten englischen Wissenschaftler, berichtet. Shrapnell-Smith, der eine Autorität auf dem Gebiete der Chemie ist, sagte: ‚Das Leben entsendet wie eine Radiostation eine besondere Art von Wellen. Diese menschlichen Lebenswellen werden übertragen und auf einer photographischen Platte fixiert. Während die Persönlichkeit auf der Photographie lebendig ist, ist die Bewegung der Wellen lebhaft. In dem Augenblick, in dem sie stirbt — einerlei, wieweit entfernt von der Photographie —, hören die Lebenswellen auf, von der Platte auszugehen. Ich bin augenblicklich nicht in der Lage, genau anzugeben, woraus das Instrument besteht; aber es beruht auf und ist abhängig von:

1. der Ausstrahlung,
2. dem Magnetismus,
3. der statischen Elektrizität,
4. der gewöhnlichen Elektrizität.

Es ist nichts Psychisches oder Geheimnisvolles dabei. Es ist das Resultat einer neuen Anwendung der Gesetze der Naturwissenschaft.»

Hier kann hinzugefügt werden, was der Erfinder noch nicht weiß: daß diese Lebenswellen die geistigen Merkmale des Subjektes, die seelische Atmosphäre und den persönlichen Eindruck, den es gewöhnlich hervorruft, mit sich führen. Und die Atmosphäre eines Menschen, der die geistige Stille erreicht hat, ist unserem hohen Vorsatz entschieden förderlich, abgesehen von seinem ethisch inspirierenden Werte.

Wer keine solche Persönlichkeit, wie einen Weisen, Heiligen oder geistigen Führer kennt oder sich keine solche Photographie verschaffen kann, möge sie durch eine Malerei oder sogar eine plastische Darstellung ersetzen. Wenn man ferner vorzieht, seine Verehrung einem Heiligen, Weisen oder geistigen Lehrer darzubringen, der in früheren Jahrhunderten gelebt hat, als die Photographie noch nicht erfunden war, können ebenfalls diese Hilfsmittel verwandt werden. Und wenn man endlich keinen Wert darauf legt, irgendeine geistige Persönlichkeit der Gegenwart oder der Vergangenheit zu verehren, kann man statt dessen einen der folgenden Gegenstände vor sich hinstellen: 1. eine Photographie oder ein Bild irgendeiner schönen, eindrucksvollen Landschaft. Diese sollte wennmöglich nur einen einzigen einfachen Umriß haben, wie z. B. bei den japanischen Bildern, einen einsamen Berggipfel eher als eine Bergkette und einen einzelnen Baum eher als einen ganzen Wald; 2. eine einzelne, wenn möglich duftende Blume, die in einer einfachen Vase steht; 3. einen wertvollen Stein, dessen Leuchtkraft durch den Kontrast des Hintergrundes, gegen den man ihn legt, erhöht wird. Die Farbe des Hintergrundes, der ein Stück Tuch oder Seide sein kann, soll daher sorgfältig gewählt werden. Da jedoch die magnetische Ausstrahlung gewisser Edelsteine der Übung der Meditation nachteilig ist, sollte die Wahl des Steines auf einen der folgenden beschränkt sein: Diamant, Saphir, Kristall, Perle, Topas und besonders die schwarzen Steine, wie Onyx, schwarzer Achat und Jet.

Welchen Gegenstand man auch wählen mag: er sollte von geringem Umfang sein und etwas unter Augenhöhe liegen. Überdies soll er so ruhen, daß das Licht durch ein Fenster oder daß das Sonnenlicht direkt auf ihn fällt. Man soll sich dann ein bis vier Fuß [1] von dem Gegenstand entfernt hin-

---

[1] Zirka 30 cm bis 1,2 m.

setzen und anfangen, ihn anzuschauen. Falls man die Photographie eines Weisen benützt, soll man den Blick *zwischen seine Augenbrauen* fixieren.

Die Augen sollten nicht ganz geöffnet sein, da sie leicht abwärts schauen sollen. Es ist nicht wünschenswert, daß man dauernd vor sich hinstarrt, außer auf die weite Sicht einer entfernten Landschaft.

Wer im Freien übt, kann all die oben erwähnten Dinge ebenfalls benützen; aber er wird sie unter Umständen gar nicht nötig haben, sondern seinen Blick auf irgendeinen Punkt in der umgebenden Landschaft konzentrieren: etwa auf ein einzelnes Blatt an einem nahen Baume, den Gipfel eines Hügels oder die Blütenkrone einer Blume auf dem gegenüberliegenden Ufer eines Flusses. Die tibetanischen Einsiedler, wenn sie zu der Stufe vorgeschritten sind, auf der sie den Versenkungszustand herbeiführen wollen, beginnen damit, ihre Augen entweder auf eine kleine, glänzende Metallkugel in der Größe einer Spielmurmel oder auf einen entfernten Gegenstand zu heften.

Ich möchte den Leser darauf hinweisen, daß sowohl Meditation wie Atemübungen am besten mit geschlossenen Augen gemacht werden, weil die äußerlichen Zerstreuungen dadurch vermindert werden, und daß deshalb die gegenwärtige Übung nicht angefangen werden darf, bevor die vorbereitenden Schritte geübt worden sind. Wer sie ohne diese Vorbereitung aufnimmt, wird keinen geistigen Nutzen von ihr haben und entweder in Schlaf oder mediale Abhängigkeit verfallen und bloß seine Zeit vergeuden. *Sie ist keine Methode für Anfänger, sondern für Vorgeschrittene.*

Nachdem man sich hingesetzt und seine Gedanken geordnet hat, soll man sich konzentrieren, seinen Blick ausschließlich auf den gewählten Gegenstand richten und versuchen, ihn anfangs fünf Minuten und, wenn man in der Übung weiter vorgeschritten ist, höchstens sieben Minuten im Gesichtsfeld festzuhalten. *Das Fixieren über diese äußerste Zeitgrenze hinaus zu verlängern, ist nicht ratsam.*

Es ist zu beachten, daß sich ein leichter Astigmatismus entwickeln kann, wenn die Übung übertrieben wird. Der Leser sollte auch den letzten Abschnitt von Kapitel 8 nochmals lesen.

Der Blick soll fest auf den Brennpunkt konzentriert werden; die Augen sollten während der Übung so wenig wie möglich blinzeln, selbst wenn sie dabei zu tränen beginnen. Dies wird anfangs nicht leicht sein; aber wenn man dabei beharrt, wird man schließlich diese Möglichkeit verwirklichen. *Der Geist sollte von dem gewählten Gegenstand ebensowenig abgelenkt werden wie der Blick.* Aber auch irgendwelchen schweifenden Gedanken soll man nicht erlauben, im Zusammenhang mit ihm zu entstehen. Man soll nicht *über* den Gegenstand nachdenken, sondern ihn nur mit ununterbrochener Aufmerksamkeit wahrnehmen, die keine Grübeleien und keinerlei Abschweifungen in ein mit dem Gegenstand verbundenes, logisch-folgerichtiges Denken zuläßt. Man sollte mit der Übung fortfahren, solange man sie aushalten kann, ohne in einen zu angestrengten oder gespannten Zustand zu geraten. Das Bemühen sollte dahin gehen, sie auf natürliche und entspannte Weise auszuführen, ohne mit den Augenlidern zu zucken.

Fixierung des Blickes führt zur Fixierung des Geistes. Sie pflegt und bewirkt stetige Aufmerksamkeit, weil letztere den Weg verfolgt, den ein äußerer Gegenstand vorschreibt. Wenn das bewußte Wesen eines Menschen also gänzlich auf einen Punkt verlegt wird, fangen seine inneren Möglichkeiten — die bis dahin nur latent waren — an, sich zu zeigen.

Nach einiger Übung sollte diese Fixierung der Sicht einem vertraut und ein fester, beständiger Blick erzielt werden; dann kann der zweite und höhere Teil der Übung versucht werden. *Er besteht darin, das Bewußtsein im Geiste von dem äußeren Gegenstand abzulösen und in sein inneres Selbst zurückzuziehen, während man den Blick noch fester und mit Ausschließung alles andern auf ihn gerichtet hält.*

Die Wirkung einer kurzen Übung dieser Art, wenn sie auf der Stufe, für die sie vorgeschrieben ist, verrichtet wird, ist die Herbeiführung einer intensiven Ruhe in seinem Innern und vor allem ein Vergessen alles Äußerlichen. Die hellen und düsteren Erinnerungen seines persönlichen Lebens werden vorübergehend ausgelöscht, während man den Geist nach innen wendet, und sein ganzes Wesen wird fest, sozusagen eindeutig. Eine Art von halber Versenkung wird folgen, *in welcher man versuchen muß, vollkommen wach und auf der Hut zu bleiben,* ohne sich jedoch irgendwelcher geistigen, gefühlsmäßigen oder physischen Bewegung hinzugeben. Absolute Stille sollte den sitzenden Körper umhüllen und den Geist durchdringen, und wirklich wird der Körper beinahe so unbeweglich wie ein Stück Holz werden.

Nachdem die Aufmerksamkeit also von dem Gegenstand, auf den sie eingestellt war, zurückgezogen ist, sollte man nicht nach einem ungewöhnlichen Erlebnis suchen, sondern sich geduldig mit einfacher Selbstversunkenheit zufrieden geben, während der Blick fixiert bleibt, ohne zu sehen. Wenn man durch wiederholten Versuch und Erfahrung genügend weit mit der geistigen Analyse seines Selbst, der Kontrolle des Atems und endlich mit dieser Fixierung des Blickes vorgeschritten ist, wird eine Zeit kommen, in der keine Willensanstrengung mehr gemacht zu werden braucht, noch eigentlich gemacht werden kann, um den Brennpunkt der Aufmerksamkeit von dem Gegenstand zurückzuziehen; denn er wird automatisch aus dem geistigen Felde verschwinden, während die tiefe Konzentration einen traumartigen Zustand herbeiführt, in welchem der Geist tief nach innen sinkt und die gewohnten Umrisse der Persönlichkeit von selbst verwischt werden. Um diesen Zustand weiter zu erklären, muß der Autor das Wort «verschwinden», wie es in dem vorigen Satze gebraucht ist, näher bestimmen: es bedeutet, daß eine Verlagerung aus dem Vordergrund in den Hintergrund der Aufmerksamkeit stattfindet. Es ist also kein totales Verschwinden; es ist wie im Falle eines genialen Schauspielers, der zum Beispiel die Rolle des Hamlet vollkommen spielen kann und in jedem Worte, das er äußert, in jeder Bewegung, die er macht, intensiv lebt, aber dennoch irgendwo im Hintergrund seiner Seele seine eigene Persönlichkeit empfindet. Auf dieselbe Weise kann man z. B. die Photographie ansehen; aber man wird sie nur noch auf eine undeutliche, verschwommene, gänzlich gleichgültige Art bemerken. Man hat sie benutzt, wie der Baumeister das Gerüst benutzt; wenn das Gebäude errichtet ist, wird das Gerüst beiseite geworfen.

Nur wenn die Übung erfolgreich ausgeführt ist, wird man in diesem Zustande traumhafter Versenkung eine innere Änderung des Bewußtseins erleben. Man hat jegliche Anstrengung aufgegeben und verharrt in einem außerordentlich ruhigen Zustande. Alle Dinge, die man anstrebte — sei es Wissen über das Selbst, geistige und gefühlsmäßige Beherrschung —, zergehen im Hintergrund. Der äußere Gegenstand, auf welchen man den Blick eingestellt hatte, entschwindet von selbst aus unserem geistigen Griff in der tiefen Festigkeit, die empfunden wird.

Was ist in Wirklichkeit geschehen? Das Bewußtsein wurde intensiv in der Sphäre seines ungewohnten Zentrums konzentriert, während der ihm vertraute äußere Umkreis unempfindlich gemacht wurde. Mit dem Aufhören des letzteren als einer sich auswirkenden Wesenheit beginnt die erste zarte Offenbarung unseres wahren Seins sich im Bewußtseinsfelde auszubreiten. Zunächst wird diese Ausbreitung außerordentlich leise und schwer für mehr als ein paar Augenblicke festzuhalten sein; man muß deshalb durch wiederholte Übungen, die sich vielleicht über Wochen und Monate erstrecken, lernen, sich selbst vollständig diesen ersten Offenbarungen hinzugeben und ihnen keinen Widerstand zu leisten. Auf diese Art wird man allmählich jene seraphischen Zeiträume verlängern, in denen der Mensch, den äußeren Umkreis der Dinge verlassend, sein Bewußtsein dem Zentrum zuwendet und die Seligkeit des geeinigten Seins findet.

Diese Kraft des fixierten, aber *abstrakten* Blickes wird

von den Hinduyogis «Trataka» genannt. Sie wird von Menschen, die sie gewissenhaft in Verbindung mit den andern vorgeschriebenen Bedingungen üben, leicht erworben. Aber wenn sie unrichtig gemacht wird, entwickelt sie ein Gefühl von Schläfrigkeit und eine Neigung, einzuschlummern. Dies sollte in jedem Falle dadurch vermieden werden, daß man sofort aufsteht und die Übung abbricht, sobald man sich dieses Fehlers bewußt wird. Wiederum ist hier eine Warnung vor dem Mißbrauch der Übung notwendig. Wenn sie aufgenommen wird, bevor eine geeignete Vorbereitung mit Hilfe der Selbstanalyse und der geistigen Aspiration stattgefunden hat, kann sie leicht zu bloßer Selbsthypnose oder zu mediumistischer Trance führen, und das höhere geistige Resultat wird dann nicht erreicht; was erreicht wird, kann in der Tat sehr wenig wünschenswert sein. Menschen, die nicht ein gewisses Maß von Gleichgewicht zwischen Verstand und Gefühl erlangt haben, sollten diese Warnung besonders beachten. Geistig Unreife oder solche, die versäumt haben, sich nach den in den vorigen Kapiteln gegebenen Vorschriften für ihr Vorgehen und ihre Befähigung zu richten, unternehmen die Übung auf eigene Gefahr. Sie können einen Zustand seelischer Medienhaftigkeit herbeiführen und die Aufmerksamkeit unerwünschter, unsichtbarer Geistwesen anziehen, die sich in der Grenzzone der Geisterwelt aufhalten und sich an unbeschützte, mediumistische Menschen und hypnotische Personen anheften.

Da diese Übung die Augenmuskeln anstrengt und zusammenzieht, sollte sofort, nachdem man sie beendet hat, eine Gegenwirkung stattfinden dadurch, daß man aufhört zu starren, mehreremal mit den Augen blinzelt und dann die Augenlider sanft und langsam eine Weile schließt. Auf diese Art werden die Muskeln entspannt. Um das Bewußtsein rascher in die äußere Welt zurückzubringen, soll man mit den Fingerspitzen leicht auf die geschlossenen Augenlider drücken.

Für die, welche reif und bereit sind, wird jedoch diese Augenübung die Erfüllung ihrer Sehnsucht bringen, weil sie das Aufgehen des kleinen Selbst in dem Überselbst leichter macht. Sie verbindet ihr persönliches Ich mit seinem heiligen Ursprung. Nicht umsonst hat der Meister Jesus im Laufe einer seiner schlichten Erklärungen gesagt:

«Das Auge ist des Leibes Licht; wenn daher dein Auge einfältig ist, so wird dein ganzer Leib licht sein.» (Matth. 6, 22.) Millionen Menschen haben diesen Ausspruch gelesen; aber nur wenige haben seinen tieferen Sinn verstanden. Um diesen zu finden, müssen wir uns mit etwas Wissen ausrüsten.

Zunächst, wenn der Leser andere Darlegungen des Verfassers [2] in seinen früheren Büchern nachschlagen will, wird er aus ihnen erfahren, daß das Licht wirklich die erste und edelste Kundgebung Gottes, des höchsten Schöpfers, in unserer stofflichen Welt ist. Das erste Gebot des Schöpfers war: «Es werde Licht!» Aus diesem ersten Licht entstanden alle geschaffenen Formen, weil es eigentliche Lebenskraft ist und jedem Atom der Materie innewohnt. Führende Wissenschaftler erwägen heute ernsthaft, daß Lichtwellen die letzte Essenz aller Materie bilden könnten. Das Licht ist das dem Göttlichen nächste Element, das der *physisch verkörperte* Mensch berühren kann. Daher begründeten fast alle alten Völker, von den scharfsinnigen Ägyptern in Afrika bis zu den einfachen Inkas im fernen Amerika, ihre Religion auf der Verehrung des Lichtes und beteten es in seinem höchsten Ausdruck, der Sonne, an. Mystiker, die Gott von Angesicht zu Angesicht erblicken, müssen ihn zunächst als ein allgemeines, übersinnliches Licht von furchtbarem Glanze schauen. Sie gewahren dieses heilige Licht während ihrer hohen Verklärung überall um sich her durch einen inneren Sinn, der nur als «geistiges Auge» bezeichnet werden kann. Die christlichen Apostel verstanden diese Wahrheit auch. So gibt es einen Satz in Eph. 5, 9, der den vorher erwähnten Ausspruch Jesu ergänzt. Er lautet: *«Wandelt wie die Kinder des Lichts; die Frucht des Lichtes ist allerlei Güte und Gerechtigkeit und Wahrheit.»*

[2] «A Search in Secret Egypt» und «A Hermit in the Himalayas».

Der Verfasser weiß, daß die neue Bibelübertragung «Geist» statt «Licht» an diese Stelle setzt; aber es ist Tatsache, daß die *frühesten* und maßgebendsten Manuskripte dieser Schrift, besonders der sinaitische, alexandrinische und vatikanische Kodex, zusammen mit dem Bezanmanuskript in seiner ursprünglichen Form, darin übereinstimmen, daß sie «photos» (Licht), statt «pneumatos» (Geist) verwenden. Das griechische Wort «haplous», das in dem Ausspruch Jesu mit «einzeln» wiedergegeben ist, bedeutet wörtlich «einfach» oder «einzeln» im Sinne von «natürlich, nicht verwickelt, vielgestaltig». Wenn wir beide Bedeutungen verbinden, kommen wir mit etwas Einsicht zu einer Auslegung, die uns ermöglicht, diesen Satz zu seiner vollen Bedeutung zu erweitern, also:

«Das geistige Licht des Leibes geht ein durch das Auge; wenn daher das Auge von der verwickelten Vielheit der Welt abgewandt und der Geist, der sich dieses Auges bedient, in sein eigenes, natürliches Wesen zurückgezogen wird, wird dein ganzer Leib voll geistigen Lichtes sein.»

Der letzte Teil dieses Satzes ist bedeutsam: «Dein ganzer Leib wird voll Licht sein» ist eine buchstäbliche Tatsache, nicht bloß ein poetisches Bild. Von denen, die Gelegenheit hatten, einem gänzlich auf Gott abgestimmten Heiligen oder einem Weisen im vollen Bewußtsein des Überselbst zu begegnen, haben einige berichtet, daß sie des letzteren Körper während angespannter Meditation oder im Gebet von einem seltsamen Glanze umgeben und durchdrungen gesehen haben. Die Heiligenscheine und Strahlenkronen, die mittelalterliche europäische Künstler um ihre Heiligenbildnisse malten, bilden eine fragmentarische Rückerinnerung an diese psychische Wahrheit. Daher ist es keine Übertreibung von seiten Jesu, wenn er versichert, daß ein Mensch, der seine innere Vision vereinheitlicht und seinen Geist in diesen natürlichen und einfachen Zustand, frei von Gedanken und Eindrücken, zurückgezogen hat, geistig wie seelisch völlig erleuchtet sein wird. *Diese Übung führt die geistige Lichtkraft in den phy-*

sischen Körper ein, bis letzterer von ihr so durchdrungen ist,
daß er sie auch nach außen ausstrahlt.

Die östlichen Schriften beziehen sich auch auf diesen Gegenstand. «Befreiung ist im Auge», verkündet der Chinese *Yin Fu King* oder das «Buch der geheimen Übereinstimmungen». Es gibt in Indien eine Gruppe von 108 uralten Sanskritbüchern, die von den frühesten Weisen geschrieben worden sind und noch jetzt von den Hindus als Verkörperung des mystischen Wissens ihrer Religion betrachtet werden. Diese Bücher, die «Upanishaden» genannt, wurden Tausende von Jahren, bis zur Ankunft der neugierigen britischen Gelehrten, von den Brahmanen verborgen gehalten. In einer von ihnen, der «Madala Brahmana Upanishad», können wir diesen aufschlußreichen Satz finden:

«Wenn die geistige Schau nach innen gewandt ist, während die physischen Augen außen sehen, ohne zu blinzeln, ist dies die große Wissenschaft, die in allen Tantras (geheime Bücher der Macht) verborgen ist. Wenn man dieses weiß, bleibt man nicht länger unter den Beschränkungen der Materie. Ihre Übung gibt Erlösung.»

Endlich mag noch erwähnt werden, daß unter den Magiern Persiens in alten Zeiten und den heutigen Sufimystikern desselben Landes ebenso wie in ein paar höheren Yogischulen Indiens in unsern Tagen ein besonderer Ritus existiert hat, innerhalb dessen der Adept oder Lehrer den Forschenden, der dazu befähigt ist, einfach dadurch in das innere Leben des Geistes einweiht, daß er tief, gespannt und bedachtsam einige Minuten in seine Augen blickt. Der Aspirant fühlt danach, daß ein Schleier beiseitegezogen und das Fortschreiten ihm leichter gemacht worden ist. Dies beweist, daß die Adepten das Auge als das einzige physische Organ betrachten, das zart und empfindlich genug ist, um als Medium für die Übertragung und Mitteilung ihrer spirituellen Kraft zu dienen.

Die hier gegebene Blickübung basiert auf der psychologischen Aufmachung des Menschen. Wir müssen wirklich über unsere Gedanken hinauskommen, unsere Aufmerksamkeit in einem ungewohnten Grade verinnerlichen, um — auf eine gänzlich neue Art und Weise — in unserm eigentlichen Selbst aufzugehen. Diese Übung ist eine mächtige Hilfe, um das Roß des Geistes zu zügeln. Sie führt das nach außen drängende Ich dazu, sich selbst und seine Neigung zu unterdrükken; aber sie tut dies durch freundliche, sanfte Mittel. Es brauchen keine gewaltsamen Anstrengungen gemacht zu werden, um den widerspenstigen Intellekt zum Gehorsam zu zwingen; denn die zusammenwirkende Atem- und Augenbeherrschung erreicht das gleiche Ziel. Wir besitzen ein unvergleichliches Erbe in der göttlichen Natur und den hohen Möglichkeiten des Menschen. Aber wir müssen uns rühren und unsern Anspruch geltend machen; wenn unser Geist gesammelt, konzentriert und gestillt ist, beweisen wir unser Anrecht auf dieses Erbe.

13. Kapitel

Das Mysterium des Herzens

Wer diesen ungewöhnlichen inneren Weg bis hierher verfolgt hat, ist nun für die folgende Offenbarung reif, die eine Antwort auf die oft gestellte Frage bildet: Wo ist denn dieses Überselbst, dem du solche Lobreden widmest?

Betrachten wir zunächst gewisse Übereinstimmungen, die auf eine geheimnisvolle Verwandtschaft zwischen dem göttlichen Überselbst und seiner irdischen Hülle hinweisen. Man beobachte die natürliche, automatische Handlung eines Menschen, besonders eines Angehörigen einer primitiven Rasse, der *sich selbst* durch eine körperliche Geste herausheben, von den anderen unterscheiden möchte. Der Mann wird die rechte Hand erheben und mit dem Zeigefinger auf seine Brust deuten, auf jene Stelle, wo sich das Herz befindet.

Die Wichtigkeit dieser Handlung liegt für den forschenden Beobachter darin, daß sie dem bewußten Geist des Menschen durch sein unbewußtes Selbst diktiert wurde. Sie ist als ein stummes Zeugnis der Natur, die durch die tiefsten Instinkte der Kreatur wirkt, höchst bezeichnend für die Verbindung der Selbstheit mit dem wichtigsten physischen Organ des Leibes: dem Herzen. Nicht selten legt der Mensch auch die Hand auf sein Herz, wenn er sagt: «Ich fühle» oder: «Ich denke». So deutet gerade der Gebrauch dieser Ausdrücke und Bewegungen, die durch den gesunden Menschenverstand diktiert sind, genau dieselbe Wahrheit an.

Man mag sich ferner erinnern, daß manche Menschen instinktiv Ausdrucksformen gebrauchen, wie z. B. «das Herz des Gegenstandes» oder «um an das Herz dieser Materie zu kommen», wenn sie den wesentlichen Kern von irgend etwas Beliebigem bezeichnen möchten. Sie legen dadurch Zeugnis ab dafür, daß das fundamentale Wesen des Menschen seine Selbstheit ist. Man untersuche auch die anatomische Lage des Herzens in Beziehung zu dem übrigen Körper. Es ist auf eine Stelle gelegt, die oberflächlich gesagt, die Mitte zwischen der Scheitelhöhe des Kopfes und dem Ende des Rumpfes bildet, so daß, wenn ein Kreis um die äußersten Grenzen des Rumpfes gezogen würde, das Zentrum dieses Kreises ungefähr das Herz wäre.

Es ist eine Binsenwahrheit, daß der wichtigste Punkt eines Gebäudes, eines Organismus oder eines Grundrisses sein Zentrum ist. Es bildet den lebendigen Kern, um den alle anderen Teile sich aufbauen. Wenn daher das Herz als das zentrale Organ des Körpers erkannt ist, kann man mit Recht annehmen, daß es auch das wichtigste ist. Kein Mensch kann ohne Herz als lebendes Wesen in dieser physischen Welt existieren. Ärzte haben Wunder gewirkt im Zusammenflicken der bemitleidenswerten zerbrochenen menschlichen Überreste des letzten Krieges und hier und da tatsächlich neue Teile von Organen aufgepfropft oder Körperteile durch künstliche ersetzt. Aber sie können keinen Menschen am Leben erhalten, dessen Herz unbrauchbar geworden ist.

Der erste Schlag des Herzens bedeutet Leben, sein letzter Schlag bedeutet Tod. Das Mittel, durch das es auf den Körper einwirkt, ist das Blut, jener geheimnisvolle rote Saft, der in Verbindung mit dem Atem das Lebensprinzip trägt und durch seine fortwährende Zirkulation den Körper aufbaut und aufrechterhält. Physiologisch betrachtet ist das Herz das am schwersten arbeitende Organ des Körpers. Es schlägt an jedem Tage mehr als hunderttausendmal und treibt sieben bis acht Tonnen Blut durch die Arterien vom Kopf zu den Füßen. Seine Stellung gleicht der eines Königs, der seinen Wohnsitz in einer Hauptstadt hat und von dort aus das ganze Reich mit Hilfe seiner Beamten beherrscht und regiert. Das Herz ist die Hauptstadt, das *Zentrum* der Regierung, die

Beamten repräsentieren das Blut, und das Königreich ist der Körper selbst.

Der König verkörpert die wahre, wesentliche Selbstheit — das Überselbst!

Der uralte symbolische Hinweis der Menschheit auf ihr «Herz», wenn sie von ihrer Seele oder ihrem Geiste sprechen möchte, wie auch ihre allgemeine Annahme, daß die tiefsten menschlichen Gefühle im «Herzen» entstehen, bieten auch ein unbewußtes Zeugnis irgendeiner geheimnisvollen Verbindung zwischen der Gottheit im Menschen und seinem physischen Herzen. Welches Gefühl könnte wirklich tiefer sein als das, welches er erlebt, wenn er diese göttliche Gegenwart gewahrt? Die Erfahrung des geistigen Forschers, der die Tiefen des Herzens erreicht und das Überselbst entdeckt, findet so ein entferntes Echo in der gewohnten Sprache und Handlung der allgemeinen Menschheit, wenn sie sich auf ihr eigenes Wesen bezieht. Können wir der Möglichkeit keinen Glauben schenken, daß unverwirklichte Kräfte innerhalb dieses Organs existieren?

«Dies ist meine Seele im innersten Herzen, kleiner als ein Reiskorn oder ein Gerstenkorn oder Senfkorn oder Hirsekorn oder eines Hirsekornes Kern — dies ist meine Seele im innersten Herzen, größer als die Erde, größer als der Luftraum, größer als der Himmel, größer als diese Welten», lautet die seltsame Beschreibung der «Chandogya Upanishad», einer uralten mystischen Abhandlung, die früher geheimgehalten wurde. Es gab auch abendländische Mystiker, welche die gleiche Entdeckung gemacht haben. So schrieb Mutter Juliane von Norwich — die zu der Gruppe der mittelalterlichen englischen Heiligen gehört — in einem Bericht über ihre eigenen geistigen Erfahrungen: «Hiernach sah ich Gott in einem *Punkt*, d. h. in meinem Verständnis.» (Das Wort «Verständnis» bedeutet in diesem einigermaßen veralteten Englisch, was wir unter dem Wort «Bewußtsein» verstehen.)

Die Analyse hatte schon die Tatsache ans Licht gebracht,

daß die eigentliche Selbstheit des Menschen reines Bewußtsein ist, daß es die ganze Maschinerie des Verstandes übersteigt, und daß die ganzen Reihenfolgen der Gedanken, die sein mentales Leben ausmachen, schließlich in diesem primären Ichgedanken wurzeln. Wir können nun diese Ergebnisse mit der oben erwähnten Offenbarung verbinden. Wenn das Überselbst wirklich einfaches Bewußtsein an sich ist, die lebendige, treibende Kraft hinter aller geistigen Tätigkeit, dann ist der wahre Sitz des menschlichen Bewußtseins nicht im Gehirn, sondern im Herzen! Gedanken könnten nicht entstehen, das Urteilsvermögen nicht fortdauern ohne das Licht des Bewußtseins, das beide erleuchtet. Sie sind ebenso abhängig von dem Hintergrund des Selbstbewußtseins, wie diese geschriebenen Worte abhängig sind von dem weißen Papier, das ihren Hintergrund bildet.

So erhält die ganze Denktätigkeit ihre Unterstützung und Genehmigung durch die schöpferische Kraft des Überselbst. Der Ichbegriff, ein bewußter Gedanke, obgleich der erste aller Gedanken, kann keinen anderen letzten Ursprung haben als das wirkliche transzendentale Selbst, das Überselbst.

Es ist daher immer eine feine und geheime Bewegung im Gange zwischen dem Herzen und dem Kopfe, zwischen dem Überselbst und dem Verstand. Dem ersteren, als dem letzten Ursprung aller Verzweigungen des Lebensstromes und des Bewußtseins, entnehmen das Ego und der Intellekt den Unterhalt für ihr eigenes Dasein. Ohne das Überselbst, das sie ernährt, würden beide zugrunde gehen und verschwinden.

Diese Bewegung beginnt im Herzen jedesmal, wenn durch angestammte menschliche Gewohnheit der Sinneseindruck der äußeren Dinge die Aufmerksamkeit in Tätigkeit setzt. Die erste Folge dieser Bewegung ist die Loslösung eines winzigen Teilchens übersinnlicher, lebendiger Kraft und stärkeren Bewußtseins. Wie eine Sonne, die von ihrer flammenden Ursprungsmasse getrennt ist, beginnt dieses Bruchstück von diesem Augenblick an ein eigenes Leben, dessen Folge die Bildung des persönlichen Ego ist. Dieser verhältnismäßig sehr begrenzte Egosinn steigt dann vom Herzen *aufwärts,* weil das feinste und empfindlichste Organ, mit dem es in Verbindung kommen kann, im Kopfe liegt. Es ist selbst zu zart, zu geistig seinem Ursprung nach, um das grob materielle Universum ohne irgendwelchen Vermittler zu berühren, der an der Natur von beiden teilhat. Im Gehirn, im denkenden Verstand, findet es einen solchen Vermittler. Daher sein Aufwärtssteigen zum Gehirn.

Hier wird das Fragment reinen, unpersönlichen Selbstbewußtseins zu persönlichem, denkendem Bewußtsein herabgemindert und zieht durch die verschiedenen körperlichen Sinnesorgane wie durch Torwege aus, um sich mit der äußeren Welt zu verbinden und schließlich in dem Meer der äußeren Interessen unterzugehen. Bis dahin hat es unvermeidlich den Ort seines Ursprungs — das Überselbstatom im Herzen — vergessen.

So verliert sich das Ego gänzlich in dem mental-physischen Leben, in dem es sich schließlich findet, und weiß nichts mehr von seinem göttlichen Ursprung und seiner Geburtsstätte im Herzen. Das Gehirn wird seine Heimat, ein Wohnort, der ihm mit der Zeit so vertraut wird, daß der Verbannte dazu kommt, zu wähnen und zu glauben, daß hier seine erste Heimat und die physische Welt seine erste Umgebung sei.

Man muß die Auseinandersetzungen dieses Kapitels sorgfältig beachten, da sie auf der unsichtbaren Anatomie der Seele fußen. Wenn man anfängt, sein Gedankenleben so zu ordnen, daß es in Harmonie und nicht in Widerstreit mit diesem anatomischen Aufbau kommt, kann man sich erfolgreicher und geschickter auf diesem Pfade fortbewegen. Es ist außerordentlich hilfreich, einen Begriff von der Richtung und dem Ort zu haben, auf den man sich hinbewegen muß — wie weit entfernt das Ziel auch scheinen mag.

Die Verwandtschaft zwischen Herz und Gehirn, welche die zwischen Geist (spirit) und Intellekt andeutet, wirft Licht auf manches dunkle Problem der Psychologie und Religion, wenn man sie richtig versteht. Denn man kann nun etwas leichter den Prozeß erfassen, der nach tausendjähriger Involution und Evolution den Menschen als das geistig blinde Geschöpf zurückgelassen hat, das er heute ist.

Wenn man sich das Überselbstatom als einen sprudelnden Quell vorstellt, dessen Wasser immerdar durch den höchsten Schöpfer gespeist werden, dann ist dieser dreifache Strom, der nach aufwärts getrieben wird, der Lebensstrom, der Verstand und die Individualität. Diese drei erscheinen im persönlichen Ich; und sie finden sich ebenso in dem großen Gebäude des Universums, das sie als Elemente durchziehen, wie auch in dessen mikrokosmischer Nachbildung — dem Menschen.

Man kann sie sich vorstellen als Ausströmungen des Herzens, die nach oben steigen und dann nach auswärts ziehen durch die fünf Sinnesorgane, die sie mit den physischen Gegenständen und Kreaturen in Verbindung bringen. Durch diesen Prozeß wurden sie während so vieler Zeitalter menschlicher Geschichte eingefangen und festgehalten, daß das persönliche Ich — d. h. ihre Gesamtheit — nun irrtümlich glaubt, ein sich selbst genügendes, unabhängiges und vollständiges Wesen zu sein.

Dieser Irrtum, der sich im Menschengeschlecht so einzunisten vermochte, erreichte seinen Höhepunkt im 19. Jahrhundert, als die Wissenschaft stolz verkündete, daß die Annahme einer geistigen Seele im Menschen nicht nötig sei.

Das Herz, der Quell des Lebens, wurde verachtet, der Kopf verherrlicht, die Seele vergessen.

Und doch erkennen wir physiologisch, daß das Gehirn ohne das Blut, mit dem es ernährt wird, nicht funktionieren kann. Dieser Lebenssaft wird ihm vom Herzen gesandt. Deshalb ist sogar das physische Gehirn vom physischen Herzen abhängig, um überhaupt arbeiten zu können. So kann selbst auf rein materiellem Wege gezeigt werden, daß der Verstand *letztlich* aus dem Herzen hervorgeht. Scheint demnach nicht das Herz der geeignetste und symbolisch richtigste Ort zu sein, um vom Überselbst zu seiner Wohnung gewählt zu werden? Der unaufhörliche Gedankenstrom im Kopfe stützt sich auf das Bewußtsein des Herzens. Der Verstand ist bloß eine begrenzte Modifikation, die durch das unbegrenzte Überselbst aufgeworfen wird. Was ist der Verstand anderes als die Gesamtsumme unserer Gedanken? Die Zeitlücke zwischen zwei Gedanken — wie winzig und unbemerkt sie auch notwendigerweise sein muß — ist der Augenblick, in welchem das Ich unbewußt mit dem Überselbst in Berührung kommt; denn in diesem Augenblick fängt der Verstand blitzartig das Licht des Bewußtseins auf, das zur Fortsetzung seiner Tätigkeit notwendig ist. Diese Lücke mag unendlich klein sein; aber sie besteht. Überdies ist sie, soviel der Verfasser weiß, im gewöhnlichen Menschen sogar mathematisch meßbar. Ohne diese Zwischenpause, die Hunderte von Malen während eines Tages vorkommt, könnte der Verstand nicht arbeiten, weil das Gehirn in leere Erstarrung fallen würde.

Wenn die Pause zwischen zwei Gedanken verlängert wird, ist die *Möglichkeit* geschaffen, in den Zustand des Überselbst einzugehen und eine Zeitlang dort zu verbleiben. Dies ist der Schlüssel zu der inneren Arbeit, die nun auf unserem Pfade zu geschehen hat, wenn der vorgeschrittene Zustand erreicht ist. Immer weniger Gedanken kommen während der täglichen Übung in geistiger Stille; die Verlangsamung des Atems und die Fixierung des Blickes führen dies herbei.

Der allgemeine Begriff, daß das Bewußtsein seinen Sitz im Gehirn habe, ist nur eine bedingte Wahrheit. Das Gehirn ist nur der Sitz des *reflektierten* Bewußtseins, einer Rückstrahlung, die aus dem wahren Mittelpunkt, dem Herzen, stammt. Verstandeslicht ist nur geborgtes Licht, wie das des Mondes. Verstandesbewußtsein ist sekundär. Herzbewußtsein ist primär: es ist die Sonne, die ihr eigenes Licht dem Mond des Verstandes mitteilt. Aber man sollte sich vor dem allgemeinen Irrtum hüten, daß unter Herzbewußtsein bloß Gefühl gemeint sei. Nichts könnte weiter von der eigentlichen Wahrheit entfernt sein.

Gerade wie in der letzten philosophischen Analyse die Wirklichkeit der materiellen Welt nur unsere mentale Vorstellung von ihr ist, so ist die Wirklichkeit des Intellekts nichts anderes als seine geheime Quelle, seine letztliche Unterstützung durch das Herz. Das unendliche Sein — der Quell alles unvergänglichen Lebens und aller Intelligenz — vollzieht seinen Eintritt in den Menschen durch das Herz, nicht durch den Kopf.

So ist das persönliche Ego ins Dasein gekommen als ein Geschöpf, das seine ganze Kraft, zu leben, zu verstehen und sogar zu handeln, ausschließlich von dem unpersönlichen Überselbst herleitet, *das aber unglücklicherweise heutzutage dieser göttlichen Abstammung nicht mehr bewußt ist.* Es existiert in seiner eigenen Überzeugung als ein Wesen, das nur aus eigener Kraft lebt und sich bewegt; aber darin täuscht es sich selbst. Ohne die geheime Verbindung mit seiner unsterblichen Wesenheit, dem Überselbst, könnte es ein solches Dasein nicht einen Augenblick weiterführen. Das Licht des Bewußtseins, durch das es die materielle Welt versteht, mit Hilfe des Gehirns denkt und innerhalb des Körpers arbeitet, ist nur ein geborgtes Licht, das ihm von dem immerwährenden Überselbst geliehen wurde. Das Leben, das es eine Weile innerhalb des physischen Körpers aufrechterhält, ist nur ein Tropfen aus der unendlichen und unvergänglichen Kraft des Überselbst. Solange das Ego seine Aufmerksamkeit dauernd nach außen gerichtet hält und immerfort durch die Fenster der Sinne auf das materielle Universum blickt, wird es in der Täuschung verharren, daß dieses materielle Universum, der Körper und es selbst die Totalität des Lebens ausmachen.

Dieses verminderte Bruchstück — der Ichgedanke, das «Ich» —, das in seinem Verständnis verdunkelt ist wie das abgeblendete Licht eines Automobils, hat sich mit der physischen Gestalt, in der es sich findet, verbündet, ist mit der physischen Welt in Beziehung getreten und schaut immerfort durch die Fenster der fünf Sinne nach *auswärts,* wie eine hypnotisierte Person. Und dennoch, trotz der unermeßlichen

Verminderung seiner Kraft, der weitgehenden Beschränkung seines Bewußtseinsfeldes, bleibt es das einzige Verbindungsglied des Menschen mit seinem Überselbst, weil seine Abkunft göttlich ist und sein Stammbaum, wenn auch verborgen, noch existiert.

Wenn der Ichgedanke im Gehirn wohnt, ist er trotzdem dort nicht gänzlich isoliert. *Es besteht eine Verbindungslinie mit dem Herzen,* die Linie, auf der das Überselbst Licht und Leben für die Unterstützung des Ego sendet. Letzteres kann aus sich selbst nichts tun; denn es hängt von dieser Unterstützung ab. Es ist entstanden aus dem zeitlosen Überselbst und bleibt unwissentlich sein Kostgänger.

Daher gibt es noch immer einen Rückweg, eine Verbindung mit seinem Geburtsort. Wenn es aus seiner Verhaftung an die Außenwelt geweckt und bewogen werden könnte, sich einwärts und rückwärts zu wenden, den Weg zu seinem Ursprungsort zu verfolgen, würde es sich notwendig zu seinem Überselbst hin bewegen. Wäre dieses einmal gefunden, brauchte es nur in dauernder Verbindung mit dieser heiligen Quelle zu bleiben, um Nektar mit den Göttern zu schlürfen und glücklich zu sein. Deshalb muß es das Hauptanliegen aller echten spirituellen Übungen sein, den menschlichen Geist dahin zu bringen, daß er sich von dem materiellen Universum weg nach innen wendet und durch solche Abgeschiedenheit in Meditation oder Gebet allmählich den Abstieg zum Herzen zurück unternimmt. Dann, und nur dann, wenn er seine Anmaßung aufgegeben, sich auf seinen rechtmäßigen Platz zurückgezogen und sich pflichtschuldig und gehorsam dem pflichtlosen Überselbst ergeben hat, wird dieses den Menschen zu wirklich klarer Erkenntnis dessen befähigen, *was er eigentlich ist.* Dies ist das geistige Ziel, das ihm durch das Leben, durch Gott vorgesetzt ist — und ein anderes gibt es in Wirklichkeit nicht! Um diese Befreiung auszuführen, «brauchen wir das Schweigen der Kuh, die Einfachheit des Kindes, den selbstlosen Zustand des gänzlich erschöpften Menschen, den noch selbstloseren Zustand des tiefen Schlafes», bemerkte Sri Vidyaranya, ein Weiser, der im Westen noch unbekannt ist.

Wir haben durch die Analyse festgestellt, daß dieses wahre Selbst gänzlich frei von Gedanken und Gemütsbewegungen und daß es körperlos ist, daß es auf der Ebene reinen, unstofflichen Bewußtseins lebt und daß vernunftmäßige Tätigkeit, zusammenhängende Beweisführungen eigentlich eine Beschränkung seiner eigenen göttlichen Natur bilden. Wenn wir deshalb die Grenzen des Verstandes erreichen und sehen, daß wir nicht weiter können, so brauchen wir nur den Prozeß der Entwicklung umzukehren, das Zentrum der bewußten Tätigkeit vom Sitz des Verstandes zu dem Sitz des Überselbst zu verlegen, um so die Grenzen zu überschreiten und unsern Horizont zu erweitern.

Dies bedeutet — mit andern Worten —, daß das Bewußtsein vom Gehirn hinab zu seinem ursprünglichen Sitz, dem Herzen, verlegt werden sollte!

Mit streng konzentriertem und nach innen gekehrtem Geiste, eifrig, aber nicht ängstlich, beginnt nun der eigentliche Weg. Es sollte ein Nachinnendrängen da sein, in Erwartung der zu empfangenden Offenbarung. Durch das Denken hat man in das Undenkbare überzugehen. Nun, da man wirklich in die hohe geistige Suche eingetreten ist, kann dieser Zustand mit dem eines Tiefseetauchers verglichen werden, der auf dem Grunde des Ozeans nach wertvollen Perlen sucht. Erst wenn der Mann sich unter die Oberfläche des Wassers hinabgelassen hat, fängt sein wirkliches Suchen nach Perlen an; seine Fahrt im Boot von der Küste bis zu einem Punkt auf der Oberfläche des Meeres, der für sein Hinabsteigen günstig ist, war nur eine Vorbereitung und entspricht den intellektuellen Analysen des Suchers nach dem Überselbst. Dann muß auch der Taucher mit geschärften und konzentrierten Kräften tief in das Wasser hinabsteigen, *während sein Geist gespannt auf eine einzige Sache gerichtet ist:* auf das Erlangen der Perle, die auf dem Grunde des Ozeans liegt. Er ist blind, taub und stumm für alles, mit Ausnahme des kostbaren Gegenstandes seines Suchens. Desgleichen muß auch der geistige Sucher in diesem vorgeschrittenen Stadium seiner Übung ebenso gänzlich absorbiert und ebenso gespannt auf ein einziges hin gerichtet sein: auf die atemlose Erkenntnis des Überselbst.

Das Gleichnis hält noch weiter stand: Der Taucher muß seinen Atem vollkommen anhalten, während er in den tiefen, salzigen Wassern ist — auch der geistige Sucher hat auf dieser Stufe gelernt, seinen Atemrhythmus zu beherrschen, wenn auch die Art der Zurückhaltung, die er benötigt, nicht so drastisch zu sein braucht wie die des Perlenfischers. Der einzige Gedanke, der mit Inbrunst vorherrschen sollte, ist der Gedanke an das Überselbst, das gleich einer Perle auf dem tiefen Grunde seines Wesens ruht. Alle fremden Gedanken, die auf dieser Stufe in den Geist eindrängen, wären dem Seewasser zu vergleichen, das in die Nasenlöcher und den Mund des Perlenfischers eindringt: Sie würden ihn von seinem Suchen ablenken und es in der Tat zunichte machen.

Wir sind nun bereit für die weitere und letzte Übung dieses Pfades. Sie sollte nicht versucht werden, ehe die Atem- und Sehübungen so lange ausgeführt worden sind, daß man vollkommen mit ihnen vertraut ist und sie mit Leichtigkeit machen kann. Wer die dritte Methode in Angriff nimmt, ohne auf diesem Wege für sie gereift zu sein, wird nicht zum Ziel gelangen, und seine Anstrengung wird notwendig vergeblich bleiben.

Wenn die Blickübung des vorigen Kapitels erfolgreich beendet ist, wird das Bewußtsein durch die Augen von der äußeren Welt in den Kopf zurückgezogen sein; an diesem Punkte kann die folgende Übung beigefügt werden:

Man sollte den persönlichen Willen dem göttlichen zum Opfer bringen. Dann soll man sanft und allmählich die bewußt abgesonderte Aufmerksamkeit vom Kopfe fortziehen, sie noch weiter nach innen wenden, aber in abwärts führender Richtung, bis sie in die Gegend des Überselbstatoms gebracht ist.

Die mentale Energie muß heruntergebracht und in der Brust begraben werden. Zuerst wird eine zarte, kaum merkliche Empfindung in den Tiefen des Herzens entstehen, eine leise, hauchartige Gegenwart, die einen zunehmend überflutet. Wenn sie sich einstellt, sollte man sie beachten und ihre Bedeutung nicht übersehen. Neulinge könnten ihre hohe, aber schweigende Botschaft unterschätzen. Nach genügend Versuchen und längerer Erfahrung wird man finden, daß das Bewußtsein sich allmählich von selbst auf einem einzigen Punkte niederläßt und dort verharrt. Dieser Punkt wird die Aufmerksamkeit mit sanftem Griff «einfangen», ein Gefühl der Gefangenschaft, das als ein denkbar beglückendes empfunden werden wird.

Es wäre unrichtig, zu sagen, daß keine physische Empfindung diese Erfahrung begleite. Eine solche ist vorhanden; aber dennoch ist sie von der Art, daß sie die materielle Welt überschreitet! Es gibt ein ganz deutliches Gefühl des Durchdringens der *Pore* des Überselbst. «Wahres Gebet», sagte der Prophet Mohammed, «ist das, was mit *offenem* Herzen geübt wird.» Gleichzeitig besteht ein Kontakt mit einer Welt ungetrübten inneren Seins. Aber wie könnte man diesen paradoxen Punkt beschreiben? Die verwirrte Feder muß sich zurückziehen.

Zu seiner Überraschung wird man finden, daß dieser Prozeß der Wendung des Bewußtseins letzteres tatsächlich *vertiefen* und es noch vollständiger von der materiellen Welt zurückziehen wird. Die letzten Reflexe der äußeren Welt schwinden. Das, was vorher subjektiv war — wie z. B. ein mentales Bild —, ändert nun gänzlich seine Beziehung; denn es wird objektiv für das innere Selbst. In diesem neuen Zustand erscheint sogar das Denken als ein Eindringen von *außen*. Man wird das erleichterte Gefühl haben, daß man jetzt wirklich in Berührung mit sich selber ist, daß man in den bisher unverständlichen Hintergrund seines Wesens eindringt.

Der Verstand wird eingefangen und im Herzen festgehalten werden. Während längerer Jahre der Übung kann möglicherweise noch ein Rest von Gedanken Seite an Seite mit dieser beglückenden Empfindung fortbestehen; aber im allerletzten Stadium der Entwicklung, das wenig Menschen je erreichen, werden alle Gedanken aufhören.

Während der letzteren Stufe der Übung und manchmal, wenn das Herz erreicht worden ist, kann man eine Art Wärme in dieser Gegend empfinden; durch irgendwelchen seltsamen Prozeß inneren Schauens kann man sogar ein subtiles, feuriggoldenes Licht an der Stelle glühen sehen. Manchmal können diese Strahlen wie ein heller Blitz aufleuchten. Mittelalterliche römisch-katholische Maler haben gelegentlich die Jungfrau Maria und Christus mit einem flammenden Herzen dargestellt. Religiös inspirierte Künstler bringen nicht selten etwas hervor, das höher ist als ihr gewöhnliches Erkennen und Wissen. Aber solche psychischen Empfindungen sind kein wesentlicher Teil des Prozesses und sollten nur als unwichtige Nebenerscheinungen gewertet werden.

In diesem sublimen Zustand erkennt man den Saum des glühenden Zentrums des menschlichen Geistes, und man erkennt, daß das Herz der wahre, obgleich verborgene Mittelpunkt des geistigen Lebens, der physischen Handlungen, überhaupt des gesamten Tuns des Menschen, ist. Auf diese Weise wird man durch das Hinabsteigen des Bewußtseins vom Gehirn, wo es sich gewöhnlich aufhält, zum Herzen, in das einweihende Erleben des Überselbst geführt. So dringt man tief in sein eigenes inneres Wesen ein und findet als Lohn die Perlen seliger Harmonie und ewigen Lebens.

Was sich ereignet hat, ist, daß das Ego die richtigen Bedingungen vorbereitet hat für seine Trennung von der Identifizierung mit dem groben materiellen Körper und für seine Rückkehr zu seinem ursprünglichen Wohnsitz. Alles ist nun bereit für seine endliche und äußerste Unterwerfung. Auch diese Stufe ist schon außerordentlich erhaben, und die Flamme des spirituellen Lebens fängt nun hell an zu lodern. Die Gedanken wurden gehindert, sich nach außen zu betätigen; der Geist muß darum notgedrungen im Herzen erwachen.

Wir haben uns nun dem tiefsten Punkte dieser Übungen, der hier noch beschrieben werden kann, genähert. Wer getreulich getan hat, was bisher von ihm verlangt wurde, und nicht abließ, bis seine Anstrengungen zu einem gewissen Erfolg geführt haben, hat sich während dieser ganzen Zeit hindurch auf den Schritt vorbereitet, der ihn nun erwartet. Es ist nicht unbedingt die letzte *Stufe*, die er durchzumachen hat; aber es ist nicht möglich, mit einer *äußerlichen* Schilderung spiritueller Zustände weiterzufahren, die nun in zunehmender Weise innerlich werden, so daß sie in ihrer Subtilität und Feinheit den begrenzten Definitionen des Verstandes Trotz bieten.

Man könnte sagen, daß der Punkt, der nun erreicht ist, mit religiösen Ausdrücken behandelt werden müßte, und es wird in der Tat schwierig sein, etwas dieser Art zu vermeiden, weil es eine Ebene gibt, auf der religiöse Offenbarung und vernunftgemäßes Denken, künstlerische Schöpfung und wissenschaftliche Untersuchung sich begegnen und sich vereinigen, und je mehr man sich dieser Ebene nähert, um so mehr müssen alle anfangen, zusammenzulaufen und endlich sich zu vermischen.

Das zurückgezogene Bewußtsein sollte sich nun ausschließlich mit *sich selbst* beschäftigen, abseits von den Berichten über äußere Dinge und fern von den Erinnerungen daran. Es sollte tief nach innen drängen und alle Gedanken fallen lassen. Es braucht nicht länger in bloßen Worten zu fragen: «Was bin ich?»; denn der Vorgang des tiefen Eindringens in das Herz bildet jetzt die letzte Formulierung dieser oft gestellten Frage. Es ist noch immer das Ego, das die Anstrengung macht, obgleich es ein so verwandeltes Ego ist, daß es im Vergleich zum gewohnten nicht mehr erkennbar ist. In dieser vergeistigten Wendung nach innen und auf sich selbst, die es jetzt versucht, muß der Verstand gänzlich zum Schweigen gebracht, der Atem zurückgehalten, der Blick fest, aber gesenkt und die volle Kraft der Aufmerksamkeit auf den Nadelpunkt im Herzen konzentriert werden.

Hat man sich selbst so weit gebracht, so muß nun die kritischste Erfahrung ins Auge gefaßt werden. Im theoretischen Sinne ist es ein leichter Schritt; aber in der eigentlichen Praxis zeigt er sich als sehr schwer. Denn man darf nun nicht mehr zu sich selber sagen: «Dies ist die nächste Aufgabe, die mir bevorsteht», sondern vielmehr: «Ich werde nichts weiteres anstreben. Welche Erfahrung auch immer die Seele braucht, muß nun ganz aus ihrem eigenen Antrieb kommen. Ich werde nur ein wartendes, passives und empfängliches Werkzeug sein. Dieses persönliche Leben und dieser Eigenwille sind einer höheren Macht zur Übergabe angeboten.»

Das Ego muß nun schwinden. Geboren im menschlichen Herzen, muß es dorthin zurückkehren, um *freiwillig* zu sterben.

Das ganze weite Netz von Gedanken und Gefühlen, das um den ersten Ichgedanken gesponnen war, darf sich nicht länger mehr im Bewußtsein spiegeln. Man muß seine innere Stellung ändern und Versöhnung mit diesem unbekannten Überselbst erlangen.

Hier müssen die Worte des Psalmisten: «Sei stille und erkenne, daß ich Gott bin» in ihrem vollen wörtlichen Umfang genommen werden. Es sollte von jetzt an keine Absicht, kein Wunsch, sogar keine Anstrengung nach geistiger Vollendung mehr bestehen. Man muß *alles* «fahren lassen». Nur in dem Maße, daß man alles fahren läßt, was man bisher als sein Ich betrachtet hat, kann das wahre Bewußtsein hinzutreten. Es genügt, zu verlangen, zu warten und zu lauschen, so daß eine Einladung durch die Korridore des Seins hinabschallt, damit das unsichtbare Überselbst seine Antwort gebe.

Das Bewußtsein ist nun bereit, sich gänzlich von dem Ich, mit dem es sich bisher identifiziert hatte, zu befreien. Es wird dies von selber tun, wenn man es ihm erlaubt; aber jeder Versuch, diesen Prozeß durch eigenen Willen zu beschleunigen, vereitelt den Erfolg und macht den «Übergang» unmöglich.

Die erste Frucht des Erfolges wird ein Gefühl sein, daß

man von seiner Verankerung im Leben losgerissen wird: ein augenblickliches Verlieren des Sinnes für die Wirklichkeit dieser Welt. Es ist wie ein Hinabstürzen in einen Abgrund der Unendlichkeit, in dem das Wesen des eigenen Seins unwiderruflich dahinzuschwinden droht. Dieser merkwürdige Zustand verbindet eine vorübergehende, aber mächtige Furcht vor dem Tode mit einem Gefühl der Befreiung. Die beiden ringen miteinander um den Besitz der Seele und stellen ein göttliches Drama dar, das sich im Zentrum unseres Wesens abspielt. Absolute Furchtlosigkeit, *eine Bereitschaft zu sterben,* wird nun gefordert. Ein solcher glühender Vorsatz wird mit der Zeit allen Widerstand in Staub und Asche verwandeln. Durch anhaltende Übung wird der Tag kommen, an dem dieser Kampf aufhört, und ein Vorgefühl dafür wird sich einstellen, daß nun der erhabenste Wandel zur vollen Aszendenz im Horoskop der eigenen Stimmung aufsteige. Man sollte ihm in einer Haltung vollkommener Selbstaufgabe begegnen. «Nicht mein, sondern Dein Wille geschehe», gibt genau die erforderliche Haltung wieder. Dies schließt sogar ein, daß man jeden Gedanken, auf einem geistigen Wege zu sein oder ein geistiges Ziel zu suchen, aufgibt. Früher arbeitete man, um diese oder jene Stufe innerlicher Erfüllung zu erreichen; jetzt muß man zum vollständig entleerten Gefäß werden, das auf das göttliche Einströmen wartet, wann und wie es kommen will. Man muß sich selbst soweit als möglich öffnen. Nicht der geringste Vorbehalt in irgendwelcher Richtung darf gemacht werden. Man sollte mit gedämpftem Atem ruhen, wie eine dunkelnde Landschaft, die vor der untergehenden Sonne verstummt. Man muß geduldig, vollkommen geduldig, auf die Antwort warten, die aus der Stille kommt. Anstatt das Selbst mit Hilfe irgendwelcher intellektuellen Anstrengungen noch weiter zu suchen, hält man inne und läßt das Selbst einen suchen! Erst wenn dieser Punkt überschritten ist, führt die wunderbare Kraft der Meditation uns aus der erhabenen Stille zu der göttlichen Quelle, aus der das «Ich» hervorgeht.

Alle diese Wiederholungen der Notwendigkeit, den Egoismus auch in seinen feinsten und am wenigsten augenscheinlichen Formen — sogar der der Anstrengung — fallen zu lassen, sind notwendig wegen der entscheidenden Wichtigkeit dieser Umwandlung von der Persönlichkeit zur Unpersönlichkeit. Sie entspricht dem Stadium einer schwangeren Mutter, die nach neun Monaten von Sorge, Angst, Leiden und anomalem Dasein zu dem Punkte kommt, an dem das Kind tatsächlich aus ihrem Schoße hervorgeht — ein Kind, das tot oder lebend geboren werden oder die unschuldige Ursache des Todes seiner Mutter sein kann. Die große Vorsicht, die bei der Geburt geboten ist, ist nicht größer als die, welche jetzt notwendig ist bei dem Hineingeborenwerden des menschlichen Wesens in das Überselbst. Und mit diesem wird der Mensch buchstäblich «wiedergeboren» und erlangt einen unvergeßlichen Beweis seiner eigenen Göttlichkeit. Sein Forschen wird *plötzlich* enden, und die Seele, die bisher nur als eine nebelhafte Abstraktion erschien, wird eine lebendige Wirklichkeit in seinem neuen Dasein werden.

Unsere Meditationen, könnte gesagt werden, sind Bewegungen von außen nach innen, weil sie darauf hinarbeiten, unsere Aufmerksamkeit von der äußeren Welt in das Selbstzentrum unseres Wesens zu ziehen. Aber wenn wir diesem Zentrum nahekommen, sollen wir keine weiteren Anstrengungen mehr machen, sondern still bleiben und dem Überselbst erlauben, sich aus den verborgenen Tiefen und mystischen Abgründen, die wir umschließen, zu erheben *und so sich selbst von innen nach außen zu bewegen. Denn das «Außen» des Überselbst ist unser «Innen».* Das geistige Erfassen dieses Prinzips ist wesentlich für ein richtiges Verständnis der Arbeit, die in den geistigen Übungen gemacht werden muß. Wir beginnen mit Selbstuntersuchung, wir gehen später über zu Selbststillegung und gelangen endlich zur Selbstwiedergeburt.

Dies ist also das letzte Ziel all dieser geistigen Übungen

und Bestrebungen, die zum größten Teil unserer täglichen Routine so fern liegen. Wir haben gesucht, das Ego zu verfolgen, das scheinbar unsere Selbstheit ausmacht und, soviel wir wissen, wirklich unser eigentliches Leben ist, und dann, als wir endlich das Ego in seinem Heimatort aufgespürt und in Besitz genommen hatten, beschlossen wir, es auf die allerwidersprechendste Weise wieder zu opfern und gänzlich loszulassen. Aber wir wollen es nur verlieren, um das ewig leuchtende Überselbst zu finden; wir möchten es ganz in das Meer der Gottheit werfen, damit es von diesem aufgenommen und der wahren Quelle seines Wesens vollkommen bewußt werde — nach den Worten Jesu: «Wer sein Leben verliert, wird es finden.»

Es ist in der Tat manchmal hart, ohne Licht durch das Labyrinth unseres Wesens zu wandern, bis die Wurzel des Ich entdeckt ist; aber es ist noch härter, es als ein freiwilliges Opfer auf dem Altar des Überselbst auszuliefern. Wir haben die gleiche Rolle zu spielen, die in der biblischen Geschichte von dem Patriarchen Abraham gespielt wurde, als ihm geboten wurde, seinen Sohn Isaak auf dem Altar dem Herrn zu opfern. Der Herr verlangte Isaak, weil *nichts anderes* dem Herzen des Patriarchen so teuer war, kein anderes sterbliches Wesen so von ihm geliebt wurde. So müssen auch wir als freiwilliges Opfer an das Überselbst das hergeben, was uns am liebsten ist: das Ich, wie wir es gewöhnlich kennen. Wir müssen den grundfalschen Ausblick aufgeben, der den egoistischen Standpunkt zum einzig möglichen im Leben macht.

Schließlich hängen wir an unsern Wünschen und an dem persönlichen Ich nur, weil wir Glück suchen; aber die Befriedigung dieser Wünsche ist ja selbst ein schattenhafter Widerschein der fundamentalen Befriedigung, die das Überselbst allein den ihm Geweihten verleihen kann. In Wirklichkeit ist das zeitliche Glück, das wir erlangen, wenn wir den Besitz der Dinge oder Personen, nach denen wir suchen, erreichen, nur ein Flackern — ein Funke — von dem Feuer des allem zugrunde liegenden geistigen Glücks. Von der vorübergehenden, vielleicht sogar intensiven Befriedigung, die wir jedesmal erleben, wenn ein Wunsch erfüllt wird, können wir abschätzen, wie erhaben die höhere Befriedigung sein muß, die das Eingehen in den Zustand des Überselbst gibt. Denn sogar die flüchtigen Freuden des irdischen Lebens liefern ein Glück, das selbst wie eine herabfallende Krume von dem großen Festmahl ist. Diese Freuden haben sozusagen winzige Glücksteilchen aus dem immerwährenden Vorrat des Überselbst herausgezogen.

Dies ist keine bloße poetische Behauptung, sondern ein Hinweis auf eine hohe psychologische Tatsache. *Wenn das Überselbst nicht die höchste für den Menschen mögliche Form des Glückes wäre, würden all seine Vergnügen ihm gar nichts bieten; denn der Augenblick, in welchem ein Vergnügen seinen Höhepunkt erreicht, ist der, in welchem er den Wunsch plötzlich fahren läßt — da er erfüllt ist — und ebenso das Ego, das die Wurzel des Wunsches ist, und er erlebt, ohne es zu wollen, blitzartig das Überselbst.* Während dieses Augenblicks erfährt er die höchste Freude, die die Erfüllung jenes besonderen Wunsches ihm geben könnte. Er begeht jedoch den Kardinalirrtum, anzunehmen, daß es die Befriedigung seines Wunsches sei, die ihm das Gefühl der Freude bringt. So ist es nicht, sondern was geschieht, ist, daß er für einen Augenblick den Wunsch fallen läßt und die daraus erfolgende Befriedigung tiefen Friedens empfindet. Wenn er — vielleicht nach jahrelangem Verlangen — in den Besitz des ersehnten Menschen oder Gegenstandes gelangt, verschwindet der Wunsch naturgemäß, wenn das Ziel erreicht ist; gleichzeitig schwindet dessen Wurzel, das «Ich», ebenso. Der Mensch geht für einen Augenblick wunderbarerweise in den Zustand des Überselbst ein, erkennt dessen unirdische und unvergängliche Schönheit; aber die eigentliche Wahrheit wird ihm nicht bewußt: daß die Persönlichkeit verdrängt worden ist. Dies kann nur einen Augenblick dauern; denn solange das Ego den Menschen beherrscht, wird es ihn immer wieder mit einem neuen Wunsch beschenken, für den er Erfüllung suchen muß. So schnell ist die psychologische Wirkung dieser göttlichen Nachinnenkehrung, daß er den vollständigen Übergang vom erfüllten Wunsche zu dem, der noch der Erfüllung harrt, und der ihm vielleicht wieder Tage, Monate und Jahre neuer Sehnsucht verursachen wird, nicht bemerkt und auch nicht bemerken kann.

Der wichtigste Punkt, der hier verstanden werden muß, ist der, daß gerade in einem plötzlichen Hervorbrechen von Wunschlosigkeit, einem blitzartigen Zustand von Ichlosigkeit, der für einen winzigen Augenblick nach einem sinnlichen Vergnügen oder einem erfüllten Wunsch leise hinzutritt, die höchste Glückseligkeit über ihn kommt und seine Seele bestrahlt. Das Gefühl des Verschwindens des persönlichen Selbst bringt eine außergewöhnliche und einzigartige Befreiung hervor. Im Augenblick, in dem ein Wunsch erfüllt ist, entsteht eine Zwischenpause absoluter Entlastung des Ich, in der der Geist sich wirklich in seine geheime Quelle zurückzieht und die Seligkeit des Überselbst erlebt.

Die Natur ist zu aller Zeit schöpferisch. Wenn die launenhaften Wünsche des persönlichen Ich schwinden, gewährt sie als göttlichen Gegenwert den dauernden Frieden des Überselbst. Daher ist es am besten, wirkliche Befriedigung nicht so sehr im Erfüllen oberflächlicher persönlicher Wünsche zu suchen, die einen ja nur verkleinern, degradieren und fesseln können, als vielmehr in der tieferen Entrücktheit unpersönlichen Seins.

Was muß aber dann die Seligkeit dessen sein, der diesen hohen Zustand für dauernd erreicht hat und für immer ungequält durch Sehnsucht und unbekümmert durch Wünsche bleibt, die auf Befriedigung warten? Die Antwort lautet, daß die gesteigerte Wonne, die ein das Glück Suchender in dem ersten Moment nach der vollen Erfüllung seiner Wünsche erlebt, dann zu der Seligkeit wird, die als ewiger Besitz *den* Menschen erfüllt, der nicht nur für einen Augenblick, sondern für dauernd eins geworden ist mit seinem erhabenen, allem anderen zugrunde liegenden Überselbst.

Es mag hier noch erwähnt werden, daß der Zustand des Durchdrungenseins vom Überselbst nicht nur dann eintreten kann, wenn sich die blitzartig vorüberziehende Wunsch- und Ichlosigkeit infolge glückhafter Erfüllung einstellt, sondern auch in anderen unerwarteten Momenten, zum Beispiel denen plötzlichen Schreckens. So kann derjenige ein seltsames Aussetzen all seiner Fähigkeiten erfahren, der munter seines Weges geht und sich *plötzlich* und vollkommen unerwartet einer äußerst gefährlichen Situation gegenübergestellt sieht: etwa indem er im Dschungel einem wilden Tier gegenübersteht oder dem Ausbruch eines Fliegerangriffs ausgesetzt wird. Er scheint wörtlich an Körper und Geist stillzustehen und nimmt an dem Ereignis nur als unpersönlicher Zuschauer Anteil. Aber blitzschnell ändert sich alles: Er nimmt seine Kraft zusammen, sein Selbsterhaltungstrieb wird in einem plötzlichen Aufwallen von Angst und Schrecken frei, seine Vernunft paßt sich der Situation an und sucht einen Weg, aus ihr herauszukommen, und so ist der Endzustand schließlich schlimmer als derjenige, in dem er sich am Anfang befand. Ganz ohne es zu wissen, erfuhr er während des ersten Augenblicks die göttliche Stille des Seins und ließ sie sorglos entgleiten. Eine andere ähnliche Gelegenheit bietet sich während der winzigen Pause zwischen Wachen und Schlafen, wenn die persönlichen Sorgen und Wünsche des Tages vollkommen abgeebbt sind, bevor jedoch die gänzliche Bewußtlosigkeit des Schlafes den Geist überwältigt hat. Was sind alle diese geheimnisvollen Augenblicke anderes als Unterbrechungen in dem immer fließenden Strome egoistischer Gedanken? *Wenn man diese Zwischenpausen sorgfältig beachten und bewußt ihren geistigen Zustand festhalten und verlängern könnte, empfinge man vielleicht eine übersinnliche Offenbarung und erreichte den höchsten dem Menschen zugänglichen Zustand.*

Dieser Punkt ist äußerst subtil und wird gründliche Prüfung unserer vergangenen Erfahrungen und viel Selbststudium erfordern, bevor seine revolutionäre Wahrheit voll verstanden werden kann. Fast allen unsern modernen Psychologen ist sie entgangen, obgleich sie das menschliche Wesen auf jede nur erdenkliche Weise analysiert und wieder analysiert haben. Ist es nicht wirklich das größte Paradoxon des Lebens, daß der Gipfelpunkt der höchsten Selbstentwicklung des Menschen nur im Selbstvergessen erreicht wird? Oder, in den Worten Jesu ausgedrückt, durch die sich das Überselbst kundtut: «Kommet her zu mir alle, die ihr mühselig und beladen seid, und ich will euch erquicken»?

Der Ichgedanke ist wie eine Schnur, auf die unsere zahlreichen Sinneserinnerungen, Interessen, Wünsche, Befürchtungen, Gedanken und Gefühle aufgereiht sind. Und wenn man von der Übergabe des Ich spricht, so ist es nicht die Übergabe einer besonderen Perle, die man meint, sondern vielmehr der ganzen Schnur, die all die verschiedenen Perlen zusammenhält, und ohne die alle auseinanderfallen würden. Dies kann nur zustande gebracht werden dadurch, daß man den Geist nach innen kehrt und tiefer und immer tiefer im Herzen konzentriert, bis die einzelnen Perlen der Gedanken und Gefühle unser Bewußtsein nicht länger beschäftigen, sondern nur noch der einzige Gedanke der Existenz des Selbst. Dann entdecken wir, daß wir wirklich aus dem Lichtreich gefallene Engel sind.

Wir brauchen keine äußeren Gebärden der Weltentsagung zu machen, obgleich das Schicksal sie uns aufnötigen kann, damit wir zu diesem Punkte vollständiger Selbstübergabe gelangen. Denn es ist nicht dieser Gegenstand oder jene Person, die wir aufgeben sollen, sondern der *persönliche Sinn* in uns, der uns ihnen versklavt. Dieser Ichsinn kann nicht durch irgendwelche eigene Kraft gebannt werden, so wie ein Mensch sich nicht an seinen eigenen Schuhriemen aufheben kann. Obgleich es während der vorgeschrittenen Phasen das ganze Ziel unserer Anstrengung ist, den Geist von Gedanken zu entleeren und das fragenlose Überselbst unsere Fragen beantworten zu lassen, sollten wir uns doch nicht einbilden, daß wir fähig seien, das Denken durch eigene Anstrengung zum Stillstand zu bringen. Das Denken wird nur aufhören, wenn eine höhere Macht sich ihm offenbart. Diese Macht ist diejenige des Überselbst, und so besteht unser Vorgehen eigentlich darin, daß wir das Überselbst einladen, anflehen und ihm den Weg freigeben, den unruhigen Verstand durch seine Berührung zum Schweigen und zur Ruhe zu bringen. Wir können nur den Weg bereiten und die Hindernisse forträumen für das Eintreten einer höheren Macht, die nichts anderes ist als die Gnade des Überselbst. Gnade ist der Torhüter des Schreins. Diese Mitteilung der Gnade ist es, diese Bekundung einer Autorität, die höher ist als unsere eigene, welche schließlich anfangen wird, unsere Verhaftung an das Ego auszulöschen und uns den unvorstellbaren Frieden geistiger Befreiung zu geben. Diesen Punkt zu erreichen, ist vielleicht für die meisten Menschen Zukunftsmusik; aber das braucht uns nicht von dem Versuche abzuhalten. «Viele sind berufen, aber wenige auserwählt», lauten die Worte Christi, des Lehrers; doch das bloße Interesse für diesen Weg kann leicht ein Zeichen sein, daß man zu diesen glücklichen wenigen gehört. Und selbst wenn dieser hohe Punkt nicht erreicht wird, *werden die Anstrengungen niemals vergebliche sein.* Ein gewisser Grad von Frieden, ein gewisses Maß von innerer Erleuchtung wird uns sicher dafür gegeben werden.

Die Wirkungen dieser Kraft der Gnade sind geheimnisvoll. Unsere Pflicht ist, die richtigen Bedingungen vorzubereiten, die geeignete Atmosphäre zu schaffen, in der das Überselbst seine Offenbarung gewähren kann, denn wir können nicht den genauen Augenblick voraussagen, wenn jene Offenbarung stattfinden wird, sogar nachdem die Bedingungen vorbereitet sind.

Die Gnade wird als eine bestimmte Bewegung aus dem inneren Wesen des Suchers empfunden: eine Bewegung, die bestrebt ist, ihn in Besitz zu nehmen und tiefer in sich hineinzuziehen; *sie wird immer als eine Bekundung innerhalb der Region des Herzens erlebt, wo, wie wir nun wissen, das Überselbstatom seinen Wohnort hat.*

Sie erhebt sich mit gebieterischer Gewalt im Inneren des Suchenden und bemächtigt sich derart seiner Gedanken und Gefühle, daß er nicht nur die Nutzlosigkeit jeglichen Widerstandes fühlt, sondern auch nicht die geringste Neigung zu irgendwelchem Widerstand hat, da sie sein Bewußtsein wie unter einem Zauberbann festhält. Sie beginnt mit einem Gefühl, als ob sich etwas im Herzen unmerklich auflöse. Sie verursacht weiter eine Umwälzung all seiner bisherigen Lebensanschauungen, während welcher Stolz, Hochmut, Vorurteile, starr festgehaltene Ideen, Wünsche und Abneigungen alle in einen Schmelztiegel geworfen werden und für eine Zeitlang verschwinden. Sie endet in einer mehr oder weniger vollständigen Übergabe des Ego an den göttlichen Herrscher, der nun erschienen ist. Diese Erfahrung kann sich öfter wiederholen, oder sie kann längere Zeit ausbleiben. Wenn das erstere eintritt, ist der Sucher in der Tat glücklich, und sein Hineinwachsen in die Erleuchtung wird sich außerordentlich rasch vollziehen; auffallende Veränderungen werden in seinem Leben stattfinden, bis er zu einer Offenbarung kommt, die ebenso sicher, genau und bestimmt wie erhaben ist. Die Gnade wird sich vielleicht nicht für länger als fünf Minuten auf ihn herabsenken; aber sie kann auch fünf Stunden verharren. In letzterem Falle ist er wiederum von besonderem Glück begünstigt, und er wird durch dieses Geschehen eine tiefgreifende Wandlung durchmachen. Durch solche Manifestationen großmütig verliehener Gnade haben sich die hervorragenden Bekehrungen der Religionsgeschichte, sowohl des Ostens wie des Westens, ereignet.

Es gibt Zeichen, die das Kommen der Gnade vorher verkünden. In erster Linie ist es eine starke Sehnsucht nach geistigem Licht, die das Herz zunehmend erfaßt, die den Menschen oft geradezu quält und ihm alles andere unzulänglich erscheinen läßt. Das gewohnte Leben scheint ihm abwechselnd langweilig, stumpf, hohl, mechanisch und bedrückend zu werden. Die tägliche Routine wird phantomhaft und ziellos. Wenn diese intensive Sehnsucht zu einem starken Strom im Gefühlsleben eines Menschen wird, darf er erwarten, daß ihre Erfüllung nicht mehr fern ist. Und je mächtiger seine Sehnsucht ist, desto stärker wird die Offenbarung der entflammten Gnade sein.

Die nächste unter den prophetischen Ankündigungen der Gnade ist das Weinen, entweder über die Abwesenheit dieses geistigen Lichtes oder über irgendein Wort, ein Ereignis, eine Person oder ein Bild, das die Erinnerung an das Dasein des Überselbst veranlaßt. Ein solches Weinen wird nicht immer sichtbar und äußerlich sein; es kann schweigend in der geheimen Kammer des Herzens geschehen. Wenn die Tränen jedoch erscheinen, sollte man ihnen nicht wehren, sondern dieser heftigen Gemütsbewegung nachgeben, sogar so weit, daß man jene fließen läßt, solange nur die äußeren Umstände es erlauben. *Solche Tränen sind wertvolle Verbündete in der Sache des Suchers. Sie üben einen geheimnisvollen Einfluß aus, der darauf hinzielt, die von dem Ich aufgebauten harten Verkrustungen aufzulösen, die das Tor für den Eintritt der Gnade versperren.* Durch ihre sanfte, aber mächtige Hilfe wird vieles erreicht, manchmal ebensoviel, wie durch das gewöhnliche eigene Bemühen der Meditation erreicht werden könnte. Deshalb sollte man diese Besucher freundlich aufnehmen, wenn sie kommen, und seinen Tränen ungehemmt freien Lauf lassen, wenn einen Einsamkeit umgibt, oder schweigend und unsichtbar weinen, wenn es sein muß, um so die selbst aufgebauten Hemmungen hinwegwaschen zu lassen. Um wirksam zu sein, muß diese Sehnsucht und dieses Weinen den Suchenden bis in die äußersten Tiefen seines Wesens aufwühlen. Wahrlich, diese Tränen müssen aus einem inneren Zwang hervorgehen. Nur wer es versteht, um das Höchste zu weinen und über weltliche Enttäuschungen sich der Tränen zu enthalten, ist fähig, die Wahrheit zu erkennen.

Auch andere Zeichen können sich bemerkbar machen: Der Suchende wird vielleicht einen einzigen klaren, prophetischen Traum haben, und er wird fähig sein, diesen intuitiv als eine deutliche Botschaft seines Überselbst zu verstehen. Ein derartiger Traum wird äußerst lebendig und unvergeßlich sein. Ferner mag in seinen weltlichen Verhältnissen eine Veränderung kommen oder sogar eine vollkommene Krise in seinen äußeren Angelegenheiten eintreten; das alles deutet an, daß eine neue Zeit anbricht oder binnen kurzem anbrechen wird, in der eine neue Umgebung neue Einflüsse vermitteln wird. Auf diese und andere Art, wie auch durch sein eigenes inneres Gefühl kann man erfahren, daß ein Zeitraum geistigen Lichtes sich naht.

Ein wichtiger Kanal, durch den die Gnade wirken kann, wenn sie schließlich kommt, ist der, der sie mit irgendeinem äußeren, menschlichen Beweggrund verbindet. Nicht selten bringt die Trennung oder der Tod von einer äußerst geliebten Person dies zuwege. Als eine Folge des intensiven Schmerzes, der naturgemäß daraus erfolgt, kann das Leben des Suchenden eine vollkommene Neuorientierung erhalten, in welcher die Gnade als eine Art von Entschädigung für das Verlorene kommen kann. Er wird jedoch zuerst durch alle Phasen der Agonie seines Verlustes hindurchgehen müssen, und wenn am Ende die Gnade anfängt, ihn zu berühren, wird er allmählich einsehen, daß er das Leid geduldig tragen kann. Es ist dann nicht länger eine erdrückende Bürde, weil er erkennt, daß die Zurücknahme jenes anderen Menschen aus seinem Leben eine geistige Bedeutung in sich trägt. Das Opfer, das von ihm verlangt wurde, kann in seiner Seele zuerst ein Gefühl der Ergebung und dann der Unterwerfung unter den Willen Gottes gebären, das schließlich als Ausgleich den inneren Frieden bringen wird. Dieser Akt der Selbstübergabe wird so die Bürde auf Gott wälzen und den Menschen weitgehend von ferneren Leiden in dieser Richtung befreien. Das Leiden in so heftiger Form kann deshalb in seinem letzten Kern der Vorbote einer ausgleichenden, ruhigen Heiterkeit sein, die noch bevorsteht.

Wir dürfen uns jedoch deshalb nicht vorstellen, daß die Gnade notwendig immer so wirke, daß sie uns gerade dort trifft, wo sie uns am härtesten treffen kann. Sie kann auch ohne einen so traurigen Herold kommen.

Die andere menschliche Form, durch welche die Gnade anfangs zu einem Suchenden kommen kann, ist die des Weisen oder Adepten oder sogar eines besonderen Jüngers eines solchen, der im allgemeinen als geeignetes Werkzeug dient, diese Offenbarung der Gnade anderen mitzuteilen. Doch setzt dies einige ungewöhnliche Faktoren voraus, und solche Menschen kreuzen im 20. Jahrhundert selten unseren Weg, obgleich es eingebildete Adepten gibt, die fortfahren, sich und andere zu täuschen.

14. Kapitel

Das Überselbst

Was ist das Überselbst?

Ist es irgendein schattenhaftes Wesen, das wie ein siamesischer Zwilling an die geistigen Lenden jedes Individuums geheftet ist? Ist es ein psychologischer Anhang, der zusätzlich aus dem Gehirn herauswächst? Fragen mit derartigen Annahmen sind dem Verfasser tatsächlich gestellt worden, und die Notwendigkeit weiterer Erklärung macht sich nun geltend.

Bevor er zu einer Beantwortung dieser Frage übergeht, möchte der Schreibende klarstellen, daß er hier eine Materie behandelt, die wirklich unausdrückbar ist, ausgenommen für die, welche das Leben durch eine eigentliche Reife der Erfahrung dafür vorbereitet hat, und er sieht deshalb vollkommen ein, daß die folgenden Worte sich für andere vielleicht als unbefriedigend erweisen werden. Das läßt sich nicht ändern. Alle Worte sind bloß Zahlmarken, um Gedanken, die Produkte des Verstandes, auszudrücken. Hier behandeln wir ein Gebiet, das den Verstand überschreitet. Die einzig angemessene Methode, diese Region auszudrücken, wäre *die Wortlosigkeit,* d. h. tiefes, *telepathisches* Schweigen. Ein Buch, das eine Sammlung von Worten darstellt, ist eine untergeordnetere Methode der Mitteilung; dennoch hat sie ihren Wert, wenn sie Stimmungen hervorruft, ein Atmosphäre schafft und geistige Bedingungen vorbereitet, die wahre Erleuchtung ermöglichen.

Obgleich das Überselbst wirklich eine Einheit ist, kann

es intellektuell von verschiedenen Standpunkten aus betrachtet werden, und so könnte man finden, daß es verschiedene Aspekte besitze. Mag dem sein, wie es wolle: Es ist vor allem wesentlich, die Idee seiner einheitlichen Natur zu erfassen. Es ist nicht aus verschiedenen Schichten oder Abteilungen unseres Wesens zusammengesetzt, sondern es ist tatsächlich der Mittelpunkt, der innerste lebendige Kern des Menschen selbst.

Zuallererst kann gesagt werden, daß das Überselbst das wesentliche Sein des Menschen ist, der Rückstand — wichtiger als alles andere —, der bleibt, wenn es dem Suchenden gelungen ist, den Gedanken an seine Identifizierung mit dem physischen Körper und dem Verstande zu verbannen. Man beachte das Gewicht, das auf das Wort «Gedanken» in diesem Satze gelegt wird. Wissenschaftler wie Jeans und Eddington belehren uns, daß das Weltall in Wirklichkeit eine Idee sei; da aber der Körper ein Teil des Weltalls ist, sind wir berechtigt, ihn auch als eine Idee zu betrachten. Was jedoch eine Idee ist, können sie uns nicht sagen. Das ist der nächste vor ihnen liegende Schritt, der erkannt werden muß; denn bei ausdauerndem Untersuchen und Analysieren werden alle Ideen eines Tages auf das Überselbst zurückgeführt werden, in dem sie wurzeln.

Das Überselbst ist die schöpferische Kraft, die das persönliche Ego gebiert, es während eines kosmischen Zeitraumes aufrechterhält und es dann wieder in sich selbst zurückzieht. Dies ist die Erklärung des kühnen pantheistischen Satzes des heiligen Paulus: «In ihm leben und bewegen wir uns und haben wir unser Sein.» Es ist der unsichtbare, unberührbare Lebensspender, der das Dasein seiner Kreaturen unterhält. Das Leben, bis auf den letzten Tropfen destilliert — auch das ist das Überselbst. Wir können nicht einem einzigen Gedanken das Leben geben oder einen einzigen Atemzug tun ohne seine Unterstützung. Selbst das kleinste Molekül des Magens, der Lunge und des Gesichtes ist letztlich auf dem Unsichtbaren begründet. Es ist die Nabe eines Rades, in der alle Speichen — Körper, Verstand und Gefühl — schließlich zusammenlaufen.

Gerade wie ein einzelner Sonnenstrahl nicht wirklich von der Sonne selbst getrennt werden kann, so kann das Überselbstatom im Körper nicht von seinem Urheber — Gott im Universum — getrennt werden. Als im vorigen Kapitel gesagt wurde, daß das Überselbstatom im Herzen wohne, hätte dieser Behauptung noch mehr beigefügt werden können. In der Tat, was so weit erklärt wurde, war nur relativ wahr, wurde von einem einseitigen Gesichtspunkt ausgesagt; denn der Leser muß ja durch allmähliche Stufen auf die schließliche Offenbarung vorbereitet werden, die nun folgt.

Das, was im menschlichen Wesen als Mittelpunkt des Überselbst lebt, existiert auch außerhalb im universalen Geist, von dem es ein Fragment ist.

Das, was in einem Menschen göttlich erscheint, wenn das persönliche Ego untergeordnet ist, ist genau das gleiche wie das, was in allen andern Menschen erscheint. Gerade wie ein einzelner Sonnenstrahl sich nach seiner Art oder Qualität nicht von der Sonne selbst unterscheidet, so unterscheidet sich das Überselbstatom, der Gottesstrahl, nicht von der Gottsonne, die es aussendet.

So ist das Überselbst sowohl ein mathematischer *hohler* Punkt als auch gleichzeitig *Raum*, der ein Weltall in einem heiligen Bunde umschließt. Diese paradoxe Behauptung ist der allgemeinen Vernunft entgegengesetzt. Sie kann durch den Verstand nicht eigentlich erfaßt werden. Ein Netz von Worten kann ihren ätherischen und ausweichenden Sinn nicht einfangen. Sie kann nur verstanden werden, wenn die Vernunft bis zu ihrer äußersten Grenze gewandert ist und dann vor einer so hohen Gegenwart außer Kraft tritt.

Das Überselbst ist ewig. Es war keinen Augenblick je fern von uns. Wir jedoch haben es unbeachtet gelassen. In seinem Äther leben wir für immer.

«Niemand kann Gott sehen und leben», wird uns im Alten Testament gesagt. Der wahre Sinn dieser Worte ist, daß kein persönliches Ego in den Überselbstzustand eindringen und sein früheres, begrenztes Dasein fortsetzen kann. Sobald es in dem weiteren Selbst zur Ruhe kommt, schwindet es dahin, gänzlich beruhigt und aufgegangen in dessen Einheit; es wird behandelt, anstatt der Handelnde zu sein.

Wir sehen das Überselbst nicht — wir begreifen es. Visionen offenbaren nur seine zartesten Hüllen, seine Gewänder aus strahlendem Licht; aber dennoch sind es nur Gewänder.

Wir schauen seine Schönheit nicht; unser Wesen löst sich auf in seinem Atem, und wir werden das, was Dichter, Maler, Bildhauer, Musiker suchen, aber selten finden.

Das Überselbst ist die höchste Wirklichkeit; doch seine Wirklichkeit ist zu fein, zu erlesen, zu rar für hörbaren Ausdruck. Sie wird am besten in langgedehntem Schweigen erfahren.

Es ist der Strahl Gottes im Menschen, das unmeßbare Unendliche, das sein meßbares Wesen durchdringt: der wahre Geist im Hintergrund der menschlichen Kreatur. Es ist das in ihm, was gänzlich frei ist von dem Siegel aller Leidenschaften, aller Begierden und aller Schwächen. Es stellt für ihn den Gipfelpunkt jeder echten Moralität, die Vollkommenheit jeder wirklichen Ethik dar, *weil es zu ihm spricht von seiner Einheit mit allem, was lebt, ob im menschlichen Reiche oder im Tierreich, und deshalb die höchste Pflicht allgemeinen Mitleids einprägt.*

Das Überselbst drückt nur sich selbst aus. Es drückt nicht Moral oder Tugend aus; diese sind vom Menschen erfundene Dinge. Das Überselbst ist unabhängig von ihnen, wir schaffen unsere Moral und schaffen sie um von Zeit zu Zeit; aber die Ethik des Überselbst ist ewig und absolut unveränderlich. Doch alle Moral stammt letzten Endes aus seinem erhabenen Urquell, und alle Tugend wird schließlich durch seine gütige Berührung mitgeteilt. Der in seinem Licht Lebende ist in seinem Charakter dem guten Menschen um so viel überlegen, als dieser seinerseits dem Übeltäter überlegen ist.

Endlich ist das Überselbst das vertiefte und vergöttlichte

Ichgefühl, das schließlich umgewandelt wird in das transzendentale Element, aus dem es ursprünglich hervorgegangen ist.

Wenn man die Natur von irgend etwas Überphysischem erkennen möchte, ist es oft hilfreich, den Verstand mit einer guten Analogie arbeiten zu lassen. Während er so nachsinnt, wird ihm geholfen, von innen her einen Sinn für überphysische Wahrheiten wachzurufen, die vielleicht nicht so leicht erfaßt würden, wenn man nur die nackte Behauptung läse.

Eine Analogie, die besonders nützlich sein wird für jene, die verstehen möchten, in welcher Beziehung das Überselbst zum Verstande und zum Körper steht, und die die Wechselwirkung begreifen möchten, die zwischen diesen dreien vor sich geht, ist die einer Lampe, die in einem Hause auf bestimmte Art angebracht ist. Wie die meisten Analogien ist sie nicht vollkommen, und sie sollte nicht zu weit geführt werden.

Das begleitende Diagramm[1] erklärt diese Anordnung: Hier ist ein Zimmer (B), das die Lampe (A) enthält; zwischen diesem Zimmer und dem nächsten ist eine Verbindungstür (C); ein reflektierender Spiegel (D) ist an einer Wand auf solche Weise angebracht, daß er die Lichtstrahlen der Lampe in dem inneren Zimmer auffängt, reflektiert und sie durch das äußere Zimmer (F) und sogar darüber hinaus in eine äußere Veranda (H) wirft.

Der Symbolismus dieser Zeichnung ist folgender: Die Lampe stellt das Überselbst dar, das leuchtende ursprüngliche Bewußtsein des Menschen. Das innere Zimmer, das die Lampe enthält, ist die Ewigkeit, der höchste überphysische Zustand, das Reich wahren Seins, das universal, unpersönlich und in sich selbst gänzlich fern ist von der Bewegtheit unserer Welt; es ist eine Region absoluten Lichtes und vollkommener Stille. Wenn man sich vorstellt, daß die Türe geschlossen ist, dann ist nichts vorhanden als das Überselbst, das in sich selbst versenkt ist, oder, wie es in der poetischen

---

[1] Siehe S. 306.

Schilderung der Bibel heißt: «Der Geist Gottes schwebte über den Gewässern der Tiefe.» So stellt die verschlossene Tür den Zustand tiefen Schlafes dar, in dem das zentrale Licht des Überselbst am wenigsten getrübt ist. *Das besagt, daß wir im Zustande tiefen, traumlosen Schlafes dem Überselbst wirklich am nächsten sind;* jeder, der aus einem solchen Schlafe aufgewacht ist, wird sich des wonnigen und friedlichen Ge-

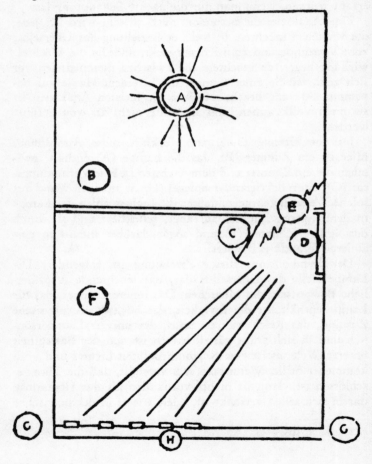

fühls erinnern, das über seinem Erwachen hing und das noch ein paar Augenblicke als feines Echo dieses geheimnisvollen und schönen Zustandes verweilte. Die Ursache dafür ist, daß das Gefühl der Persönlichkeit noch nicht geboren war. Und wenn man sich nun vorstellt, daß die Kraft des Windes (E) aufsteigt und die Tür aufbläst, so stellt dieser Wind den Eintritt des ersten Faktors dar, der die erhabene Harmonie stört — die Zeit.

Der kosmische Lebensstrom hat angefangen, seine Kräfte nach vorher bestimmtem Plane in Bewegung zu setzen, und da die geringste Bewegung eine Folge hervorbringt, erscheint gleichzeitig mit dem Aufhören des tiefen Schlafzustandes die Zeit und offenbart ihren unzertrennlichen Verbündeten, das persönliche Ego, den ursprünglichen Ichgedanken, den begrenzten menschlichen Geist. Letzterer wird dargestellt durch den Spiegel.

Mit dem Öffnen der Tür tritt die reflektierende Oberfläche des Spiegels in Tätigkeit. Die Lichtstrahlen der Lampe strömen aus dem inneren Zimmer hervor, passieren den Türeingang und treffen auf den Spiegel. Das göttliche Bewußtsein des Überselbst ist mit dem menschlichen Ego in Berührung gekommen, mit dem Verstande, der die ungeheure Kraft, die er nun auffängt, so bedeutend herabsetzt. Ein kleiner, abgelenkter Lichtstrahl dringt nach außen in das zweite Zimmer. Letzteres stellt den Zustand des Traumschlafes dar.

So erfährt das ursprüngliche geistige Bewußtsein eine tiefe Veränderung. Es ist nicht mehr eine reine, in den Urgründen ruhende Sache, sondern bloß ein schattenhafter *Abglanz* seiner ehemaligen Helligkeit; ihre erste Erscheinung in dieser verwandelten und abgeschwächten Verfassung ist deshalb der Traumzustand. In letzterem beginnen wir, als bewußt denkende Individuen, als bestimmte Persönlichkeiten zu funktionieren. Die selige Unbewußtheit des tiefen Schlafzustandes ist nicht mehr da, und die Wirkung dieser Veränderung wird augenscheinlich beim Erwachen. Wir empfinden dann kein

Gefühl verweilender Heiterkeit und ungetrübter Freude, die den Ausgang aus dem traumlosen Schlaf kennzeichnete. Jenes friedliche Bewußtsein ist zu einer blassen Ähnlichkeit mit seinem ursprünglichen Selbst herabgemindert. Das Überselbst — der Quell aller dauernden Seligkeit — ist nicht länger mehr in seiner eigentlichen Form dargestellt, sondern es wird vielmehr falsch dargestellt durch die Tätigkeit des Ego. Das Ego ist bloß der Ichgedanke — die Wurzel des Intellekts. Es ist ein Reflektor, der im gewöhnlichen Menschen den größten Teil des Lichtes göttlichen Bewußtseins verliert, aber im Weisen dem Lichte vollkommen Durchlaß gewährt.

Verfolgen wir nun den weiteren Verlauf dieser symbolischen Lichtstrahlen. Sie bewegen sich durch das äußere Zimmer und erreichen endlich die fünf Fenster dieses Zimmers, welche die körperlichen Sinnesorgane darstellen. Dies bedeutet, daß das Selbstbewußtsein in den physischen Körper eingetreten ist und sich mit ihm verbunden hat. Durch diese geöffneten Fenster kommen sie in die freie Luft der Veranda, die dem wachen Zustand der Alltagstätigkeit entspricht. Wir sehen, daß dieser letzte Reflex außerhalb des Zimmers das Endstadium einer dreimal herabgesetzten ursprünglichen Helligkeit ist. Bei jeder Veränderung ging etwas von ihrer Leuchtkraft verloren, so daß der alltägliche Zustand äußerer Wachheit, von dem wir gerne annehmen, daß er den höchsten Grad menschlichen Bewußtseins darstelle, in Wirklichkeit ihr allertiefster ist.

Der Wert der hier vorgeschriebenen geistigen Übungen wird nun vielleicht besser geschätzt werden; denn man kann sagen, daß die Gewohnheit täglicher innerer Einkehr einen schließlich befähigen wird, während der Augenblicke geistiger Ruhe einen Zustand zu kultivieren, der dem des Traumes nahe verwandt ist. Wenn die Nachinnenwendung tief genug ist, wird der Traumzustand vollkommen nachgebildet. Das bedeutet allerdings nicht, daß man in eine bloße Phantasieregion eingetreten ist. Im Gegenteil: in diesem Zustand erlebt man sich selbst und seine Gedanken mindestens ebenso wirklich, wie sie während des wachen, äußeren Daseins erscheinen. Dieser Zustand wird durch dauernde Übung so klar und zusammenhängend, daß die unbestimmten und wechselvollen Träume während des Schlafes des Durchschnittsmenschen nicht damit zu vergleichen sind. Nur wer Träume höchster Lebendigkeit erfahren hat, in denen alles von der Natur äußerster Wirklichkeit durchdrungen zu sein schien, kann den Zustand würdigen, in welchem der tief in seine Abstraktionen versenkte Meditierende sich befindet.

Aber dies ist nur die erste Stufe, obgleich es ein Resultat sein mag, das nur nach mehreren Jahren der Anstrengung erreicht wird. Die nächste Stufe des Fortschreitens auf diesem Pfade führt einen während der Übungen zu einem seligen Zustande, der dem des tiefen, traumlosen Schlafes verwandt ist, aber mit dem wesentlichen Unterschiede — daß man sich seines Zustandes völlig bewußt ist. Dieser Unterschied ist von vitaler Bedeutung: Man erlebt die ganze Wonne, den noch verweilenden Frieden, mit dem man aus einem tiefen, traumlosen Schlafe erwacht; aber man erlebt ihn bei vollem Bewußtsein, während der ganzen Dauer der Übung. Dies ist natürlich ein sehr vorgeschrittener Zustand und wird vielleicht erst nach Jahren erreicht werden.

Die dritte Stufe des Pfades wird, in unserer Analogie, durch die Lampe selbst dargestellt. In diesem Abschnitt überschreitet man den Zustand, der dem tiefen Schlafe entspricht, und anstatt die hohe Gegenwart des Überselbst als etwas Getrenntes zu empfinden, in dessen Strahlen man sich sonnt, wird man selbst das Licht. Es ist dann nicht weiter notwendig, diese Übungen fortzusetzen, denn das Ziel ist erreicht: Der Lichtstrahl ist zu seiner Quelle zurückverfolgt worden; das enge, kleine persönliche Ich, um dessentwillen wir so viel Aufhebens machen, und dessen wechselnde Stimmungen und Gedanken uns in so hohem Grade bewegen, ist in dem einen universalen Wesen aufgegangen.

Die Analogie ist zutreffend. Die Lampe ist die Quelle des Lichtes, der Wärme und der Energie; desgleichen ist das

Überselbst die Quelle des Lichtes des bewußten Verstehens, der Wärme allumfassender Liebe und der Energie göttlicher Schöpfungskraft. Die drei Stadien, welche die Strahlen der Lampe durchlaufen — des inneren Zimmers, des Reflektors und des äußeren Zimmers —, stellen entsprechend die Nähe des tiefen Schlafes vom Allgeiste, die nur geborgte Macht des Intellekts und die beschränkte Wirkung unseres gesamten gewöhnlichen Bewußtseins dar.

Nun wird sich die Frage erheben: «Was entspricht dem Impuls hinter dem Wind der Zeit, der die Tür aufblies?» Die Antwort lautet, daß die Kräfte der Evolution und Involution, die dem tiefen Schlafzustand innewohnen, der das Überselbst umgibt, eine Bewegung in Gang bringen, die sich in rhythmischer Weise im ganzen Weltall auswirkt. Diese Kräfte sind natürlich in latentem Zustande in ihm enthalten und offenbaren sich zuerst in der persönlichen Seele (Ego mind). Wir können nur sagen, daß in den großen Tiefen des kosmischen Seins diese Kräfte sich bewegen und bewegt haben durch alle Ewigkeit hindurch, sich ausdehnend und zusammenziehend wie die systolische und diastolische Bewegung des Herzens. Die Beantwortung der Frage, wie, wann und warum diese Tätigkeit zuerst angefangen habe, übersteigt unsere augenblicklichen menschlichen Ziele; denn sie ist so alt wie das Universum selber.

Die letzte Stufe ist die Rückkehr zum normalen, wachen und wirkenden Dasein in der materiellen Welt, während man an der inneren Erleuchtung, die man gewonnen hat, festhält.

Das Überselbst, als der Strahl Gottes im Menschen, ist also unentrinnbar. Dieser immerwährenden Gegenwart hat Sir R. Venkata Ratnam, eines der Häupter des Brahmaglaubens und eine der seltenen gotterfüllten Seelen Indiens — dessen ergebener Jünger, der Maharadscha von Pithapuram, den Verfasser in Kontakt mit ihm brachte —, sehr beredten Ausdruck gegeben. Er sagte in einer seiner Ansprachen:

«Wir vergessen inmitten der von Menschen errichteten Denkzeichen, daß die zentrale Lebensmacht Gott selber ist.

Er ist nicht nur eine ferne, antreibende Gewalt, sondern die immer gegenwärtige, unmittelbare, innerste Lebenskraft. Gott ist der Plan und das Ziel, die eigentliche und dauernde Wirklichkeit im Hintergrund dieser sich immer neu entfaltenden Bühne, die wir Schöpfung nennen. Vergegenwärtigen wir uns die buchstäbliche Tatsache, daß sogar eben jetzt meine Zunge nicht sprechen könnte ohne die direkte Einwirkung, ja, sogar die persönliche Gegenwart des allumfassenden Zeugen in unserer Seele, die sich selbst in dieser scheinbar unbedeutenden Handlung kundtut. Wir täuschen uns selbst, wenn wir von Gesetzen der Wissenschaft und ihrer zwingenden Herrschaft reden. Alle haben ihren Ursprung, konvergieren und enden im höchsten Gott. Der Herr in seinem geheiligten Selbst ist gegenwärtig in der inneren Seele; ja, er wohnt zutiefst im Herzen jedes geschaffenen Wesens.»

Man mag fragen, wieso das Überselbst in dem vorliegenden Buche im Herzen lokalisiert werde, in meinen späteren Büchern jedoch als nicht lokalisiert beschrieben sei. Ist das nicht ein offenkundiger Widerspruch, eine alberne Behauptung? Die Antwort lautet, daß meine früheren Bücher sich mit Yogaübungen befassen, nicht mit metaphysischen Studien. Yoga ist eine praktische Technik, und um diese wirksam zu machen, wurde die Meditation über den Herzmittelpunkt in Asien seit undenklicher Zeit vorgeschrieben. Daher ist das vorliegende Kapitel insofern richtig, als es das Überselbst lokalisiert, um eine praktische Regel für die Meditation zu geben und nicht, um eine sublime metaphysische Wahrheit aufzuzeichnen. Es beschreibt das Überselbst als erreicht durch einen Vorgang in Zeit und Raum, während die Metaphysik das Überselbst beschreibt, wie es ist, zeit- und raumlos und deshalb von jeglichem Vorgang unberührt. Der Unterschied ist also eine Frage des Gesichtspunktes. Man muß von einem praktischen Standpunkt aus beginnen — das ist der des Yoga, diesen durch den theoretischen — den metaphysischen — ergänzen, und mit dem philosophischen, der beide umfaßt und in Einklang bringt, abschließen.

15. Kapitel

Das Überselbst in Tätigkeit

Der Titel dieses Kapitels ist mehr andeutend als genau, weil das Überselbst immer handelt, uns immer stützt und aufrechterhält und zu keiner Zeit wirklich schläft. Diese Überschrift wurde gewählt, weil ein weites Gebiet nun in wenigen Seiten durchwandert werden muß, und sie am geeignetsten dafür ist.

Ein Mensch, der diesen Weg lange genug verfolgt und seine geistigen Übungen mit ausreichendem Eifer verrichtet hat, wird nicht zu warten brauchen, bis das volle Licht des Überselbst in seinem Innern erschienen ist, ehe er irgendwelche seiner Wohltaten erfahren kann. Verschiedene Dinge werden geschehen, um ihm zu zeigen, daß er auf dem rechten Wege ist, und ihm wachsendes Vertrauen in dessen endgültigen Ausgang zu geben. Lange bevor er so glücklich sein wird, in das Reich absoluten göttlichen Lichtes einzutreten, wird ihm eine innere Veränderung klarwerden. Die Wohltaten einer wenn auch nur teilweisen Erleuchtung werden in jedem Bezirk seines Daseins hervortreten.

Vielleicht wird die erste ungeheure Wirkung eine allmähliche Befreiung seiner selbst von der Tyrannei der Umgebung sein, sei es von Personen, Orten, Geschehnissen oder Dingen. Man wird innerlich losgelöst von den Vorgängen, die einen umgeben, und ist nicht mehr so weitgehend von ihnen abhängig wie bisher. Die absichtliche Loslösung, die während der kurzen Zeiträume der täglichen geistigen Stille gepflegt wurde, breitet sich langsam, aus eigenem Antrieb, wie leichte

Wellen über sein ganzes inneres Leben aus. Die fragende Haltung, die zuerst dem allgemeinen Begriff der Selbstheit gegenüber angenommen wurde, erscheint während des Tages wieder und richtet sich auf Ereignisse und Umgebungen. Man geht nicht länger blind auf sie ein, sondern denkt im Gegenteil nach über ihre wahre Bedeutung und ihren wirklichen Wert. Ein Gefühl innerer Unabhängigkeit wird dadurch entwickelt, das einem erlaubt, sich nur so weit durch äußere Dinge beeinflussen zu lassen, als man spürt, daß sie wirklich zu seinem Besten sind. Kurz: Man ist fähig, zu wählen, welche Eindrücke und Gemütsbewegungen man in Geist und Herz einlassen will.

Eine solche Loslösung macht einen nicht untauglich für seine gewohnten alltäglichen Beschäftigungen, wie noch gezeigt werden wird; noch macht sie uns unmenschlich. Wenn menschlich sein bedeutet: immer in einem aufgeregten, ängstlichen, veränderlichen und von Wünschen zerrissenen Zustand zu sein, dann hebt diese beglückende Heiterkeit einen allerdings aus den Reihen der Menschen empor; aber warum sollten wir an einer so niedrigen Einschätzung der wirklichen Möglichkeiten der menschlichen Natur festhalten?

Eine zweite Wirkung wird sein, daß wir unsere Stellung gegenüber dem Werte des Lebens verändern. Man wird mehr und mehr sein Interesse von oberflächlichen auf fundamentale Maßstäbe verlegen. Man wird immer weniger geneigt sein, sich durch bloßen Anschein täuschen zu lassen, und man wird die landläufigen Maßstäbe von Wahrheit, Glück, Moral und Benehmen anzuzweifeln beginnen. Neue und höhere Ideale werden am Horizont des Geistes aufsteigen. Nicht länger damit zufrieden, Massengedanken über irgendeinen Gegenstand anzunehmen, wird man anfangen, sehr entschieden für sich selbst zu denken. Innerhalb seines eigenen Herzens und Geistes wird man unerwartete Hilfsquellen entdecken, die einen befähigen, Freude und Glück da zu finden, wo die Welt sie nicht wahrnimmt.

Jedermann, der diese Übungen während genügend langer

Zeit verfolgt hat, wird nicht mehr imstande sein, dem Dazwischentreten eines seltsamen, leisen Mahners, einer inneren Stimme zu entgehen, die in Augenblicken, wo sein Mangel an Selbstbeherrschung am höchsten ist, in ihm selber aufsteht. Wenn er in der Gewalt unerwünschter Gemütsbewegungen, wie Ärger, Haß, Eifersucht und Furcht ist, wird diese leise Stimme aus den inneren Tiefen hervorkommen und ihm seine Gefühle vorwerfen. Er wird niemals fähig sein, ihr Dasein zu zerstören. Immer wieder, wenn er es in seinem Gefühlsleben an wirklicher Selbstbeherrschung mangeln läßt, wird sie sich bemerkbar machen und versuchen, ihn dazu zu bringen, sein Gleichgewicht wieder zu erlangen. Es ist in der Tat ein notwendiges Resultat dieser Übungen, daß sie den Menschen seinem eigenen Selbst gegenüberstellen und immer in dem dafür geeigneten Augenblick.

Im sozialen Leben wird er schweigen, wenn andere nutzlos disputieren, und niemals mit solchen streiten, denen es nur um Disputation zu tun ist. Ebenso wird er nie versuchen, Unüberzeugbare zu überzeugen. Er wird jedoch nicht verfehlen, den Samen der Wahrheit auf guten Boden zu streuen.

Wenn der Meditierende am Ende seiner Meditation angelangt ist, Hände und Füße wieder bewegt und sein Zimmer oder den abgeschlossenen Ort verläßt und wieder anfängt, ein aktives Interesse an der äußeren Welt zu nehmen, wird die Frische seiner geistigen Offenbarung schnell verblassen und das lebhafte Bewußtsein einer inneren Welt entweichen, wie ein Zauber, der seine Kraft verloren hat. Je mehr er versucht, das heilige Erlebnis, das ihm begegnet ist, zu analysieren, um so mehr unterstützt er dessen Verschwinden. Paradoxerweise hilft die Analyse, dieses Erlebnis zu schaffen; aber einmal gewonnen, verschwindet es bei weiterer Analyse!

Für den Neuling ist die Wiederaufnahme des normalen, wachen Bewußtseins jedenfalls nicht förderlich, um mystische Zustände festzuhalten, obgleich für den Erfahrenen dieses Festhalten allmählich möglich und dann zur Gewohnheit wird. Den meisten Menschen genügt es, von der teilweisen

Rückerinnerung an diese geheiligten Erfahrungen zu leben, deren traumhaftes Andenken für sie auf immer zum Quell echten Trostes und heiterer Glückseligkeit wird.

Es ist deshalb von höchster Wichtigkeit, die Rückkehr aus dem inneren Zentrum zu üben, ohne dieses zu verlieren. Man muß nicht nur die Stille erlangen, sondern sie auch festhalten können, während man allmählich in das äußere Leben zurückkehrt; denn man sollte nicht gänzlich wieder in seiner Umgebung verlorengehen. Dies ist eine Gleichgewichtsübung, die man lernen muß — wie das Radfahren, bei dem man vorwärts sehen und doch auf seinem Sitze bleiben muß. So muß man lernen, in dem unpersönlichen Zentrum zu verbleiben und doch aktiven Anteil an weltlichen Tätigkeiten und am sozialen Leben zu nehmen. Durch Übung und Gewohnheit kann dies fertiggebracht werden.

Es wird gut sein, sich hier vor allem den Umständen des durchschnittlichen westlichen Menschen zuzuwenden, der in der fieberhaften Tätigkeit der modernen Zeit aufgeht und wegen des tiefen geistigen Verlangens, das er oft im stillen unterdrückt, wegen seiner Unfähigkeit, dieses Verlangen inmitten des groben Materialismus seiner Umgebung zu befriedigen, unruhig und unglücklich lebt. Er wird vielleicht die einzwängenden Wirkungen einer Stellung, einer Aufgabe, eines Berufes oder eines Geschäftes fühlen, die in keinerlei Beziehung zu seinen geistigen Aspirationen zu stehen scheinen. Er wird manchmal verzweifeln, unter solchen Umständen irgendwelche wirklichen Fortschritte machen zu können, bis sich die Bedingungen geändert haben. Zahlreiche derartige Fälle gibt es in allen unseren größeren Städten. Welchen Weg soll ein solcher Mensch gehen?

Der Verfasser rät ihm, die geistigen Übungen mit um so größerer Entschlossenheit aufzunehmen, weil sie so vielen Widerständen zu begegnen haben. Dieser Widerstand sollte ihn anregen, die stärkere Anstrengung aufzubringen, die nötig ist, um sie zu überwinden. Selbst wenn er während des Tages, der nur zu bald durch eine lange Reihe von Pflichten ausgefüllt ist, sich nur zwanzig Minuten einsamer geistiger Zurückgezogenheit gönnt, kann er sicher sein, mit der Zeit den Nutzen hiervon zu empfangen. Diese regelmäßige tägliche Anstrengung, die, wenn nötig, Jahre hindurch fortgesetzt wird, mag zunächst unfruchtbar erscheinen; aber tief in den unterirdischen Gängen seines Wesens ist, nach außen unhörbar, der Ruf ergangen, und das immer wache und wartende Überselbst wird früher oder später seine Antwort erteilen. Dann wird das, was anfangs mit Schwierigkeit und Anstrengung durchgeführt wurde, später mit der Leichtigkeit eines geübten Geistes vollbracht werden.

Möge ein solcher Mensch sich erinnern, daß das eigentlich Wichtige nicht die Länge der Zeit ist, die er der Meditation widmet, sondern vielmehr deren *Qualität!* Möge sein Denken während der Übungen klar und eindeutig und die Konzentration seiner Aufmerksamkeit tief und ausdauernd sein! Möge er sein ganzes Wesen täglich in eine entschiedene Anstrengung versenken, seine Umgebung während dieser kurzen Zurückgezogenheit zu vergessen, alle Gedanken und Erinnerungen an seine alltäglichen persönlichen Tätigkeiten auszulöschen und seine Aufmerksamkeit unerschütterlich auf die geistige Analyse oder das innere Suchen geheftet zu halten.

Wenn er sich trotz dieser Hindernisse seiner Lage der Ausführung seiner täglichen Übungen mit einem Eifer und einem Vertrauen hingibt, die sich nicht zurückschrecken lassen, und die einsehen, daß ein böser Mißerfolg immer eine gute Erfahrung ist, so ist es sehr wahrscheinlich, daß die Umstände, die ihn umklammern, selbst dem Druck der geistigen Kräfte nachgeben, die er herbeigerufen hat. Äußerlich mag er sein normales Leben weiterführen wie bisher. Wenn jedoch ein Wechsel der Umstände gebieterisch notwendig wird für den weiteren Fortschritt im geistigen Leben, wird das Überselbst, mit dem Schicksal Hand in Hand arbeitend, sicherlich die Dinge so anordnen, daß er kommt. Und das Verschwinden der Hindernisse wird vielleicht neue und höhere Aufgaben für ihn offenbaren, die einen weiteren Spielraum bieten und seinem Herzen eine intensive Befriedigung bringen. Alles wird so zu seinem Besten wirken. Ein Mensch kann tatsächlich entdecken, daß die ihm entsprechende Arbeit oder gar geschäftliche Gelegenheiten, die er vielleicht während seines ganzen Lebens vergeblich gesucht hat, nun durch das geheimnisvolle Wirken des Überselbst fast ohne irgendwelche Anstrengung von seiner Seite zu ihm kommen. Ein solcher Fall beleuchtet die Wahrheit der Worte: «Trachtet am ersten nach dem Reich Gottes — so wird euch solches alles zufallen.»

Der «Geheime Pfad» ist nicht allein ein geistiger Weg; er kann leicht — und sollte — der Vorläufer eines Weges tatkräftigen Vollbringens in der äußeren Welt werden, das um so dynamischer ist, weil es inspiriert ist. *Der Zweck dieses Pfades ist nicht, die Menschen in klösterliche Untätigkeit zurückzuziehen, sondern ihnen zu helfen, sich in ihren eigenen Arbeitsgebieten weiser und wirksamer zu betätigen.*

Im allgemeinen kann gesagt werden, daß der Mensch, der genügend weit auf diesem Wege vorgeschritten ist, früher oder später sich selbst eine Umgebung aufbauen und in ein Gebiet weltlicher Tätigkeit eintreten wird, das seinem höheren Ausblick entspricht — als äußere Rückwirkung seiner inneren geistigen Schöpfung.

Es gibt bei diesem allgemeinen Prinzip Ausnahmen; sie bestehen aus den Fällen, bei denen Menschen durch einen Akt der Selbsthingabe nach reiflicher Überlegung furchtlos in ihnen nicht zusagende oder sogar feindliche Umgebungen eintreten, zum freiwilligen Dienst an andern, damit einem göttlichen Geheiß folgend. Diese Menschen sind in gewissem Sinne Märtyrer; aber die Ergebung ihres eigenen Willens in den göttlichen hat den schlimmsten Teil ihres Martyriums weggenommen. Sie werden für einen solchen Dienst keine Erwiderung erwarten, keine greifbare Vergeltung oder in Worten ausgedrückte Dankbarkeit beanspruchen.

Wir Menschen des Westens verabscheuen und mißtrauen philosophischen Vorstellungen, die uns scheinbar von der tätigen Welt in ein «unwirkliches», wolkenhaftes Gebiet fortführen wollen. Wir glauben und können nur an Überzeugungen glauben, die das tätige Leben heiligen. Wir haben zweifellos recht; aber es gibt einen Pfad, der uns das Beste beider Welten gibt.

Die konzentrative Kraft, die der Mensch während der täglichen Übung entwickelt, wird ihm ebensogut in der Sphäre des tätigen Daseins dienen. Was immer er unternimmt, wird durch eine zweckdienlichere Aufmerksamkeit gekennzeichnet sein. Zum Beispiel wird sein Verkehr mit andern gerader und für beide Seiten fruchtbringender werden, und er wird im Gespräch viel rascher zur Hauptsache kommen. Kurz: ein neues Element, eine Art höherer Zweckmäßigkeit, wird sich sowohl in kleineren wie auch in den allerwichtigsten Angelegenheiten zeigen. Er wird immer mit größter Sorgfalt, hingebendster Treue und höchster Integrität jede Pflicht, die ihm durch die vereinten Kräfte des Schicksals und des Überselbst anvertraut wird, ausführen.

Psychologisch werden sich die Wirkungen richtiger Meditationsübung in einer besseren Qualität des Denkens, in vertiefter Konzentrationskraft und in einer allgemeinen Klärung des Verstandes zeigen. Die Grundprinzipien eines Gegenstandes oder einer Situation werden rasch erfaßt werden, während andere noch die Einzelheiten studieren.

Ein Mensch, der genügende Fortschritte in diesen Übungen gemacht hat, um bis zu einem gewissen Grad geistige Beherrschung und ein deutlicheres Gefühl von der Existenz des Überselbst erlangt zu haben, braucht die materialisierende Wirkung andauernder Tätigkeit nicht übermäßig zu befürchten. Er wird ein Bild der Ruhe inmitten von geschäftigem Tun bieten. Während seine Seele in einer mehr oder weniger dauernden Stille verharrt, können sein Gehirn, seine Hände und Füße rastlos mit den täglichen Angelegenheiten beschäftigt sein. Während sein inneres Leben sanft und glücklich wie ein stiller Fluß dahingleitet, kann sein äußeres Leben heftige Stürme durchmachen. Der Wert eines so ausgeglichenen Lebens ist in unserm unruhigen Zeitalter unschätzbar. Ein solcher Mensch wird, wenn auch unvollkommen, den Beweis dafür liefern, daß die Verbindung erhabener Inspiration mit positiver Tätigkeit vollkommen möglich ist. Alle Tage werden dann zu heiligen Tagen. Wenn das Überselbst solcherart in alles Handeln einfließt, wird das niedrigste Leben geweiht. Der Duft des Göttlichen umgibt die kleinen Vorfälle des Tages und verklärt sie.

Ein ungewöhnlicher und unbeschreiblicher innerer Friede wird in einem solchen Menschen leben und sein Ankerplatz in einem aufgewühlten Zeitalter sein, wenn nichts anderes mehr sicher oder stabil ist. Er wird ruhig auf seinem Wege fortschreiten und bei jedem Schritt seinen Fuß fest auf den Boden setzen, während andere stürmisch hin und her drängen unter dem Druck der Erschütterungen des 20. Jahrhunderts. Er wird in jenem Geiste ruhiger Unübereiltheit arbeiten, verbunden mit Sorgfalt und Tüchtigkeit, wie wir es von dem erfolgreichen Japaner kennen. Die erhabene Heiterkeit des Überselbst scheint allerdings fern zu sein von dem rauhen Gerassel der Hochbahn New Yorks, dem immer surrenden Motorenverkehr der Champs-Elysées und dem wimmelnden Gedränge des Londoner Strand — und dennoch, auch unter solchen Umgebungen kann man sie besitzen.

So, in möglichster Nähe des göttlichen Zentrums lebend, wird der auf dem «Geheimen Pfad» Fortschreitende immer noch fähig sein, den ihm angemessenen Platz in der Welt einzunehmen, nicht länger als ihr Sklave, sondern als Mitarbeiter der Natur. Während sein innerstes Wesen in einer eigenartigen Geistigkeit verweilt, wird er selber imstande sein, sich inmitten des Dranges und Tumultes zu bewegen, nicht blind für dessen Vorhandensein oder gleichgültig für die damit verbundenen Probleme, aber dennoch innerlich im Gleichgewicht und ruhig. Daher ist er diesen Problemen um so eher gewachsen. Er hat erkannt, daß im Zentrum — sei es des Selbst oder des Universums — wahre Sicherheit und geistige Gesundheit wohnen.

All diese Wirkungen werden zuwege gebracht, ob der Mensch sie bewußt sucht oder nicht; denn er hat einen neuen Schiedsrichter in all seine Unternehmungen eingeführt.

Die dauernde Praxis dieser geistigen Übungen wird einem unvermeidlich die rechte Haltung, den rechten Ausblick geben; man braucht sich dann nicht mehr zu fürchten, die Arena, in der die Kämpfe der Welt gekämpft werden, zu betreten, mögen es die unblutigen Kämpfe um den Verdienst des Lebensunterhalts oder die blutigen Schlachten des wirklichen Krieges sein. Nur Neulinge, Feige oder Schwache haben es nötig, dauernd vor dem Kampf ums Dasein in die geschützte Zurückgezogenheit klösterlichen Lebens zu flüchten. Denn mit der Beherrschung des Geistes werden alle Dinge möglich; doch ohne sie ist der Nutzen des Menschenlebens gering. *Jenes ist inspirierte Tätigkeit;* sie gibt dem sonst rein ephemeren, alltäglichen Dasein ein geistiges Ziel, eine dauernde Bedeutung. Ein so inspiriertes Leben stellt wahre geistige Gesundheit dar. Die abendländische Welt ist in Wahrheit unausgeglichen, weil sie immerfort in Tätigkeit versenkt ist ohne Kompensation aus dem Inneren. Wenn sie irgendein geistiges Verfahren in ihr tägliches Programm aufnehmen wollte, würde sie sich nicht nur vor den neurasthenischen Leiden des Zeitalters schützen, ihre Geschäfte friedvoller, tüchtiger und verständnisvoller behandeln, sondern auch neben ihren Tätigkeiten ein höheres Leben zustande bringen.

So kann der Mensch das unsichtbare und verborgene Ziel seines Wesens erfüllen. Während er dann seine täglichen Geschäfte betreibt — sei es auf der Straße, dem Marktplatz, zu Hause oder in der Fabrik —, *wird er von sich sagen können, daß er die Werke seines Vaters tue.* Das Weltliche wird das Heilige geworden sein.

Wir können das Geheimnis lernen, wie man das Alltagsleben von seiner Mühsal befreit, indem wir das Göttliche hineinlegen. Alle Dinge sind Sinnbilder des unsichtbaren Gottes. Sogar die Arbeit kann ein ausgesprochenes Gebet sein. Jeder recht gekehrte Fußboden ist ein Pfad für den Herrn. Keine unserer Arbeiten ist so weltlich, daß wir nicht die Eigenschaften Gottes in ihr aufweisen könnten. Wir offenbaren uns durch unsere Arbeit. Die wenigen, die vom Geiste Gottes erfüllt sind, streben danach, *Seine* Vollkommenheit in vollkommen verrichteter Arbeit zu verkündigen: *Seine* Weisheit in intelligenter Arbeit, *Seine* Macht in tatkräftigem Wirken. Unsere höchsten Fähigkeiten können auf diese Weise enthüllt werden; die Zeit kann in hohen Wert verwandelt und Wahrheiten, die im Himmel gewirkt sind, können auf die Erde herabgebracht werden.

Der Mensch, der für seine Hilfe und sein Glück von andern abhängt, stützt sich auf schwaches Rohr; aber wer sich auf das Überselbst verläßt, wird nie verraten werden.

Wir wollen nun in einer kurzen Betrachtung die materielle Hilfe erwähnen, die uns das Überselbst gewähren kann, wenn wir selbst hilflos scheinen. Es gibt wirklich nichts, das außerhalb des Bereiches einer solchen Hilfe läge. Schlechte Gesundheit, organische Störungen, Mangel an Arbeit, Nahrung, Obdach, Freunden oder Mitteln, geschäftliche Schwierigkeiten, technische Probleme, betrübende Verwandtschaften — dies alles und manches andere wurde wunderbar und göttlich in Ordnung gebracht, nach den Erfahrungen verschiedener Personen, die dem Autor bekannt sind. Es waren Menschen, die gelernt hatten, sich mit dem Überselbst — wenn auch noch so unvollkommen — in Einklang zu bringen und ihre Lasten auf seine breiteren Schultern zu werfen. Die mächtige Kraft des Schicksals hatte ihnen diese Trübsale und Schwierigkeiten gebracht; aber die allmächtige Kraft des Überselbst befreite sie am Ende von ihnen.

Das wirtschaftliche Problem z. B. scheint die Menschen heute mehr als irgendein anderes zu quälen. Obgleich der, welcher diesen Weg geht, fortfahren kann, den Wert und die Notwendigkeit des Geldes als der zweitgrößten Macht in der heutigen Welt zu schätzen, wird er immer weniger von dem überwältigenden Durst nach Reichtümern, der das jetzige Zeitalter so beherrscht, gequält werden. Denn wenn er das Überselbst zunehmend gewahr wird, wenn die geistige Stille und das Gleichgewicht der Gefühle, welches die tägliche Übung zu schaffen bestrebt ist, immer mehr in seinen alltäglichen Zustand einsickern, wird er geringere Besorgnis um sein materielles Wohlergehen empfinden. Er wird an die Wahrheit des Wortes Jesu glauben, daß der Vater seine Nöte kenne und er sich nicht mit Angst und Verzweiflung zu verbinden brauche; doch soll damit nicht gesagt sein, daß er gleichgültig oder träge werden soll. Er wird seinen Pflichten noch eifriger nachkommen und sich seinen Arbeiten oder Geschäften noch gründlicher und sorgfältiger widmen als zuvor, weil er, wie schon erklärt wurde, die Pflicht fast als etwas Heiliges auffassen wird.

Das Geheimnis aller überpersönlichen Hilfe ist Hingabe — nicht Hingabe an Schwäche, Stumpfheit, Faulheit, Hoffnungslosigkeit oder kurzsichtigen Fatalismus, sondern Hingabe der persönlichen Macht an die zentrale Macht in einem selbst. Statt seine eigenen begrenzten Fähigkeiten gegen die trüben Umstände, die in den Schlachten des Lebens gegen einen aufgestellt sind, kämpfen zu lassen, läßt man dann diese zentrale Macht zu seinen Gunsten arbeiten. Wo man versagt, ist sie erfolgreich; wo man nur unüberwindliche Mauern von Schwierigkeiten erkennt, geht sie wunderbar hindurch. Sie wird für einen arbeiten, und besser als man selbst, doch alles, was man zu tun hat, ist, sich ihrer Äußerung völlig zu öffnen.

Aber bevor man sich ausliefern kann, muß man zuerst den Wohnort dieser göttlichen Macht finden. Bloße Worte können dies nicht vollbringen. Der Pfad, der hier beschrieben wurde, führt einen gerade in das Zentrum dieses Wohnortes hinein. Man muß innerlich schwer arbeiten, um diesen Punkt zu erreichen; aber einmal bei ihm angelangt, sollte man nicht mehr arbeiten, sondern sich nur bearbeiten lassen. Man muß die seltene Vernunft besitzen, sich zu sagen: «Ich will mich nun nicht länger einmischen. Ich will dieser endlosen Berechnung von Wegen und Mitteln ein Ende machen. Ich werde meine Bürde von Sorgen und Pflichten neben mir auf den Boden niederlegen. Ich sehe jetzt ein, was ich in meiner Blindheit bisher nicht sehen wollte: daß das Überselbst, das mich stützt und trägt, alle Berechnungen ausführen, alle Geschäfte leiten und alle Bürden unendlich viel besser tragen kann, als ich es jemals könnte, einfach weil es selber an Weisheit und Macht unendlich ist.»

Es gibt Zeiten, in denen Klugheit nur ein anderes Wort für fehlerhaftes Urteil ist, wo eine höhere Art von Klugheit geboten ist: nämlich das Vertrauen in die Vorsehung. Es gibt Stunden, in denen man einsieht, daß Berechnung nichts anderes ist als Verrechnung. Denn der persönliche Verstand ist begrenzt in seinem Ausblick und winzig an Umfang neben der unbegrenzten Intuition, die untrüglich aus dem Überselbst aufsteigt und die, aller entstellenden Masken von Menschen und Umständen nicht achtend, gerade auf den richtigen Weg deutet. Unsere Sorgen und Ängste sind mit dem persönlichen Selbst verbunden, nicht mit dem erhabenen Überselbst. Die Beseitigung dieses tyrannischen Zustandes hängt von der Rückkehr zu dem unpersönlichen Überselbst ab. Unsere Handlungen werden dann nicht länger das Ergebnis von bloßen persönlichen Launen, ehrgeizigen Begierden und dem Verlangen nach Besitz sein. Wir werden zu reinen Kanälen für das Überselbst, zu nützlichen Werkzeugen in seiner Hand und unpersönlichen Dienern seines göttlichen Willens. Wir leben von nun an ohne die Spannung persönlicher Anstrengungen und ohne ängstlichen Vorbedacht, da wir wissen, daß unser Vater, das Überselbst, alle notwendigen Anstrengungen und Vorhersorgen zu unsern Gunsten machen wird, indem er durch uns oder andere wirkt.

Der Weg steht jedem Menschen offen, die Schrecken der Schmerzen, die Leiden der Armut, die Härten des Mißlingens und das Ätzende der Angst zu besiegen, *wenn er nur seinen Geist besiegt.* Kein Problem ist dem Überselbst zu schwierig, um es in Angriff zu nehmen; es würde nicht das stärkende

Atom des allmächtigen Gottes in unserm Innern sein, wenn es zu schwach dafür wäre. Weder dunkler Pessimismus noch ruhestörende Angstträume brauchten sich in irgendeines Menschen Leben für dauernd niederzulassen. *Die gesegneten Strahlen des Überselbst sind jetzt und hier bei ihm;* sie sind bereit, seine Tage liebreich zu bescheinen, sobald er sie auf die richtige Weise herbeiruft. Die überhebliche Kraft des persönlichen Selbst ist eigentlich seine Schwäche; wahre Stärke liegt in dem, was hinter dem persönlichen Selbst liegt. Wir können das Unendliche herbeiziehen, wenn wir wollen, und so das scheinbar Unmögliche vollbringen. Die Kräfte des Körpers und des Verstandes können nur bis zu einem gewissen Punkte und nicht weiter reichen; doch die Kräfte des Überselbst sind unbegrenzt.

Die Gottheit, die unsere Seelen ins Dasein rief, wie unsere Mütter unsere Körper, kann uns auf genau dieselbe Weise stützen, unterhalten, heilen, beschützen und führen, wie Mütter ihre eigenen Kinder. Dies ist kein poetischer Vergleich; es ist eine Behauptung wissenschaftlicher Realität, obgleich der Hinweis sich hier auf die Wissenschaft des Lebens bezieht. *Nicht weniger als jede wahre Mutter ihr Kind liebt und es immer zu seinem wirklichen Glücke führen möchte, liebt auch das göttliche Überselbst seinen rebellischen Abkömmling, das persönliche Selbst, und sucht immer sein wahres Wohlergehen, wenn es ihn den Pfad der Reue und Rückkehr führt.* Dies ist die ganze Botschaft der praktischen Religion. Um diese Wahrheit unsern verschlossenen Geistern einzuflößen, hat Gott seine Propheten zu uns gesandt und wird fortfahren, sie zu senden, solange wir verlorene Söhne bleiben und nicht die Vernunft haben, zu sagen: «Ich will mich aufmachen und zu meinem Vater gehen.»

Der Mensch, der für immer zum vollen Gewahrwerden des Überselbst gelangt ist, bedarf weder Führung noch Methode irgendeines andern; denn eine höhere Macht wird ihm beides geben. Aber derjenige, der noch unterwegs ist und schon einige Fortschritte in der Stillung seines Geistes gemacht hat, kann mit Nutzen eine einfache Methode geistiger und materieller Selbsthilfe üben, die immer und augenblicklich anwendbar ist unter allen nur denkbaren ungünstigen Bedingungen. Sie wird nicht jedem alles geben, was er wünscht; denn auch andere Kräfte haben in dieser Angelegenheit mitzureden: die Kräfte des Schicksals, allgemeiner Evolution und das, was beide erschaffen hat: Gott! Das persönliche Selbst muß sich notwendigerweise in den kosmischen Rahmen, der es umgibt, einfügen und darf nicht erwarten, daß der Rahmen geändert wird, um ihm zu passen. Auch weiß es ja selbst nicht, was zu seinem Besten ist, was ihm echtes Glück und wahres Wohlergehen bringt. Dem Leiden sollte man nicht immer ausweichen. Es ist manchmal ein so ausgezeichneter Lehrer, wie er auf keiner Universität besser gefunden werden könnte. Wir müssen die trübe Seite des Lebens als spirituelle Erziehung ansehen und jedem Unglück die Lektion der Weisheit entnehmen. Deshalb gibt es keine Methode, trotz der phantastischen Ansprüche gewisser Schulen, durch die der unvollkommene Mensch Gott diktieren, *immer* Unglück, Krankheit, Armut, Tragödien oder Unterdrückungen vermeiden und all seine Wünsche erfüllt haben könnte. Doch es gibt eine Methode, durch die er wirklich das *Beste* aus den Umständen machen und göttliche Hilfe, nicht für seine selbstsüchtigen Forderungen, aber für das, was ihm nottut, herbeiziehen kann.

Bevor die eigentliche Übung mitgeteilt wird, wird es gut sein, zu wiederholen, daß nur die, welche schon irgendwelchen Grad von Geisteskraft durch die Übungen des «Geheimen Pfades» und der seelischen Ruhe entwickelt haben, von ihr profitieren werden. Wir können keine Mauern bauen ohne Mörtel und keine geistigen Kräfte hervorrufen, ohne zuerst irgendwelchen Kontakt mit ihnen vorbereitet zu haben.

Jeder, der die Hilfe des Überselbst anrufen möchte, wenn er beunruhigt, geprüft, versucht, verletzt, bedrückt, angstvoll, geplagt, unentschlossen oder ärgerlich ist — kurz gesagt: wenn immer er auf irgendeine Weise leidet oder sündigt —, sollte sich diese zusätzliche Übung angewöhnen. Die Methode ist folgende:

Man soll den Rhythmus der Atmung während zwei oder drei Minuten herabsetzen und sich gleichzeitig fragen: «Wen beunruhigt dies — wen schmerzt dies — oder wen verwirrt dies?» usw., je nach dem besondern Problem. Dann sollte eine geistige Pause herbeigeführt werden und die Gedanken ruhig, konzentriert und auf die Frage geheftet bleiben. Alles andere, seien es äußere Geschehnisse oder nicht zur Sache gehörige Ideen, sollte rücksichtslos ignoriert und der Geist nach innen gekehrt werden, bis er so tief in das innere Selbst sinkt, als es die Übungen in geistiger Stille zustande gebracht haben. Die ganze Übung braucht nicht länger als ein paar Minuten zu dauern und sollte einfach, natürlich und ruhig gemacht werden.

Diese Methode ist auf jedes Problem anwendbar, das in die erhabene Gegenwart des Überselbst gebracht werden soll. Obgleich das letztere vollkommen in der Lage ist, mit allem fertig zu werden, was es auch sei, sollte man nicht den Fehler begehen, immer nach einer unmittelbar eintretenden Lösung Ausschau zu halten. Höhere Mächte brauchen ihre eigene Zeit, die nicht vorausgesagt werden kann. Ein auffallendes Resultat kann vielleicht einmal sofort aufleuchten; es kann aber auch sein, daß man die Lektion ruhiger Geduld zu lernen hat. Die höheren Mächte haben nicht versagt, wenn sie sich weigern, wie ein Hahn aufgedreht zu werden. Ungeduld bricht ihren Zauber und ist immer nachteilig.

Wenn jemand sich durch lange Erfahrung an diese Übung gewöhnt hat, wird er über ihre wundervolle Einfachheit und Wirksamkeit staunen, während er entspannt und sanft in schweigender Unterwerfung seines persönlichen Ich in sein Inneres sinkt. Der erste Versuch kann sehr beschwerlich sein.

Immer, wenn Mißhelligkeiten oder Unglück einen bedrohen, kann diese Übung sofort begonnen werden. Auf diese Weise wird der Eindruck auf den menschlichen Geist gehemmt, und man lehnt es ab, sich mit ihm zu identifizieren.

330

Die Hälfte des hypnotischen Schadens wird dadurch beseitigt. Es wird die Haltung eines wachsamen *Zeugen* angenommen, der störende Eindruck rasch abgeschnitten und alles Nichtwünschenswerte neutralisiert dadurch, daß man das Überselbst anruft und verwirklicht. Der gewöhnliche Mensch, der sich an negative Gedanken ausliefert, umwirbt und stärkt dadurch gerade die Sorgen, die er vermeiden möchte.

Jede Verletzung, die einem droht, jedes entstehende Problem sollte sofort in das göttliche Zentrum gebracht und von diesem anderen Sehwinkel aus betrachtet werden. Dies ist der richtige Weg, sich zu klären, zu heilen und zu erleuchten. Inmitten großer Schwierigkeiten, verzweifelter Fehlschläge, vernichtender Niederlagen oder bedrückender Nöte kann der Mensch dennoch Befreiung erlangen, wenn er es ablehnt, sich durch herkömmliche Gedanken und Haltungen täuschen zu lassen. Und sogar wenn das Schicksal unerbittlich bleibt und sich weigert, zu gestatten, daß das Problem materiell gelöst werde, kann dieses noch immer geistig gelöst werden, da es aus dem Geiste ausgetilgt werden kann. Kosmische Entwicklungsziele müssen zu irgendeiner Zeit mit persönlichem Glück in Widerstreit geraten, und wenn sie nicht abgelenkt werden können, wird diese Übung geistiger Selbstbesinnung den Geist dadurch von seiner Bürde befreien, daß sie dem strahlenden Licht und der mystischen Macht des Überselbst Eingang verschafft. Eine solche Methode kann aber nur wirken, wenn man das feste Vertrauen besitzt, daß das Überselbst immer erreichbar ist und seine Gegenwart nicht von uns getrennt werden kann, wenn man die Gedanken und Stimmungen entschlossen zurückweist, die einen wie einen gefesselten Sklaven von seiner wohltuenden Liebe und seinen geheimnisvollen Hilfsquellen fortschleppen möchten, und wenn man quälende, verletzende oder erniedrigende Empfindungen *sogleich* durch die schweigende, unerschütterliche Bestätigung seines inneren Ruhens im Ewigen ersetzt.

Der Umfang dieser Übung geht so weit, daß sie auch angewandt werden kann, um andern bis zu einem gewissen Grade zu helfen. Wenn man einen geliebten Freund oder Verwandten hat, der in einer schwierigen Lage ist, kann man, nachdem man die Übung ausgeführt hat, sich dessen Persönlichkeit im Geiste vorstellen und dann diese selbst und ihr Problem in das weiße Licht des Überselbst emporheben in schweigendem Gebet. Irgendwelche Erleuchtung oder irgendein Schutz wird dann sicher seinen geheimnisvollen Flug durch den Raum zu jenem andern Menschen nehmen.

Auf jeden Fall wird da, wo ein Problem oder eine materielle Bürde dem Überselbst richtig ausgeliefert wurde, eine Empfindung geistiger und gefühlsmäßiger Erleichterung sich bald nachher bemerkbar machen.

Wenn diese Gewohnheit, sich rasch an das Überselbst zu wenden mit der Frage: «*Wer* leidet, *wer* ist geärgert?» usw., so lange gepflegt wird, bis sie instinktiv geworden ist, wird man sich geistig sicher und materiell zuversichtlich fühlen. Obgleich noch andere, jenseits der Reichweite bewußter Absicht und persönlicher Anstrengung, über unser Schicksal bestimmen, tragen die meisten unter uns unnütze Sorgenlasten. Das Überselbst kann diese gleichen Lasten viel besser tragen. Überlassen wir sie ihm — und nehmen wir seine dauernde Einladung, seine sanfte Führung an und lernen wir so, den verschiedenen Lagen des Lebens mit heiterem Gleichmut zu begegnen, da wir wissen, daß seine Fürsorge dann niemals fehlen wird.

Jeder, der diesen Weg getreu verfolgt, wird zuzeiten mit angehaltenem Atem stillstehen, wenn er wahrnimmt, daß ein Wille, der höher ist als sein eigener, sich geheimnisvoll in seine Angelegenheiten mengt, und immer im höchsten Sinne zu seinem endlichen Wohlergehen. Er wird ein brauchbares Werkzeug in dessen göttlichen Händen werden. Alle Ereignisse werden Züge auf einem himmlischen Schachbrett. Alle Dinge werden sich verbünden, um zu seinem Besten zu arbeiten — bitteres Leid nicht weniger als wohltuende Freude werden ihm, wenn er sie richtig aufnimmt, zu höherer Weisheit und Stärke verhelfen. Selbst die Härte feindlicher Bosheit wird keinen Groll in ihm erregen; denn er wird schließlich das letzte und höchste Geheimnis des Lebens erfahren: daß jedes lebende Wesen die verborgenen Zeichen der Göttlichkeit in seiner Brust trägt und in seinen dunkelsten Verirrungen unbewußt nach der unsterblichen Befriedigung, Wahrheit und Macht strebt, die nur im Überselbst zu finden sind.

16. Kapitel

Die hohe Suche

Während seiner orientalischen Forschungen widmete der Verfasser einen Teil seiner Zeit in Ägypten der stillen Befragung des stolzen Kolosses der Großen Pyramide. Er hatte ganz persönlich ein seltsames übernatürliches Erlebnis, als er versuchte, diesem kalten architektonischen Riesen ein paar Geheimnisse abzuringen. Dieses Erlebnis wurde später wieder lebendig und erhielt einen bedeutsamen Sinn, als er erfuhr, daß eine alte Tradition unter den längst vergangenen Priestern von Memphis bestand, die überlieferte, daß die Pyramide der geheiligte Schauplatz der Einweihungen in die tiefsten und großartigsten geistigen Mysterien Ägyptens gewesen sei.

Bei diesen Erkundungsgängen in der Pyramide durchschritt der Verfasser den aufwärts führenden Schacht, der zu den berühmten Königs- und Königinnenkammern führt, und studierte sorgfältig dessen Bauart an Hand eines gewissen «Schlüssels», mit dem er versehen worden war. Er kroch auch bei Nacht auf Händen und Knien durch den engen, abwärts führenden Gang, der mehrere hundert Fuß weit einen Weg durch das felsige Plateau schneidet, auf dem die ganze Pyramide steht: einen Gang, der wegen verschiedener Schwierigkeiten und Gefahren für die modernen Reisenden gesperrt ist.

Immer wieder fiel ihm der zweckentsprechende Symbolismus dieser düsteren Gänge auf. Diese materiellen Wege, die vom Eingangsloch zu den inneren Kammern führen, stimmen genau mit den geistigen Wegen überein, welche die Menschheit aus dem Zustande grober Unwissenheit zum vollen Verständnis ihrer wahren, göttlichen Natur führen. Er erkannte, daß das Innere der Großen Pyramide den schicksalhaften Werdegang jedes menschlichen Wesens in Stein darstellt, während das ganze Gebäude ein feierliches Symbol menschlichen Seins ist, das eine schweigende Botschaft über den Abgrund toter und entschwundener Jahrhunderte trägt.

Im Altertum mußte der zitternde Neophyt, nachdem er den felsigen Eingang der Pyramide durchschritten, seinen Weg in völliger Finsternis durch diese Gänge ertasten, indem er sich an den Wänden festhielt und jeden Fuß mit der größten Vorsicht hinsetzte. Sein aufgeregter Geist rief ungesehene Löcher, in die er hineinfallen könnte, ins Dasein, die aber in Wirklichkeit nicht existierten. Ohne Mut konnte er überhaupt nicht fortschreiten, ohne Klugheit vielleicht in die größte Gefahr geraten. Er besaß keinen andern Führer als eine Intuition, eine innere, unpersönliche Stimme, die immer geheimnisvoll und oft nicht von seinen persönlichen Gefühlen zu unterscheiden war.

In einem weiteren Abschnitt seines Vordringens durch die schwarzen, tunnelartigen Gänge hatte er Gefahren zu begegnen, die seinen Frieden und seine geistige Gesundheit bedrohten. Denn feindliche, psychische Wesenheiten suchten den Ort heim; bösartige Geistwesen strichen nächtlich umher. Sie konnten jeden Augenblick seinen geschärften Sinnen sichtbar werden. Ihre Feindseligkeit kannte keine Grenzen; denn sie wohnten als Wächter in dem furchtbaren Grenzland, das die andere Welt von den töricht sich eindrängenden Menschen trennt. Wenn der Neophyt ein Opfer seiner Furcht und der Wirkungen ihrer natürlichen Feindseligkeit wurde, konnte seine nervöse Spannung plötzlich zusammenbrechen, und diese Eindrücke mochten ihn jahrelang verfolgen.

Die Kämpfe jedes dieser kühnen Bewerber — überlegte der Verfasser — stellten auch die Kämpfe jedes Menschen dar, der versucht, den die ganze Natur durchpulsenden Sinn zu verstehen. Er findet alles Leben in undurchdringliches Dunkel gehüllt und umgeben von dichten Wolken des Geheimnisses. Er sieht, daß wir nur für einige Jahrzehnte ungewissen und ungesicherten Daseins geboren sind und daß dann unsere glühendsten Hoffnungen, unser fortwährend lauernder Ehrgeiz und unsere stärksten Lieben wie das Licht einer Kerze durch die feuchtkalte Hand des Todes ausgelöscht werden. Er weiß, wenn er überhaupt nachdenkt, daß, wenn dies alles ist, was dem Menschen zusteht, die Hoffnung auf Unsterblichkeit eine Täuschung, die Seele eine bloße Dichtung der Phantasie und Religion oder Philosophie nur aufgeputzte Schauspiele sind, die durch berufsmäßig interessierte Personen auf die Bühne gebracht werden. Das Leben läßt sich nicht leicht erklären. Die Lösung des großen Geheimnisses hängt nicht wie ein geschnitztes Amulett um unsern Hals bei unserer Geburt.

Gerade wie der Neophyt in den ägyptischen Mysterien seinen Weg durch die düsteren Auf- und Abstiege hinauf oder hinab zu tasten hatte, so müssen wir Menschen unsern Weg durch das Dunkel unenthüllter Zukunft tasten, erschöpft durch Prüfungen oder bedrängt durch Versuchungen, die das Dasein in steile Aufstiege oder abschüssige Niedergänge verwandeln. Wenn irgendein Unterschied festgestellt werden könnte, so ist es vielleicht der, daß der Neophyt nicht so zufrieden war mit seiner Unwissenheit, wie wir es sind. Das rastlose Suchen nach Wahrheit hatte ihn hierher gebracht und seine nackten Füße über diese uralten Steine geschleppt; aber wer unter uns ist bereit, sich wegen eines so ungreifbaren Lohnes wie eine zweite Geburt zu beunruhigen? Die bösartigen Wesen, die ihn verfolgten, sind die Urbilder der Bosheit und des Widerstandes, oder zumindest des Mißverständnisses der Welt, das jene erfahren und erleiden müssen — zur Strafe für ihre scheinbar unbesonnene Loslösung von dem Hergebrachten —, die sich von der Übereinstimmung mit materialistischen Normen befreien.

Was immer das Erlebnis in der Pyramide den Neophyten

lehrte, wird das Menschengeschlecht auf jeden Fall während seines Vordringens vom Mutterschoß bis zum Grabe durch die Äonen der Entwicklung zu lernen haben. Er verdichtete in einige Stunden oder Tage Lektionen, die für weniger abenteuerliche Menschen ganze Lebenszeiten beanspruchen. Der Erfolg lehrte ihn, daß jeder Mensch ein Ziel über sich hinaus in sich trägt, das höher ist als sein persönliches. Wenn es ihn in die Königskammer führte, führte es ihn auch in die Gegenwart jener, die, selbst ungesehen, warteten und wachten, wie auch die Götter heute noch über der Menschheit warten und wachen. Und wenn während der höchsten Einweihung sein Bewußtsein in den Wohnort des Überselbst eindrang, in die geheimnisvolle Kammer des Herzens, so vollbrachte er auf abgekürzte und frühreife Art, was die ganze Menschheit letzten Endes zu vollbringen hat. Die heutige, skeptische Welt sieht ein solches allgemeines geistiges Erwachen als unmöglich an; die eingeweihten Weisen betrachten es zuversichtlich als unentrinnbar. Die Natur jedoch ist geduldig.

Um die Allegorie noch weiter fortzuführen: Das Überselbstatom liegt im menschlichen Körper verborgen, in einem Raum, der geringer an Weite ist als eine Nadelspitze, gerade wie das Königszimmer als winziger Raum verborgen liegt in dem größten massiven Bauwerk, das dieser Planet seit vielen Tausenden von Jahren getragen hat. Das Überselbst ist für das nackte Auge des Menschen unsichtbar, wie auch der wichtigste Raum der Pyramide unsichtbar in der Dunkelheit ihres Innern liegt. Das Überselbst ist das Geheimnis, dessen Lösung dem Menschen die meisten Schwierigkeiten entgegensetzt, ebenso wie die Gänge, die zu der Hauptkammer führen, einstmals durch eine Eingangstür bewacht waren, die künstlich als ein Teil der äußern Oberfläche aus Stein gemacht war, ohne daß irgendein Zeichen ihr Dasein verriet.

Den alten Traditionen Ägyptens entsprechend, wurden den Aspiranten, die bereit waren, zu dieser geheimen Tür gebracht zu werden, Führer mitgegeben, genau wie die geistige Tradition der Menschheit noch immer Führer vorsieht für jene, die bereit sind, zu der Schwelle des Überselbst gebracht zu werden. Sogar die Grabesstille im Innern der Pyramide stimmt mit dem tiefen Schweigen überein, das den Geist des Suchenden erfüllt, wenn er heute diese heilige Schwelle betritt. Endlich besteht auch die symbolische Tatsache, daß von dem Neophyten, während er mit gebeugten Schultern und auf den Knien durch die schwingende Eingangstür kroch, eine physische und geistige Demut verlangt wurde, die ebenfalls noch in unserer eigenen Zeit verlangt wird. Das priesterlose Heiligtum des Überselbst öffnet seine winzige, festgeschlossene Tür niemals einem Anmaßenden.

So war die höchste Suche, die dem nachdenklichen Ägypter als das Ziel des Lebens vorgesetzt war, keine andere als diejenige, welche auch dem nachdenklichen Menschen des 20. Jahrhunderts vorgesetzt wird. Er hatte das volle Bewußtsein seiner wahren Natur wieder zu erlangen dadurch, daß er aufhörte, sich zunächst gänzlich mit dem physischen Körper und später gänzlich mit dem persönlichen Ich zu identifizieren, wie auch wir dieses Bewußtsein heute wieder zu erlangen haben. Wir sind leer, während wir voll sein könnten. Wir sind wie der junge Löwe, der von Kindheit an unter Schafen aufgezogen wurde, und der aufwachsend sich auch für ein Schaf hielt. Er lebte und bewegte sich harmlos unter der Herde, bis er eines Tages im Walde zum erstenmal das tiefe Brüllen eines alten Löwen hörte. Die verborgene Natur des Tieres erwachte plötzlich; er brüllte aus freien Stücken zurück als Antwort, und von diesem Augenblick an *wußte er selbst,* daß er ein Löwe war.

Die Botschaft aller Menschen, die in die göttliche Region überpersönlichen Daseins gelangt sind, muß intuitiven Zuhörern wie das erste Brüllen jenes Löwen vorkommen. Es ist ein Ruf, der an die geheimnisvollen Tiefen ihres Herzens rührt und sie entweder beunruhigt oder entzückt. Denn die Beschränkungen, Heimsuchungen und Eintagserscheinungen des menschlichen Daseins können sie nie völlig befriedigen. Niemand kann ehrlich behaupten, daß er in dem zerbrechlichen, furchterfüllten Leben der menschlichen Persönlichkeit reines Glück gefunden hätte, und selbst wenn er es wagte, würde noch die schreckliche Gestalt des Todes hinter ihm stehen und über seine Zukunftshoffnungen spotten.

Die göttliche Schönheit, die in der menschlichen Natur verborgen liegt, ist vorhanden und braucht nicht erst geschaffen zu werden. Deshalb richtet sich das Suchen nicht so sehr auf etwas zu Erreichendes als vielmehr auf etwas Wiederzuerlangendes. *Unsere eigentliche Natur ist Bewußtsein*, das Überselbst ist bewußt und lebendig; aber weil es ewig ist, muß es auch unpersönlich sein. Es gibt einen Satz in der Bibel, in welchem der Herr zu Moses sagt: *«Ich bin, der ich bin.»* Die Wichtigkeit dieser Behauptung ist gekennzeichnet dadurch, daß sie ganz mit großen Buchstaben geschrieben ist. Sie besagt, daß das Absolute Bewußtsein, der eigentliche Sinn, man selbst zu sein, eben jenes «Ich bin» ist, das hinter jedem individuellen Dasein liegt.

Das göttliche Atom ist das gleiche in allen Menschen; es war dasselbe in Christus und in seinen Zuhörern. Es ist in Wahrheit das Christusselbst in einem jeden von uns. Als Jesus aus dieser Welt entschwunden war, benutzten und verstanden die erleuchteteren unter seinen frühen Nachfolgern fortan seinen Namen nur in diesem universalen Sinne.

Der *Christos* war für sie ihre eigene innere Göttlichkeit — nicht ein besonderer, fleischlicher Körper, der begraben worden war —, und ihr Werk war, das Bewußtsein vom Haupte hinabzubringen, bis es im geistigen Herzen zentriert war, dem Königreich der Himmel für alle wahren Christen.

Der Mensch, der diese hohe Suche unternimmt, ist wie ein Strahl, der zu seinem Lichtquell zurückkehrt. Wenn er das «Ich bin» in sich bis zu seiner geheimen Wurzel verfolgt, wenn der verstandesmäßige Prozeß seiner Untersuchung sich allmählich zu einer subtilen inneren Bewegung entwickelt, wird er früher oder später — zuerst mit Unterbrechungen — in einen Zustand unpersönlicher Freiheit und völligen Friedens eingehen. Wenn die Tiefen der Seele ergründet sind, wird er zu einem Punkte kommen, wo sowohl der denkende Verstand wie das persönliche Ich wieder aufgesogen werden von dem verborgenen Element, das sie geschaffen hat. Jenes Element ist nichts anderes als das Absolute Sein, das Eine Überselbst, die höchste Wirklichkeit und der allem zugrunde liegende Geist, der ewig fortbesteht inmitten von Geburten und Toden sterblicher Menschen und materieller Welten. Diese erhabene Offenbarung erwartet ihn sogar am Anfang der ersten, tastenden Schritte seines Suchens.

Aber die Menschen fürchten einen solchen Weg, weil sie den Verlust der Persönlichkeit fürchten, die für sie das Leben selbst bedeutet. Die genaue Wahrheit ist, daß das persönliche Ego untergeordnet und in einen Helfer für eine höhere Macht verwandelt wird und, solange der physische Körper dauert, nicht verschwindet. Was ist also hier zu fürchten? Das individuelle Dasein ist nur eine Nußschale, die, wenn sie einmal zerbrochen ist, den wertvollen Kern in ihrem Innern offenbart. Nüsse werden nicht wegen ihrer unzerstörbaren Schalen gesammelt, sondern wegen ihres Kernes. Wer sich mit den Beschränkungen des Ego zufrieden gibt, verwandelt die lange Strecke des Lebens in eine Täuschung. Er arbeitet mit dem tausendsten Teil seiner potentiellen Möglichkeiten, fürchtet aber, etwas weiterzugehen. Niemand ist jedoch zu tadeln; denn diese Täuschung ist über die ganze Welt verbreitet. Man verwechselt Persönlichkeit mit Bewußtsein und weiß nicht, daß, weil niemand je sich selbst entrinnen kann, das Ende des Lebens nicht bloß todesartige Bewußtlosigkeit sein kann.

Diese Lehre ist viel älter als unser Planet selber; aber da sie von jedem Menschen als das Resultat seiner eigenen überwältigenden geistigen Erleuchtung selbst gefunden wird, kommt sie in ihm so frisch zur Darstellung wie die letzten Worte des letzten abendländischen Gelehrten. Doch der Mensch hat sie immer gefürchtet, weil er sich fürchtet, sein persönliches Ego aufzugeben, im Unwissen darüber, was sich nachher ereignen wird. Er findet es schwer, den höchsten Mächten zu vertrauen. Er hat da etwas zu lernen.

In der biblischen Geschichte von Abrahams Opfer seines Erstgeborenen war der bärtige Patriarch im Begriffe, seinen Gehorsam bis zu dem Punkte zu treiben, den zitternden Körper seines Sohnes zu durchbohren, als der Herr seine Hand aufhielt und ihm sagte, daß sein Sohn leben könne. Abrahams Treue wurde auf die strengste Probe gestellt; das genügte dem Herrn, der nicht wirklich das Leben Isaaks suchte, sondern viel eher die Liebe Abrahams. Letzterer hatte seine Bereitwilligkeit gezeigt, das Göttliche vor das Persönliche zu stellen, worauf ihm erlaubt wurde, das Persönliche zu behalten, denn hinfort würde es einen untergeordneten Teil seines Lebens ausmachen.

Wer die Stufe seiner Suche erreicht hat, auf der die Meditation alle Gedanken auf den einzigen Ichgedanken reduziert, und dann gerade diesen Gedanken tapfer in das scheinbare Nichts zurückstößt, aus dem er entstanden ist, dem wird gleichfalls durch den Herrn gesagt werden, daß er sein Ego behalten darf und es nicht zu töten braucht. Er darf sein persönliches Leben in dieser Welt ausleben; denn es wird nicht mehr als den rechtmäßigen Platz in seinen Wertschätzungen einnehmen, und er wird verstehen, daß er hinfort nichts anderes als ein Vermittler ist.

Heiligkeit ist daher einfach Harmonie. Sie bedeutet, das unablässige Streben des Ich nach diesem und jenem anzuhalten, jede Stunde und jedes Jahr fortan den beglückenden Anregungen des Überselbst zu unterwerfen.

Aber wir erlangen diesen gesegneten Zustand nicht, bevor wir gelitten haben; denn eine solche Selbstübergabe ist ungeheuer schwer für menschliche Wesen zu erreichen, solange sie noch Menschen sind, und sie bringen sie nur zustande, wenn sie wissen, daß sie *müssen*. Sie verstehen dann, daß die höhere Macht, die sie bis hierher gezogen hat, ihnen nicht erlauben wird, haltzumachen; sie wird sie in pfadlose, unpersönliche Regionen jagen, wie Francis Thompson in seinem wundervollen Gedicht «The Hound of Heaven» gezeigt hat.

Dieser Zustand der Ichverschmelzung mit dem Überselbst wurde deutlich durch den Apostel Paulus beschrieben, als er sagte: «Ich bin mit Christus gekreuzigt worden, dennoch lebe ich; aber nicht mehr ich lebe, sondern Christus lebt in mir.» Diese Behauptung wird klar, wenn wir begreifen, daß er in seinem eigenen Verstande Christus nicht mit der physischen Persönlichkeit Jesu identifizierte, *der er nie begegnet war*, sondern mit dem Christusgeist, der in allen Menschen lebt. Die Kreuzigung, die er erwähnt, war in seinem eigenen Falle und wird in unserm sein die Kreuzigung des Egoismus, die Opferung der abgetrennten Individualität. Sein Christus ist die verborgene Wirklichkeit, die jedem Ich zugrunde liegt. Dadurch, daß er seine göttliche Identität verwirklichte, fiel der Mittelpunkt seines persönlichen Kreises mit dem Mittelpunkt des universalen Kreises zusammen, der unendlich ist.

Ein Opfer kann nicht richtig verstanden werden, wenn es nur auf äußerliche Gebärden beschränkt ist. Es ist zunächst ein inneres *Ereignis*. Es kann oder kann nicht zu einem äußeren Akt werden; aber das ist nicht der wichtigste Teil. Jedes Menschen Schicksal nimmt seinen besonderen Weg. Während einige alles, was sichtbar und wertvoll ist, verlieren, wenn sie ihre alte Lehenspflicht zugunsten der Persönlichkeit auflösen, mögen andere Königreiche in die Hände gelegt bekommen, wenn sie eine neue Lehenspflicht mit der Gottheit eingehen. Diese Ereignisse können nicht nach dem äußeren Anschein beurteilt werden. Geheimnisvoll sind die Wirkungen des Überselbst.

Wie Abrahams Leiden endete, als er sein befreites Kind vom Opferaltar wegführte, so verschwindet das Leiden, das die Selbstverleugnung häufig auferlegt, wenn die ausgleichende Anpassung des inneren Lebens vervollständigt ist. Je heftiger der Kampf gewesen ist, desto größer wird das Gefühl des Friedens sein, das an seine Stelle tritt. Dieses Gefühl innerer Erleichterung ist immer ein Zeichen, daß das Opfer ein richtiges war und daß das Überselbst die Wunde gelindert hat. Alle persönlichen Schmerzen werden vermindert, wenn sie in das Licht des Absoluten gebracht werden.

Wenn ein Mensch sein möglichstes getan hat, um diese Analysen zu verstehen und diese Übungen mit Treue und Ausdauer zu verfolgen, dann muß er lernen, geduldig auf den Augenblick zu warten, wo seine Anstrengungen in wirkliche Erleuchtung ausreifen. Er mag Stimmungen der Niedergeschlagenheit erleben und ein Gefühl des Fehlschlagens — ohne Rückschläge —; aber diese bilden keinen Grund, die hohe Suche aufzugeben. Auf eine Sache kann er sich verlassen: das, was ihm zukommt, wird ihm am Ende nicht vorenthalten werden. Es gibt eine geeignete Stunde, einen vollkommenen Augenblick für alle Ereignisse, alle inneren Geschehnisse. Dies trifft besonders bei geistiger Erleuchtung oder psychologischen Umwälzungen zu. Wenn sie zu früh kommen, verwerfen wir sie; kommen sie zu spät, weisen wir sie zurück. Sie müssen zur richtigen Stunde kommen, was bedeutet, daß sie aus uns selber kommen müssen. Wenn sie jedoch kommen, wird eine deutliche Veränderung eintreten, selbst wenn die Tore des Himmels nicht länger als fünf Minuten geöffnet sind. Denn weiß der Mensch nun nicht, daß das Überselbst wirklich existiert und keine bloße Erdichtung von irgend jemandes Phantasie ist? Ist nicht seine fürchterliche Intensität die höchste Wirklichkeit aller Wirklichkeiten? Und in seiner beseligenden Berührung findet er den endgültigen Beweis, daß die Arbeit seiner einsamen Meditationen nicht vergeblich war und daß die göttlichen Mächte dem Menschen gegenüber nicht gänzlich gleichgültig sind.

Menschen, die dieser geheimnisvollen Lehre mißtrauen, behaupten manchmal, daß deren Vergöttlichung des Selbst ein Versuch sei, Gott der menschlichen Persönlichkeit gleichzusetzen und die Gottheit zu entthronen, um einen Teil ihrer Schöpfung zu verehren. Dies ist ein Mißverständnis. Wer immer des Erlebnisses einer Berührung der Tiefen seines innersten Seins teilhaftig wird, kann nur mit noch größerer

Verehrung für Gott daraus hervorgehen. Er erkennt seine Hilflosigkeit und Abhängigkeit, wenn er an jenes größere Wesen denkt, von dem er die eigentliche Erlaubnis seines Daseins herleitet. Anstatt das persönliche Selbst zu vergöttern, hat er es vollständig gedemütigt. Das Selbst im gewöhnlichen Sinne muß in der Tat abgeworfen werden, damit Gott eingehen kann. Die neutestamentliche Geschichte vom verlorenen Sohn ist gleichfalls die Geschichte des verlorenen Egoselbst. Der Vater, der verlassen wurde, ist nichts anderes als das Überselbst. Wie rebellisch und eigensinnig das Ego auf der Suche nach äußeren Gütern und Befriedigungen auch wird: es ist dennoch aus den Lenden des Überselbst hervorgegangen. Der reumütige verlorene Sohn in der Erzählung war überrascht, daß der Vater seine Rückkehr nicht mit harten Worten begrüßte, sondern ihn im Gegenteil an seine Brust nahm und küßte. Wenn das Egoselbst sich nach innen wendet und die Rückreise nach dem Überselbst antritt, hat die Liebe des Überselbst ihre Eroberung begonnen, und sie ist eigentlich das, was den Verlorenen heimwärts zieht. Und wenn die beiden sich begegnen im Augenblick der Einweihung, so gibt es auch hier keine harten Worte, sondern nur Tränen der Erkenntnis und die Wärme der Liebe. Hier allein, in dieser reuigen Rückkehr und Selbstübergabe, entziffert der Mensch die letzten Buchstaben der Botschaft seines Seins.

So kommen wir bei der altehrwürdigen Wahrheit an, der die Zunge so manchen Sehers Ausdruck gegeben hat: daß ohne dieses tiefere, inspirierte Leben des Geistes der Mensch innerlich zugrunde gehen oder im besten Falle ein Dasein führen muß, das eine trübe Karikatur des viel höheren ist, das ihm offensteht. Und sogar jene, welche die große und tiefe Schweigsamkeit des Überselbst nicht verstehen und die geheime Quelle nicht sehen können, der sie ihr Dasein entnehmen, noch die Windungen ihres Lebenslaufes über jenen geheimnisvollen Augenblick hinaus, der das schicksalhafte physische Ende bestimmt, verfolgen können — sogar solche können den Worten dieser höheren Menschen trauen, die der

Menschheit als Lehrer gesandt wurden, und dürfen glauben, daß eine lebendige Gottheit im Hintergrund der Dinge wohnt.

Lange bevor er tatsächlich zu der verborgenen Wirklichkeit vordringt, wird der Mensch, der sich auf diese Suche eingelassen hat, eine feine innere Anziehung fühlen, die ihn dann und wann geistig ablenkt. Dies ist wirklich der Zug zu seinem tieferen Selbst und drückt die Zentripetalkraft des Überselbst aus. Nicht erst am Ziel machen sich auffallende und fühlbare Resultate dieser Übungen bemerkbar. Was der Adept und der Weise dort findet, können alle Menschen in einem geringeren Grade auf früheren Stufen dieser Suche finden. Die kurze Zeit der täglichen Zurückgezogenheit, verbunden mit dauernder Anwendung der Methode, die im vorhergehenden Kapitel erklärt wurde, wird allmählich das persönliche Ego veranlassen, in gewissem Umfang zur Seite zu treten und höhere Kräfte wirksam werden zu lassen. Hilfe der Vorsehung und außergewöhnliche Führung werden vielleicht aus eigenem Antrieb erscheinen. Ohne den Fuß oder den Finger zu rühren, kann der Mensch, der angefangen hat, mit dem Überselbst in Verbindung zu treten, das, was ihm wirklich not tut, gerade vor seiner Türschwelle finden, und dies immer im psychologisch notwendigen Augenblick. Das bezieht sich auf seine geistigen Nöte ebensosehr wie auf seine materiellen.

Belastet ein solcher Begriff unsere Gläubigkeit zu sehr? Warum sollte die Macht, die das Weltall trägt, nicht auch fähig sein, einen Menschen aufrechtzuerhalten? Ihr geheimnisvoller Strom fließt unaufhörlich unter dem persönlichen Dasein jeder lebenden Kreatur. Der physische Körper könnte als Organismus nicht weiterarbeiten, wenn nicht das Überselbst in jedem Molekül seines Fleisches zugegen wäre. Denn das Überselbst als Geist ist die Quelle des Lebens, eine Quelle, die unendlich ist und durch alle Dinge und Wesen fließt. Ihre stille Tätigkeit erhält das ganze materielle Weltall in einem fortwährenden Zustand der Zeugung; dies ist der Grund, warum es nirgends einen wirklichen Tod gibt. Es ist ein erstaunliches, aber allgemein gültiges Paradoxon, daß das nirgendwo sichtbare Überselbst überall zugegen ist. Wissenschaftlich gesprochen, gibt es eigentlich keine Materie, und Raum ist Wirklichkeit. Ein angesehener Wissenschaftler hat kürzlich darauf hingewiesen, daß die Porosität des Atoms so beschaffen ist, daß, wenn wir den ganzen unausgefüllten Raum in einem menschlichen Körper ausscheiden und des letzteren Protonen und Elektronen zu einem einzigen Haufen sammeln würden, der ganze Körper zu einem winzigen Flecken zusammenschmölze, der nur durch eine vergrößernde Linse sichtbar wäre. So fundamental und umfassend ist das Überselbst, daß es allen Raum in Besitz nimmt.

Dies ist nicht Annahme, sondern festgestelltes Wissen, nicht Theorie, sondern Erfahrung. Es würde vor einem Jahrhundert noch Unsinn geschienen haben, solche Dinge zu behaupten; heute ist es beinahe vernünftig geworden, es zu tun. Wie Damenhüte fallen sogar Philosophien aus der Gunst. Die alten Lehren des mechanischen Materialismus sind ihrem Schicksalstag begegnet. Zeit und Wahrheit haben sich zusammengetan, sie zu Fall zu bringen. Die Naturwissenschaft weiß jetzt, daß es so etwas wie den leeren Raum nicht gibt, sondern ein unermeßliches verborgenes Weltall *lebendiger Energie*, welche die geheime Wurzel der Materie ist. Kurz: das Überselbst umfaßt uns alle, und Unkenntnis darüber muß uns selbst zur Last gelegt werden.

Überdies ist das Überselbst während der drei Zustände des menschlichen Lebens — dem wachen, dem träumenden und dem tiefen Schlafzustand — zugegen. Wäre es anders, würden wir nie diese Zustände gewahr werden, und ein Dasein wäre in keinem derselben möglich. Vom Standpunkt des Überselbst entschwindet das Bewußtsein in keinem der drei Zustände, deren Totalität die Lebenden umfaßt und deren zwei für die «Toten» Gültigkeit haben. Das Überselbst ist Zeuge von allen dreien, die ihm überlagert sind, es aber nie überwältigen können. Die Anerkennung seiner Gegenwart und Macht ist jedoch notwendig, bevor eine Teilnahme an seiner Tätigkeit möglich ist. Die Anwendung der schon beschriebenen Technik zerstört alle lähmende Furcht und offenbart ein höheres Element, das in unserm Leben am Werke ist. Diese Technik kann auf alle menschlichen Probleme angewandt werden; denn wenn es eine praktische Lösung für sie gibt, wird die innere Weisheit einen unfehlbar anleiten, die richtigen praktischen Maßnahmen zu ergreifen; wenn aber die Umstände so verwirrt sind, daß zurzeit kein sichtbarer Ausweg verfügbar ist, wird einem die Kraft gegeben werden, sie zu ertragen, bis sie vorübergehen, und geistig über ihnen zu stehen.

«Ich besitze zahlreiche Beweise des göttlichen Schutzes über mir, besonders während der Revolution, über die ich im voraus nicht ohne Andeutungen war. ... Mit einem Wort: für mich ist es Friede, und dieser ist mit mir, wo immer ich auch bin. An dem berühmten 10. August, an dem ich in Paris eingeschlossen war und die Straßen den ganzen Tag inmitten großen Tumultes durchwanderte, hatte ich so deutliche Beweise von dem, was ich Ihnen erzähle, daß ich bis in den Staub gedemütigt war. ... Meine Ungewißheit, meine Entbehrungen, meine Leiden regen mich nicht auf, obgleich sie mich betrüben. *Ich bin mir inmitten all dieser dunklen Qual bewußt, daß ein geheimer Faden an mir befestigt ist zu meiner Errettung.*»

Diese Worte sind bemerkenswert. Sie wurden in einem privaten Briefe von Louis Claude de St-Martin, dem französischen Weisen des 18. Jahrhunderts, geschrieben. Er hatte eine Methode geistiger Ruhe geübt, welche Selbsterkenntnis zu ihrem Ziel machte. Viele Jahre später, als er sich dem Ende seines Lebens näherte, konnte er noch bezeugen: «Mein körperliches und geistiges Leben war zu sehr von der Vorsehung behütet, als daß ich irgend etwas anderes als Dankbarkeit auszudrücken hätte.»

Es lohnt sich, noch einmal zu wiederholen, daß die Wohltaten dieser Methode lange bevor das Ziel in Sicht ist, in Erscheinung treten. Es wurde hier nicht geschrieben für Menschen, die gerne ein Krischna oder Christus sein möchten, sondern vielmehr für die vielen Millionen, die durch das moderne Stadtleben eingeschlossen und in das materialistische Dasein von Bureau, Fabrik, Geschäft und Straße gebannt sind. Nirvana ist nicht leicht zu erlangen; aber viele könnten ihm näherkommen, und eine Erreichung wie die auf diesen Seiten dargestellte wird mehr als genügend sein. Viele könnten einen befriedigenden Grad von Konzentration, Heiterkeit, Weisheit und Macht weit über den Durchschnitt hinaus finden. Gerade wie eine Lampe, die in einer dunklen Nacht über einer Straße aufgehängt ist, einen Raum weit über sich hinaus beleuchtet, wobei das Licht matter wird, je weiter es sich ausbreitet, so fängt auch der Mensch, der sich dem Überselbst nähert, an, etwas von dessen Eigenschaften und Kräften widerzuspiegeln, lange bevor er bereit ist, in seinen vollen Glanz einzugehen.

Bewaffnet mit dieser Methode, kann man alle schwächenden und schädlichen Gedanken aus dem Bewußtsein vertreiben. Man kann alle lähmenden Sorgen herausfordern und rasche Siege über niederdrückende Stimmungen davontragen. Den Anforderungen dieser Technik entsprechen, heißt ihre einzigartigen Wohltaten genießen. Enttäuschung kann überwunden werden, und man kann lernen, aus Quellen höherer Kraft zu schöpfen und die Hälfte aller Furchterscheinungen zu bannen, die das menschliche Leben verfolgen. Sorgen sind unausbleiblich; aber sie können gefangen und eingesperrt werden.

Der schweigend arbeitende Geist ist unsere Verbindung mit dem Überselbst, dem Schöpfer des äußeren menschlichen Lebens. Daher muß diese Methode sofort angewandt werden, wenn eine schwierige Situation entsteht oder eine unangenehme uns gegenübertritt. Die gewöhnlich vorgebrachten Einflüsterungen sollten zurückgewiesen werden; sie sollten geistig entkräftet werden dadurch, daß man sich dem göttlichen Gesichtspunkt der Situation zuwendet. Dieser Gesichtspunkt kann durch Nachinnenwendung des Geistes und richtige Fragestellung erlangt werden, wie es im vorigen Kapitel erklärt wurde.

Man löst sich aus solchen Situationen, indem man aufhört, sich ihnen im Geiste zu unterwerfen, sich mit ihnen zu identifizieren und indem man sie vorübergehend, wenn auch nur für ein paar Augenblicke, aus dem Felde des Bewußtseins vertreibt. Wenn ein Mensch zu sich selbst sagt: «Ich bin unglücklich», so legt er seinen Geist in Ketten. Wenn er jedoch der Herausforderung solcher Umstände entgegentritt, indem er hartnäckig denkt: «Wem ist dieses Unglück begegnet?», steht er zugleich seiner dunklen Stimmung objektiv gegenüber. Solche genau bestimmten Fragen vernichten solche Stimmungen, weil sie einen Prozeß in Gang bringen, der zur Zerstörung deren eigentlicher Grundlage, nämlich der Identifizierung mit ihnen, führt. Obgleich die hohe Suche als ein verstandesmäßiger Prozeß beginnt, wird sie, wenn sie treu verfolgt wird, als ein Zustand unwillkürlichen geistigen Seins enden. Die Notwendigkeit, sich, wenn auch nur kurz, nach innen zurückzuziehen und die schweigende Antwort abzuwarten, besteht wirklich; denn die Anerkennung des wahren Selbst weist die falsche Auffassung zurück, daß die körperlichen und seelischen Stimmungen seine eigenen seien. Auf diese Art kann der schwerste Kummer in psychologischer Distanz gehalten werden.

Das wahre Selbst ist auch durch die schrecklichsten Umstände niemals bestürzt. Es verleiht die Herrschaft über das Dasein, sobald man das Denken vom rein persönlichen Standpunkt aus ändert und einen höheren ergreift. Jeder Mensch kann im Spiegel das Antlitz dessen sehen, der sein bester Freund oder sein schlimmster Feind sein kann. Denn jeder Mensch besitzt das Eigentumsrecht auf seinen Geist, und er ist allein verantwortlich für die Gedanken, die jener hervorbringt. Ein bejahender Geisteszustand kann durch Gewohnheit erlangt werden, gerade wie die meisten Menschen auch ihren negativen Zustand durch törichte Gewohnheit erworben haben.

Die göttliche Intelligenz im Menschen kann mit all seinen Problemen fertig werden; denn sie ist weiser als er. Wenn Verzweiflung unaufhaltsam an die Türen seines Herzens pocht, ist die Zeit gekommen, seine Angelegenheiten dem Überselbst auszuhändigen. Er kann dies tun, indem er seinen Geist so rasch wie möglich zurück nach innen wendet und an dieser Zurückwendung trotz allen Widerstandes festhält, bis er den inneren Kern der Stille erreicht hat, wo geheimnisvolle Hilfe seiner wartet. Er sollte von dieser Stille so absorbiert werden, daß das schmerzliche Problem, das sein Ausgangspunkt war, für wenige Minuten oder sogar länger vergessen wird. Ein solches Vergessen tritt immer ein, wenn das persönliche Ego durch das Überselbst gefangen und festgehalten wird. *Selbst zwei Sekunden dieses Vergessens werden genügen, um bedeutende Resultate zu bringen.*

Diese Tat erfolgreich auszuführen, erfordert nicht selten, daß alle entgegengesetzten Sinnenbeweise aufgegeben werden; denn der inneren Gottheit muß man sich mit demütiger Hoffnung und mit Vertrauen nähern. Prüfung, Sorge oder Versuchung werden von selbst von der Seele abfallen; doch die Stunde ihres äußeren Verschwindens hängt von der Genehmigung des Schicksals ab. Aber man sollte sich immer in das mentale Schweigen zurückziehen, sooft man stärkerer Hilfe bedarf, als der Intellekt oder äußere Mittel verschaffen können.

Es gibt kein Gebiet des menschlichen Lebens, auf dem diese Wahrheiten nicht praktisch anwendbar wären. Geschäfte versagen, Stellungen gehen verloren, Aktien sinken im Werte und Krankheiten erschöpfen den Körper; aber der innere Schutz, der aus der Gemeinschaft mit dem Überselbst hervorgeht, wird den Menschen nie im Stiche lassen, nie entwertet werden und kann nicht verlorengehen, es sei denn, daß der Mensch selbst ihn eigenwillig leugnet. Ob man in die öden Ebenen Zentralasiens oder in das Gedränge einer amerikanischen Großstadt wandert: er wird eine nie versagende Quelle moralischer Unterstützung und materieller Vorsorge sein, die Ereignisse und Personen auf wunderbare Weise zu des Menschen Hilfe in Bewegung setzt.

Wir müssen uns jedoch vor Selbsttäuschung hüten. Wenn die innere Gemeinschaft nicht wirklich fest begründet ist, wird alles Gerede über sie zu bloßer geistiger Flugkunst, zu einem Mißklang von hohlen Worten, die nur zu Täuschungen führen. Diese Ideen sind gar nichts wert, wenn sie nicht ausführbar sind oder keine wirksamen Resultate hervorbringen können.

Leidenschaften, die sonst unbeherrschbar sind, können gebändigt werden, indem man den Geist in Übereinstimmung mit dem Überselbst bringt. Jede Leidenschaft oder störende Begierde kann während ihres Entstehens überwunden und unter Kontrolle gebracht werden durch vollständige Stillung des Geistes. Der Prozeß ist von rascher, oft augenblicklicher Wirkung. Sobald man gewahr wird, daß man seine Selbstbeherrschung verliert, sollte der Gedanke nach innen gekehrt und stillgehalten werden, so still, wie es nur sein kann. Dieser Akt wird gleichzeitig die Leidenschaft beruhigen. Die Ursache ist einfach, aber wenig bekannt. Alle Begierden und Leidenschaften haben ihre wahre Wurzel nicht allein im physischen Körper, wie wir gewöhnlich annehmen, sondern in den *mentalen Gewohnheiten,* welche die körperlichen Tätigkeiten geschaffen haben. Sie müssen im Geiste (mind) überwunden werden und werden niemals irgendwo anders überwunden werden. Dies ist der Grund, warum physische Askese so oft vergeblich ist und sogar zu sinnlichen Reaktionen führt, wenn das Steuer der Willenskraft beseitigt ist.

Diese spontane Stille des Geistes sollte dem, der diese Methode treu geübt hat, äußerst leicht werden, und er wird sich stets eines höheren Elementes bewußt werden, das gleichzeitig mit einer persönlichen Begierde in seinem Bewußtsein aufsteigt.

Die letzten Worte über diese Methode müssen sein, daß jeder, der sich selbst in Ordnung bringt, auch automatisch sein ganzes Leben in Ordnung bringt. «Laßt uns den Anfang ergreifen, und wir werden mit Schnelligkeit unsern Weg durch alles andere zurücklegen», war der ernste Rat des Oberpriesters des Amon-Ra im alten Ägypten. Er meinte nichts anderes als das, was hier geschrieben worden ist: daß, indem man sich mit dem Überselbst, der ersten Grundlage aller Dinge, in Einklang bringt, das individuelle Dasein höhere Unterstützung erhält.

Das Schicksal hat in all diesen Angelegenheiten ein Wort mitzusprechen; denn es ist eine treibende Kraft, die so wirklich ist wie die Elektrizität. Nichtsdestoweniger arbeitet es in Harmonie mit dem Überselbst, da das Ziel beider das gleiche ist. Der Mensch muß und wird erlöst werden.

Wer versteht, wann er dem Schicksal nachgeben und wann er ihm widerstehen muß, ist dessen wahrer Überwinder.

Es ist nicht immer klug, im voraus befehlen zu wollen, auf welche Art eine Schwierigkeit gelöst werden soll; denn die Früchte seines Wunsches können enttäuschend sein. Das Überselbst weiß es und weiß es am besten; warum sollten wir ihm nicht vertrauen? Solange man seine Pflicht tut, entsprechend dem Lichte, das einem gewährt ist, kann man dem Überselbst ruhig alle Fragen über Wege und Mittel überlassen. Es allein weiß unsere Nöte mit den Machtsprüchen des Schicksals in Einklang zu bringen und Lösungen herbeizuführen, die am Ende die besten sind.

«Was werden wird, wird werden! Es ist die Hand Allahs; lasset uns nicht klagen», murmelt der fatalistische Mohammedaner in Zeiten der Not, indem er seine Augen zu den Sternen emporhebt. Aber wir Europäer und Amerikaner sind Rebellen; denn wir erfassen instinktiv die Wahrheit, daß die Hand Allahs keine andere als unsere eigene ist; wir erfassen jedoch weniger bereitwillig die ergänzende und so deutlich von Jesus ausgesprochene Wahrheit, daß wir ernten werden, was wir gesät haben. Ohne das Prinzip wiederholter Wiederverkörperungen wird jedoch das Schicksal sinnlos, Jesu Worte unwahr und alles Leben eine überflüssige Farce.

Die Ausübung dieser Methode hat nichts mit Magie zu tun.

Es ist ein Fehler der meisten Anfänger, die Suche nach dem Überselbst mit der Suche nach okkulten Kräften zu verwechseln. Der Abgrund zwischen den beiden ist nicht so augenscheinlich auf den früheren Stufen, wird aber späterhin außerordentlich weit. Die großartige und doch einfache Wahrheit, daß der Mensch seinem Wesen nach göttlich ist, so großartig und so einfach wie die dorischen Säulen eines griechischen Tempels, kann gelernt werden, ohne in die sonderbaren, komplizierten Labyrinthe des Okkultismus zu wandern. Es ist auch wirklich eine tadelnswerte Auffassung, die uns in unheimlichen und phantastischen Studien, in geisterhaften und gräßlichen Experimenten herumpfuschen oder unter Gespenstern und Kobolden umherstreifen lassen möchte, um das, was im Menschen ursprünglich edel und schön ist, zu entdecken. Wer so handelt, fängt damit an, daß er seinen geistigen Weg verliert, und endet manchmal damit, daß er seinen Verstand verliert.

Die Wahrheit wird nie durch Zauberei oder Wunder bestätigt. Sie muß stehen oder fallen durch ihr eigenes Werk, ihre eigene, erhabene Vernunft und hohe Wirksamkeit.

Angebliche Okkultisten vergessen oder wissen nicht, daß die höchste Kraft, die alle okkulten Kräfte unterstützt, die eigene Kraft des Überselbst ist. In ihr haben alle geringen Kräfte ihren Ursprung. Es ist sicherer und vernünftiger, direkt zu der Quelle zu gehen, als nach flüchtigen Fähigkeiten und gefährlichen Gaben zu streben. In dem dämmernden Reich des Okkultismus verliert der Mensch leicht seinen Weg und hat ihn nicht ohne Leid wieder zurückzugehen. Außerdem sind diese übernormalen Kräfte nicht weniger kostspielig zu gewinnen als die höheren Früchte der Gewinnung des Überselbstes.

Initiation in das Überselbst wird oft mit sensationellen psychischen Erlebnissen verwechselt. Diese Einweihung ist eine innere und unaussprechliche Erfahrung, die keine wörtliche Effekthascherei, theatralischen Zeremonien und keine okkulte Geheimniskrämerei verleihen können. Sie ist ungeheuer und außergewöhnlich, heilig und schön, und kein Gold kann sie je erkaufen. Sie allein weiht die Menschen zu wahren Aposteln und Priestern.

Wenn physische und okkulte Studien auf diese Weise herabgesetzt werden, soll damit nicht gesagt sein, daß sie ohne Wert sind. Sie tragen dazu bei, die wissenschaftliche Neugier und das volkstümliche Staunen zu befriedigen; sie können vielleicht sogar dem rohen Materialismus das Rückgrat brechen. Aber sie sollten nur von geübten Forschern untersucht werden; sie verdienen gewiß nicht unser Leben.

Jesus sprach die volle Wahrheit, als er sagte, daß alle diese Dinge uns hinzugegeben würden, wenn wir das Königreich des Himmels zuerst suchten. Jeder, der das göttliche Königreich entdeckt, wird auch entdecken, daß außergewöhnliche Dinge sich zu ereignen beginnen und unerwartete Wunder sich auf dem Kalender seines Lebens verzeichnen. Aber in diesem Falle kommen sie ungesucht, gänzlich aus eigenem Antrieb, unmittelbar aus der geheimnisvollen, schweigenden Tätigkeit des Überselbst. Der Suchende hat nicht nach ihnen gestrebt, und so kommen sie auf rechte Weise, leicht und ohne Schaden für ihn selbst oder andere. Gerade wie eine edle Blume sich der Schönheit, die sie offenbart, oder des Duftes, den sie ausströmt, nicht bewußt ist, so ist auch der wahrhaft geistige Mensch sich selten *persönlich* der Magie bewußt, die er wirkt, ebensowenig wie des Guten, das er tut, oder der Hilfe, die er erteilt.

Das Gleichgewicht, das aus der geistigen Ruhe gewonnen wird, kann nicht überschätzt werden. Krankenhäuser könnten leerer, Asyle weniger voll und zahllose Heime viel glücklicher werden, wenn sie allgemein geübt würde.

In diesen Tagen des Durcheinanders, Widerstreites und Schreckens wird der Besitz eines ausgeglichenen Geistes, innerer Ruhe und gereifter Weisheit, eines Sinnes für echte Werte nicht ohne Vorteil sein. Amerika, ein vom Herzschlag physischer und geistiger Energie erfülltes Land, bedarf dieser Eigenschaft innerer Stille noch mehr als selbst Europa. Aufregung, unbegründete Hast und Überangst schwinden aus dem Wörterbuch des Seins, wenn man seine Zuflucht zu geistiger Ruhe nimmt. Sie versorgt den Menschen mit einem ermutigenden philosophischen Ausblick, der seine Leistungsfähigkeit steigert, statt sie zu vermindern.

Der weise Mensch wandelt jeden Widerstand in Gelegenheit um. Die Fehler derer, mit denen das Schicksal ihn in unabänderliche Berührung gebracht hat, werden zum Schleifstein seiner eigenen Tugenden. Er begegnet ihrer Reizbarkeit mit der sublimen Geduld, die sogleich aufquillt, wenn er die Aufmerksamkeit auf das innere Selbst einschaltet. Er verschlimmert die Dinge nicht durch übermäßiges Verweilen in negativen, kritischen Gedanken. Er lebt seine Überzeugung und wandelt seine Prinzipien in Praxis um. Er wird nicht nur seine Freunde und Geliebten, sondern auch seine Feinde der gütigen Fürsorge des Überselbst anvertrauen. Er weiß, daß wir durch Vergebung mehr gewinnen als verlieren. Wer Haßgefühle nährt, ist blind und bemerkt nicht, daß er sein Festhalten an altem Unrecht wird bezahlen müssen. So wird der Mensch ein geheimer Bote des Überselbst an alle, denen er begegnet. In seinem Geist ist eine göttliche Botschaft für jeden von ihnen; aber es sei denn, daß sie demütig danach verlangen, bleibt die Botschaft ungeboren.

Die Möglichkeiten inspirierter Handlung und reibungsloser Tätigkeit sind wenig bekannt. Wir machen uns nicht klar, welch ungeheure Vollendung dem verinnerlichten Menschen möglich ist. Das Göttliche und das Praktische sind nicht notwendig unvereinbar. Der moderne Mystiker kann das Leben als Teilnehmer, nicht bloß als Erkennender betrachten. Er hat keine Angst, sich in Tätigkeit zu stürzen. Er weiß, daß, wenn er auf seine Gedanken achtet, die Handlungen für sich selbst sorgen werden, und daß alles, was im Geiste erobert ist, auch schon in der Tat erobert ist und rechte Früchte tragen muß, wie ein Baum Äpfel trägt. Er braucht weder sich selbst noch andere durch Annahme mönchischer Askese zu täuschen, die den Bedürfnissen früherer Epochen angehört. Die Welt ist sein Kloster, das Leben sein geistiger Lehrer, die aus ihm gewonnenen Erfahrungen bilden den Lehrstoff seines Studiums.

Tief in die Dinge dieser Welt versunkene Menschen haben ihren Weg zum Überselbst gefunden. Sie bewahren innere Ruhe im Drang der Geschäfte. Diese kritische Stunde der Weltgeschichte bedarf vieler solcher geistig erleuchteter Menschen, die das Weltliche mit dem Heiligen in Einklang bringen und deren komplexe moderne Naturen auch subtile Geistigkeit aufnehmen können: Menschen, welche aus ihrer Verpuppung in die öffentliche Meinung ausbrechen, um das innere Licht kundzutun. Es mangelt an solchen, die den Dienst an der Menschheit ebensosehr suchen wie ihren eigenen Erfolg. «Erzeugt große Persönlichkeiten; alles andere ergibt sich von selbst», rief Walt Whitman.

Ein jeder, in dessen Innerem praktischer Sinn und transzendenter Geist zusammentreffen, wird genug Gelegenheiten zum Dienen finden. Abseits von seiner selbst gewählten täglichen Arbeit oder schicksalsmäßigen Sphäre der Tätigkeit, wird er immer von denen aufgesucht werden, die in Verzweiflung straucheln oder nach einem Lichtstrahl in der Dunkelheit des Lebens tasten. Er wird ein Zufluchtsort werden und ein Mittelpunkt ständiger Hilfe. Seine Worte werden nie nutzlos in die Weite verhallen; im Gegenteil, solange ein Mensch nicht von diesem göttlicheren Leben kündet, wird ihm nur ein Stammeln gelingen. Ob geschrieben oder gesprochen, werden seine Worte eine befreiende Wirkung auf einige, eine inspirierende auf andere haben; aber sie können auch wie stachelige Pfeile schmerzhaft im Geiste mancher haften bleiben. Jedes Wort wird eine lebendige, schöpferische Kraft, ein magischer Übermittler von Licht und Macht, das sogar über die fünf Kontinente reisen wird, um jene Personen zu erreichen, die wahrscheinlich aus ihm Nutzen ziehen werden.

Der Ausgangspunkt dieses Suchens ist, wo wir uns befinden und was wir sind. Der Endpunkt ist der gleiche. Religion,

Mystik, Kunst, Wissenschaft und Philosophie sind nur indirekte Wege; denn das Ergebnis, daß man sich selbst gegenübersteht, kann schließlich nicht vermieden werden. Deshalb können wir uns nie zu früh an diese Aufgabe begeben. Die Arbeit muß schließlich gelingen, weil das Unendliche in uns enthalten ist, wie Salz im Meerwasser. Die mühsame Arbeit der Aufgabe der Persönlichkeit ist nicht notwendigerweise langweilig; aber sie ist auch kein Steckenpferd für müßige Stunden. Kein Abenteuer ist so erhaben. Nichtsdestoweniger ist unser Gehirn eigenwillig, und die Gedanken kommen nicht auf unsern Wunsch zur Ruhe. Die alltägliche Übung ist notwendig, um sie zu beherrschen. Das hier gegebene Verfahren wird die gewöhnliche Funktion des Verstandes zu einem höheren Gebrauch anwenden und in einen wirksamen Durchgang für das Überselbst umwandeln. Die gewohnte Fähigkeit des Denkens wird zum Schluß durch einen tieferen Teil unseres Wesens übernommen werden; sie wird bewegungslos gehalten, während wir das weite, freie Schweigen um uns her gewahr werden. Dies ist möglich, weil das Leben und die Arbeit des Verstandes zuletzt aus dem Überselbst stammen. Nicht, daß wir fähig sein werden, ohne Gedanken zu leben — wir werden so weit denken, als das Geschäft des Lebens es verlangt; *aber wir werden imstande sein, innerhalb dieser Gedanken unsere innere Erfahrung der Wirklichkeit völlig lebendig zu erhalten.* Das Resultat wird notwendig darin bestehen, daß dieses Gedankenleben eine ungewöhnliche Kraft und Macht und eine ganz andere Bedeutung als das gewohnte, uninspirierte Denken erhält. Auf diese Weise können wir eine schöne Harmonie zwischen dem Leben des Geistes und dem Leben in der Welt aufrechterhalten und keinen Widerspruch zwischen beiden finden.

Niemand, der dieses ausgeglichene Leben zustande bringt, wird ein sentimentaler Schwätzer werden, der auf einem Meer von Gefühlen umhertreibt und nichts von schöpferischem Wert für sich oder die Menschheit leistet. Die Ebbe und Flut emotionaler Ekstase, das Steigen und Fallen persön-

lichen Entzückens sind armselige Dinge neben der Erhabenheit des unveränderlichen Friedens des Überselbst. Alle religiösen Ekstasen müssen vorübergehen, alle psychischen Visionen
schwinden; aber die Stille des Überselbst kann für immer in
einem Menschen bleiben, weil sie selbst das immer Lebendige ist.

Wer eine einzige Stunde solch überweltlicher Klarheit erlebt, wird die tiefe Bedeutung, die hinter dem geheimnisvoll
erhabenen Ausdruck, der sogar jetzt noch auf dem verstüm-
melten Antlitz der ägyptischen Sphinx liegt, still erfahren.
Er wird in das Geheimnis des seligen Lächelns eindringen, das
die stummen Lippen der gigantischen Buddhastatue in Japan
umspielt. Er wird auch verstehen, warum ein gewisses Bild
in einem gewissen Palast in Florenz sensitive Besucher Ita-
liens in stummer Ehrfurcht gebannt hält.

Er wird dann vielleicht verstehen, daß die Wahrheit eine
Göttin ist, die auf einem hohen Piedestal sitzt, erhaben über
die laute Menge. Sie ist bereit, alle Menschen zu empfangen;
aber nicht alle Menschen sind bereit, die Wahrheit zu empfangen. Die Welt muß sich demütigen und sie umwerben;
denn sie wird nicht herabsteigen, um die Welt zu umwerben.
Einige, die ihre huldvolle Gnade erfahren haben, die in ihr
Vertrauen und ihre Gesellschaft zugelassen wurden, müssen
notgedrungen zwischen ihr und der Menge als demütige Sendboten wirken.

Er wird vielleicht auch erkennen, daß das, was in sein
Leben gekommen ist, nicht ein Ding, sondern Geist ist, keine
lebendige Bewegung, sondern lebendige Stille. Worte kräuseln nur ihre Oberfläche und verhüllen ihre Wahrheit. Das
Schweigen des Überselbst ist das Anwesendsein von etwas
höchst Lebendigem, das tiefer ist als die tiefsinnigsten Worte.
Seine höchste Beredsamkeit erreicht es vielleicht unter Hima-
lajabergen und in unendlichen Wüsten. Es scheint durch das
Antlitz des Weisen hindurch, der erkannt hat, daß es oft
besser ist, nach dem Zentrum als nach auswärts zu reisen.

Toren mögen nichts von weisen Menschen lernen; aber

weise Menschen lernen viel von Toren. Sie lernen, daß die Menschheit allgemein Wortverehrung mit Verehrung verwechselt. Schweigen wird uns besser dienen als die überzeugendsten Reden.

Der Mensch, der für immer darin eingegangen ist, wird sich in keine unfruchtbaren Streitereien einlassen, noch andere einladen, bloß Worte zu worfeln; viel eher wird er sie zu neuen Gedanken und reineren Erfahrungen führen. Er wird nicht bestrebt sein, Zweifler zu bekehren oder Kleinmütige zu überzeugen; denn er versteht nun, daß jede Seele die lange Leiter des Wachstums hinaufsteigen muß und daß unausbleibliche Erfahrung sie besser lehren wird, als er es je vermöchte. Der Adept ist unendlich geduldig und zwingt seinen Willen niemandem auf.

Nichtsdestoweniger kennt er — da er ja die Einheit des Überselbst erfaßt hat — hinfort kein anderes Ziel, kann er gar kein anderes haben als das Wohlergehen aller Wesen. In seinem Herzen werden keine Unterschiede sein; aber die Notwendigkeit, sein Ziel mit größter Sparsamkeit an Mitteln und einem Minimum von Anstrengung zu erreichen, beschränkt seinen Dienst auf jene, die reif und bereit für seine Hilfe sind, die ihm nicht mit dem Widerstand höhnischer Verachtung oder niedrigen Undanks begegnen. Deshalb bewegt er sich schweigend und ruhig durch die Welt, sein geistiges Königtum unter der fleischlichen Hülle verbergend, die das Schicksal ihm gegeben hat, und seine Jünger in die allgemeine Aufmerksamkeit vorschiebend, wo immer eine öffentliche Aufgabe ausgeführt werden muß.

Solcherart ist diese uralte Suche, der die Menschheit sich gegenübergestellt sieht, diese Sehnsucht des fragmentarischen Selbst nach dem vollständigeren Überselbst. Dies ist der tiefere Sinn des Entwicklungskampfes der Lebewesen, der nach unermeßlichen Jahren aus der winzigen Amöbe den Menschen herausbildete; für dies hat das gestirnte Universum seine Äonen dauernde Arbeit geleistet; und für dies dreht sich unsere arme Erde durch unermeßliche Strecken des Raumes.

Die Natur hat uns ein Beispiel von unglaublicher Geduld gegeben. Wir können sie wohl für eine Weile nachahmen. Selbst wenn unser Fortschritt zweifelhaft und krampfartig wäre, glauben wir daran, daß diese Suche ein sicheres und göttliches Ziel hat! Das Licht kann einen flüchtigen Augenblick scheinen und uns dann des Gesichtes beraubt zurücklassen. Wir mögen eine kurze Minute mit überraschender Klarheit sehen und dann wieder blind werden. Bei allem diesem sollten wir nicht vergessen, daß Einer da ist, der über unsere Kinderkrankheiten und Wachstumsschmerzen wacht, Einer, der allgütig ist und unser glorreiches Ziel kennt. Der Triumph des ganzen Entwicklungsvorgangs wird nichts Geringeres sein als der Triumph der Liebe, weil wir alle geboren sind aus dem Schoße der höchsten Mutter, deren Liebe für uns nicht geringer ist als unsere Liebe für uns selbst.

Es macht nichts aus, wie spät diese Wahrheiten in unser Leben kommen mögen; sie kommen nie zu spät. Jesus begann seine kurze Mission, indem er der Idee der Reue eine hervorragende Stelle einräumte. Das *Neue Testament,* das seine Eröffnungsworte wiedergibt, braucht das griechische Wort *metanoia,* um diese Idee mitzuteilen. Der Sinn dieses Wortes ist eigentlich, *seine Gedanken zu ändern.* Dies ist unser dringendstes Bedürfnis. Unser Verstand ist seiner geistigen Quelle entfremdet. Ein kurzer Zeitraum täglich, der seelischen Stille gewidmet, wird diese Gedankenänderung herbeiführen.

Diese Sätze sind nicht geschrieben worden, um der Welt neue religiöse Illusionen zu bringen, oder um sie zu lehren, die Litaneien abgenutzten Aberglaubens nachzuplappern, auch nicht, um ihre vergebliche Hoffnung zu unterstützen, daß sie die Lösung ihrer materiellen Probleme dadurch finden werde, daß sie die geistigen unbeachtet läßt. Die materiellen und seelischen Leiden der Menschheit sind untrennbar von deren geistigem Ausblick. Der Autor kann diese Wahrheiten nicht deutlicher darstellen, als er es getan hat. Wer sie noch gründlicher verstehen möchte, muß versuchen, nicht nur die Worte, sondern auch das, was zwischen den Worten und was ihnen zugrunde liegt, zu verstehen. Niemals kann seine gebrochene Rede die unmittelbare und unaussprechliche Transzendenz, die uns alle umgibt, ausdrücken.

Diese Gedanken sind wahr, sonst wären sie nicht wert, geäußert zu werden. Sie können niemals schal werden, wie sie auch niemals geleugnet werden können. Sie haben seit Anfang der Zeiten die vornehmsten Geister der Welt in ihrem Bann gehalten; sie werden es noch tun, wenn die letzten Tage dieses Planeten nahegerückt sind. Sie mögen zeitweise vergessen werden; aber sie erleben immer wieder eine neue Verkörperung. Sie sind unsterblich und werden eines Tages die ganze Menschheit umfassen. Die Wahrheit mag einsam und vernachlässigt ruhen; aber sie ist letzten Endes unwiderstehlich, und die Menschheit muß sich eines Tages ihren zwingenden Forderungen stillschweigend unterwerfen. Das Absolute wird sich selbst von neuem auslegen lassen in jedem Zeitalter und jedem Himmelsstrich. Das göttliche Schweigen wird seine heilige Zurückhaltung zeitweilig brechen, indem es zu bestimmten Zeiten seine ewige Botschaft der Hoffnung in fleischlicher Gestalt dem Menschen sendet. So ist «das Wort Fleisch geworden», und jene stehen auf, die uns daran erinnern, was wir werden können.

Wer diesen Wahrheiten den höchsten Wert beilegt, wird nicht getäuscht werden.

Fürchten wir niemals, uns dieser höheren Macht zu unterwerfen, welche die unumschränkte Herrschaft über das Leben aller Menschen hat. Fangen wir damit an, den Wert der mühelosen Anstrengung kennenzulernen. Lernen wir, still zu werden, unsere eigene Seele dadurch zu verspüren, daß wir mit ihr eins werden und so an ihrer Schönheit, Güte und Weisheit Anteil haben. Möge jeder auf seine besondere, bescheidene Art mithelfen, das Königreich der Himmel herbeizuführen!

Die letzte Wahrheit lautet, daß wir geistig Verbannte sind. Die innere Welt des Überselbst ist unser wirkliches Heimatland, und in seinem verlassenen Heiligtum allein finden wir schweigenden und ewigen Trost für unsere Herzen.

Epilog

Die dunkelste Tragödie unserer dunklen Epoche ist der törichte Glaube, daß Gedanken wie diese ohne Nutzen für eine auf das Praktische eingestellte Welt seien.

Und doch ist das Gegenteil der Fall: gerade aus ewig wahren Ideen kann der Mensch echte Inspiration zu tatkräftigem Handeln schöpfen, unbeugsamen Mut, schwierigen Problemen gegenüberzutreten, erneute Hoffnung, vorwärtszuschreiten, und sogar die Kraft, geduldig auszuhalten, was ausgehalten werden muß. Und ebenso werden sie ein hoher Ansporn für ihn sein, unaufhörlich für das allgemeine Wohl zu arbeiten, als ob es sein eigenes wäre. Schlösser werden schnell geöffnet, Türen bereitwillig aufgemacht in so manchem Hause, um den Menschen einzulassen, der den gütigen Segen des Überselbst hineinbringen kann.

Jeder, der diese lebendigen Ideen untersucht und versteht, kann lernen, in der rastlosen Welt so zu leben, daß er Kräfte einer höheren Region zu seiner Hilfe herbeiruft. Er wird kein schlechteres Mitglied der Gesellschaft, sondern ein viel besseres sein, wenn er die Wahrheit in Leben umwandelt, seinen Geist zuzeiten so still wie einen Bergsee macht und sich mit einer heiteren Selbstbeherrschung bewegt, deren sanfter Strom ihn durch alle Schwierigkeiten trägt.

Verblendete Menschen mögen sagen, was sie wollen — aber das Überselbst ist unser wirklicher Erlöser und wirkt seinen geheimen Willen aus trotz unseres Widerstandes.

Ist es darum nicht weiser, uns freiwillig seinem göttlichen Einfluß zu öffnen und so unnötige Leiden zu vermeiden, die wir durch Unwissenheit über uns bringen?

Manche haben Angst, sich mit diesen Gedanken abzugeben, weil sie fürchten, dann die Welt und alle Annehmlichkeiten des materiellen Lebens opfern zu müssen. Sie können diese Befürchtungen fallen lassen; denn nur der wildäugige Fanatiker verlangt, daß sie die schweren Ketten unvernünftiger Entsagung um sich hängen. Warum sollte jemand mit beherrschtem Geiste die Welt fürchten?

Die Geschicklichkeit, das Leben richtig zu behandeln, besteht einfach darin, seinen Geist richtig zu behandeln! Wir versagen zuerst in Gedanken und nachher erst in Handlungen.

Weltaufruhr ist über uns gekommen, und allgemeine Ratlosigkeit furcht unsere Stirnen, bloß weil wir nicht wissen, daß wir die geistige Wahrheit auf eigene Gefahr vernachlässigt haben. Die Menschheit wird heute wie ein unglückliches Schiff ohne Kapitän, Navigationskarte oder Anker umhergetrieben — ein irrendes Wrack, das auf einen unsichtbaren Felsen auffahren kann.

Doch die wunderbare geistige Macht, welche die menschliche Anatomie plante und die Federn des Schwans weiß färbte, umgibt noch immer die Welt und hat ihre Schöpfung nicht verlassen. Wir sind keine verlorenen Waisenkinder.

Christus kam von weither zu unserm unruhigen Planeten. Er war nur mit einer Botschaft höherer Ethik und einer Mission geistiger Heilung ausgerüstet. Den ermatteten menschlichen Herzen brachte er Hoffnung — nicht ein Schwert, um sie zu durchbohren. Aber der Friede ist weiter denn je von unserm bemitleidenswerten Stern.

Hatte er denn versagt? Die allein können antworten, die das kosmische Drama als ein Ganzes sehen und seine kommenden Akte überschauen. Inzwischen zögern wir vor der mit eisernen Stacheln versehenen Schwelle eines neuen Zeitalters. Die Jugendjahre dieser Erde sind unwiderruflich dahingeschwunden. Eine heranwachsende Menschheit muß bereit sein, die intellektuellen und geistigen Verantwortlichkeiten anbrechender Reife auf sich zu nehmen.

Es ist nicht jedermanns Pflicht, Nationen zu führen und Völker zu beherrschen; aber es ist jedermanns Pflicht, sein persönliches Leben zu leiten und seinen unruhigen Geist zu beherrschen, um für sich selbst zu gewinnen, was der Staat ihm niemals geben kann.

Wahre Erquickung und unfehlbare Weisheit wohnen allein in den göttlicheren Tiefen des Selbst. Die Gewohnheit, sich nach innen zu wenden, wenn immer das Bedürfnis dafür sich erhebt, muß früher oder später von jedermann aufgenommen werden. Und diese Notwendigkeit ist heute größer als je zuvor.

Niemand braucht es zu fürchten, sich dem höheren Selbst zu unterwerfen, sein Ich zum Diener und nicht zum Herrn zu machen. Es gibt keinen und kann hier keinen wirklichen Verlust geben. Das, was das ganze Weltall stützt, wird hinfort auch den sich freiwillig Unterwerfenden eifrig stützen.

Wenn die Menschen bereit sind, sich freudig dem göttlichen Überselbst zu geben — wird sich das göttliche Überselbst auch ihnen freudig öffnen.

Um die strahlende Wahrheit zu verherrlichen und den wenigen zu dienen, die sie beachten werden, ist diese Schrift aus dem alten Osten dem jüngeren Westen zugesandt.

Inhalt

I. Teil: Die Analysen

II. Teil: Die Übungen